Alles Wirkli... ...g

Verstehen · Gestalten · Sinn geben

Eine philosophisch-psychologische Reise
in die Welt der Begegnungen

Hans-Jürgen Stöhr

Alles Wirkliche ist Begegnung

Verstehen · Gestalten · Sinn geben

Eine philosophisch-psychologische Reise
in die Welt der Begegnungen

Bibliografische Information der Deutschen Nationalbibliothek
Die Deutsche Nationalbibliothek verzeichnet diese Publikation
in der Deutschen Nationalbibliografie,
detaillierte bibliografische Daten sind im Internet über
http.//dnb.dnb.de abrufbar

Text: © Hans-Jürgen Stöhr · 2019
Coverbild: © Anne Tamm
Aquarell · Begegnung im Regen · 2014

Herstellung und Verlag
BoD – Books on Demand · Norderstedt
ISBN: 978-3-7494-8182-8

Alles, was uns begegnet,

lässt Spuren zurück,

alles trägt unmerklich zu unserer Bildung bei;

doch ist es gefährlich,

sich davon Rechenschaft geben zu wollen.

Wilhelm Meisters Lehrjahre
Johann Wolfgang von Goethe (1749 – 1832)

INHALT

VORWORT

Über zwanzig Jahre trat mein allzu geliebtes Philosophieren in den Hintergrund. Stattdessen gehörten in dieser Zeit Bildung und Beratung für Führungskräfte, Mitarbeiterinnen und Mitarbeiter in Sozial- und Gesundheitseinrichtungen zu meiner freiberuflichen Tätigkeit. Ich wandte mich Themen zu wie Kommunikation und Verhalten, Selbstmanagement und Mitarbeiterführung, Organisation und Leitbildentwicklung. Ich merkte schnell, welch hilfreiche Stütze mein philosophischer Background war. Menschen- und Selbstbild, Werte im Führungsalltag, Gesundheit und Resilienz am Arbeitsplatz ließen sich nicht bewegen, ohne sie in einen ethisch-moralischen Kontext zu stellen. Es waren Begegnungen von ganz anderer Art, getragen von viel an gemachter Erfahrung.

Dennoch wuchs mit zunehmendem Alter mein Interesse, mich wieder verstärkt dem philosophischen Handwerk zuzuwenden. Die Lust an philosophischen Diskursen hatte mich wieder eingefangen.

Ab 2004 setzte ich mich mit dem Thema Scheitern und Erfolg auseinander. Ich wusste, dass der Blick darauf auch mein persönliches und berufliches Leben berührte. Ich gründete die Agentur für „Gescheites Scheitern", mit der ich kläglich scheiterte. Ohne das Thema gänzlich aufzugeben, fanden seine Arbeitsanteile 2012 Platz in der „Rostocker Philosophischen Praxis".

Mit der Gründung der Philosophischen Praxis war es mir

wichtig, andere Interessierte außerhalb jeder Philosophie-Profession auf meine Diskurse mitzunehmen und das Philosophieren aus dem Hörsaal auf die Straße zu holen. Ich konzentrierte mich auf Vorträge und öffentliche Gesprächsrunden, um der Außenwirksamkeit des philosophischen Denkens gerecht zu werden. Die Philosophische Praxis bekam im Laufe der Jahre mehrere „Aushängeschilder". Im Philosophischen Café steht das Alltägliche des menschlichen Lebens im Mittelpunkt. Die Diskurse bewegen sich an der Schnittstelle zwischen Philosophie und Psychologie. Der Philosophische Salon konzentriert sich auf aktuelle politische und gesellschaftliche Fragen. Die anderen Formate, die die philosophischen Diskursangebote ergänzen, sind die Gesprächsreihe „Hugendubel lädt ein! · Philosophie und Psychologie im Dialog", die philosophischen Tagesreisen in Mecklenburg-Vorpommern und die Philosophiekurse an der Rostocker Volkshochschule.

Mit „Rostock philosophiert" kam 2016 ein neues, philosophisches Event hinzu. Die 1. Rostocker Philosophischen Tage standen unter dem Thema „Was ist ein gutes Leben? · Wie bitte geht das?". Im April 2018 folgten die zweiten unter dem Titel „Gesundheit erleben · Was heißt gesund?"

Über die Jahre ist eine Reihe unterschiedlichster Manuskripte entstanden. Was sie alle miteinander verbindet, sind Betrachtungen über das menschliche Leben. Es lag nahe, sie für ein Buchmanuskript aufzuarbeiten und ggf. mit anderen Texten zu ergänzen.

Meine ersten philosophischen Begegnungen mit dem

menschlichen Leben sind in dem Buch „Scheitern im Grenzgang" (Romeon-Verlag, Kaarst 2017) zusammengefasst. Es
stellt das Wechselspiel zwischen Scheitern und Erfolg in den
Mittelpunkt der philosophischen Betrachtung. Alle Aufsätze
verfolgen die Frage nach dem Wert und Sinn eines *guten* Lebens. In ihnen wird dessen Qualität in unterschiedlichen Lebenssituationen angesprochen.

Das hier vorliegende Buch ist der Begegnung tiefgründig
und direkt gewidmet. Es sind die Begegnungen, die als wirkungsvolle Geschehnisse in unserer Lebenswelt eine philosophische Aufmerksamkeit verdienen.

Es mag Ihnen profan erscheinen, sich dem Begegnen philosophisch zu nähern. Was ist es, das mich veranlasst, ihm so
viel Wertschätzung entgegenzubringen? Ich habe feststellen
müssen, dass der philosophische Blick auf den Begriff der Begegnung eine untergeordnete, wenig beachtete Rolle spielte.
Meine Recherchen zur vorhandenen Literatur fielen dürftig
aus. In theologischen Diskursen und in der Sozialpädagogik
konnte ich das Begegnen am ehesten verorten.

So erachtete ich es für überfällig, sich dem Begegnen vertiefend zuzuwenden und in einen philosophischen Diskurs aufzunehmen. Der Alltag bietet hinreichend Anlässe, sich dem
Begegnen philosophisch zu nähern.

Für manchen Leser mag es eher unverständlich klingen,
sich dem Begegnen derart zuzuwenden, weil er einen fairen
Umgang miteinander per se als menschlich betrachtet. Was
gibt es darüber zu philosophieren, wo doch Begegnungen all-

täglich und selbstverständlich sind?

Als ich von meinem Buchprojekt erzählte, hörte ich Stimmen des Erstaunens. Es war kein Belächeln, sondern eher ein interessiertes Nachfragen.

Es waren jene Reaktionen, die mir den Denkanstoß gaben, sich einer philosophischen Annäherung über das Begegnen anzunehmen. Ich bin mir sicher, dass es sich lohnt, diesem Begriff die gebührende Aufmerksamkeit zu schenken und ihn in die philosophische Denkwerkstatt zu holen.

Ich möchte den Begegnungen mit uns selbst, den anderen Menschen und dem Außermenschlichen einen philosophischen Denkraum geben, in dem wir unseren Blick auf jenes Alltägliche schärfen. Sie sind es wert, weil *sie* es sind, die unser Leben mitbestimmen und weiter tragen. Mehr noch: Wir erfahren über sie unseren Alltag als ein *Er*leben.

Begegnungen machen unser Leben transparent, erfahrbar und verständlich. Sie bringen uns in die Unmittelbarkeit des Lebens. Sie zeigen unsere Verletzlichkeit und Begrenztheit. Es geht darum, das Begegnen in seinen Möglichkeiten und Perspektiven zu verstehen, in einen bewussten Gestaltungsrahmen zu bringen und seinen Sinn zu erfahren.

Um Irritationen vorzubeugen: Das vorliegende Buch ist kein Ratgeber. Es sind philosophische, vom Alltag bestimmte Betrachtungen über Begegnungen. Meine Absicht ist, Begegnungen in unserem Leben aufzunehmen und gewohnte Alltagsweisen zugunsten einer philosophischen Sicht zu verlassen.

Das Schlussfolgern und Handeln aus den Texten möchte ich im Sinne von Immanuel Kant (1724 – 1804) dem mündigen Leser überlassen. An dieser Stelle würde der altrömische Philosoph Seneca (4 v. Chr. – 65 n. Chr.) mir widersprechen und sagen, dass die Philosophie das Handeln und nicht das Reden zu lehren habe. Insofern geht die Aufforderung an jeden Philosophie-Interessierten, entsprechend seinem Denken und Gewissen den Werten und Prinzipien eigenen Lebens zu folgen. Mögen Sie als Leser selbst entscheiden, wie Sie mit diesen Texten umgehen und welchen Sinn sie aus ihnen ziehen wollen.

Des Weiteren möchte ich vorausschicken, dass die Begegnungen in und mit unserer Lebenswirklichkeit mehr an Weisheiten zu bieten haben als das Buch jemals aufzunehmen vermag. Das könnte mich dazu inspirieren, eine „Wiederbegegnung" derart zu veranlassen, hier ausgebliebene und neue Texte aufzunehmen, die den Begegnungen mit dem Alter und Altern gewidmet sind. Die 3. Rostocker Philosophischen Tage, die sich dieses Themas unter dem Titel „Alt werden – jung bleiben! Was ist und das Alter(n) wert?" annehmen, wird hinreichenden Stoff für einen Folgeband generieren.

Ich danke allen Freunden, Bekannten und Philosophie-Interessierten, die regelmäßig die Rostocker Veranstaltungen besuchen und mich zur Buchanregung bewegten.

Während der Textbearbeitung hatte ich kritische Leser an meiner Seite, die die Manuskripte hilfreich kommentierten. Ihnen sei besonders für die vorliegende Fassung gedankt. Der

Dank geht insbesondere an meinen Freund und ehemaligen Kollegen Dr. Friedrich Groth.

Ich widme dieses Buch allen Rostockerinnen und Rostockern, insbesondere all jenen, die regelmäßig die Veranstaltungsreihe „Rostock philosophiert" besuchen.

Hans-Jürgen Stöhr
Rostock, Herbst 2019

Philosophieren ist Denken
anstoßen.
Philosophieren ist auch
Anstößiges denken.

Hans-Jürgen Stöhr (*1949)

EINLEITUNG · Staunen über Begegnungen

Das Interesse an lebensorientierender Literatur ist seit Jahren stetig gewachsen. Das ist nicht überraschend; denn das heutige Leben fordert von uns ein Denken und Handeln, das uns tag-täglich vor Situationen stellt, die uns an die Grenze des Machbaren bringen. Doch sind es nicht diese Grenzbegegnungen, die unser Leben ausmachen? Zeugen sie nicht von dem Allzumenschlichen? Das Menschsein zeigt sich in Gestalt von Gewinn und Niederlage, Scheitern und Erfolg, Freud und Leid, Gewohntem und Fremden, Hass und Liebe. Es ist verbunden mit Toleranz und Borniertheit, Fürsorge und Egoismus, Freundlichkeit und Ignoranz. In allem Menschlichen offenbart sich die Schnittstelle zwischen Stärke und Schwäche, begleitet von Zuversicht und Zweifel. Mit ihnen erfahren wir, dass wir leben und was unser Leben ausmacht. Sie lassen uns das Leben spüren und geben ihm einen eigenen und persönlichen Wert. Der „Türöffner" sind unsere Begegnungen mit uns selbst und den Gegebenheiten unserer Lebenswelt.

Doch was sind Begegnungen? Was machen sie in ihrem Wesen aus? Wo verorten wir sie? Unser Alltagsverständnis sieht Begegnungen stets in einem zwischenmenschlichen Kon-

13

text: Menschen begegnen sich. Doch macht es Sinn, auch dann von Begegnungen zu sprechen, wenn sie außerhalb des Menschlichen stattfinden? Ist das Aufeinandertreffen eines Jägers mit einem Bären in den Wäldern Nordamerikas gleichsam eine Begegnung wie die eines Kometen mit der Erde? Oder ist es etwas anderes?

Dieses Buch unternimmt den Versuch, sich dem Wesen von Begegnungen nähern. Wir werden erkennen, dass es keine einfache, sondern eher eine differenzierte Antwort geben wird. Wir lernen über sie, uns besser zu verstehen. Der Schluss des Diskurses wird sein: Begegnungen sind Instrumente, vielleicht sogar das wichtigste Mittel unserer Lebensgestaltung. Begegnung *ist* Lebensgestaltung. Sie gibt unserem Leben eine Bedeutung.

Der Titel dieses Buch „Alles Wirkliche ist Begegnung" ist der vielsagende rote Faden, der die Beiträge miteinander verbindet. Es sind Aufsätze über das Leben, die das In-, Zwischen- und Neben-Menschliche an und in Begegnungen aufzeigen. Die Essays repräsentieren nicht die Fülle derartiger Begegnungen. Doch sie mögen einen Eindruck darüber vermitteln, in welcher Fülle wir uns tatsächlich bewegen.

Die Annäherung an das Thema verfolgt nicht die Tiefe und Breite begegnerischer Vielfalt. Es wäre vielleicht auch vermessen, hier von einem Aufriss einer Philosophie der Begegnung zu sprechen. Es ist zumindest der Versuch, sich ihr zu nähern. Mit diesem Anliegen ist der Anspruch verknüpft, einen breiten Leserkreis zu erreichen, der sich für dieses Thema interessiert. Während das Begegnen in der Theologie bzw. Theologischen Philosophie und der Sozialpädagogik seinen theoretischen und praktischen Platz schon vor Jahren gefunden hat, erscheint das Verorten von Begegnungen in einem philosophischen Kontext eher zurückhaltend. Es ist der Versuch, dem ein wenig entgegenzuwirken.

Dem Buch sind vier Kapitel über Begegnung und das Begegnen mit philosophischer Relevanz vorangestellt. Sie sind übertitelt mit *Vermessung der Begegnung · Versuch einer Annäherung* und bilden das philosophische Fundament dieses Buches. Das erste Kapitel *Philosophieren als Begegnung zur Wirklichkeitsbewältigung* führt den Leser an das heran, was unter Philosophieren verstanden wird: eine Denkkunst. Mit ihr wird unterstellt, dass das Philosophieren eines Handwerks bedarf, so wie sich jede Kunst über eine Profession erschließt. Für dieses Handwerk benötigt es nicht zwingend einer wissenschaftlichen Gabe und profunden Wissens, um sich an das Philosophieren heranzuwagen. Wichtig erscheint mir mehr, die richtigen, philosophischen Fragen zu stellen, logisch argumentieren zu können und sich an die Kant'schen Grundfragen heranzuwagen.

Das zweite Kapitel *Alles Leben ist Begegnung · Lebenswirklichkeit als Resonanzboden* führt uns zum Begegnungsbegriff. In ihn fließt das von Hartmut Rosa dezidiert entwickelte Resonanzverständnis (sh. Resonanz. Eine Soziologie der Weltbeziehung, Suhrkamp, 2016) ein, das vor ihm von Friedrich Cramer in einer Resonanztheorie (vgl. Symphonie des Lebendigen. Versuch einer allgemeinen Resonanztheorie, Insel Verlag, 1998) begründet wurde. Sie vermitteln einen Einstieg, Begegnung und Resonanz in Verbindung zu bringen.

Eine der zentralen Fragen des dritten Kapitels *Begegnung in resonanter Wirklichkeit · Versuch einer Bestimmung* ist, ob das Begegnen eine ausschließlich (zwischen-)menschliche „Angelegenheit" darstellt, oder ob Begegnungen auch außerhalb des Mensch(lich)en stattfinden. In der Literatur wird der Begriff der Begegnung primär an den Menschen gebunden. Ist es auch außerhalb des Menschlichen sinnvoll, so in Bezug auf die lebende Natur oder auf die Zeit, von Begegnungen zu sprechen? Die gleiche Frage stellt sich, wenn von außermenschlichen oder zumindest von halbseitig menschlichen Begegnungen die Rede ist. Sind das Zusammentreffen von Mensch und Tier, Mensch und Naturereignissen wie Regen und Sturm, Tier und Tier, als Begegnungen zu betrachten? Die Beantwortung dieser und weiterer Fragen ist dem dritten Kapitel des ersten Teils vorbehalten.

Das vierte Kapitel *Begegnung mit Nachhaltigkeit · Die Wirkungsmacht eines Resonanzverstärkers* wertet den Begriff der Begegnung nochmals auf. Responsivität, Resonanz und Nachhaltigkeit werden miteinander in Beziehung gebracht und diskutiert. Das Ergebnis ist, dass sie vereint Begegnungen von besonderer Qualität hervorbringen und in der Folge reproduzierender Begegnungen eine evolutiv bestimmte Nachhaltigkeit entsteht. Der Schluss ist: Mit den sich verändernden Begegnungen verändert sich auch deren Nachhaltigkeit.

Mit dem Versuch einer begrifflichen Annäherung an das Phänomen der Begegnung wird der Einstieg in das Verständnis diverser menschlicher Begegnungen vorbereitet. So hat Guy de Maupassant (1850 – 1893) uns auf den Lebensweg mitgegeben, dass es die Begegnungen mit den Menschen sind, die das Leben lebenswert machen. Doch nicht nur das: Es sind auch die Begegnungen mit uns selbst und den mit uns verbundenen Lebensumständen, die die Selbstbegegnungen und Begegnungen mit anderen Menschen tragen.

Die stiefmütterliche Behandlung des Begegnungsbegriffs in der Philosophie zeigt, wie wichtig es ist, der Begegnung philosophischen Raum zu geben. Die Zeit ist reif, dem Verstehen, Gestalten und Sinngeben von Begegnungen einen gebührenden Platz einzuräumen.

Der Teil 2 des Bandes wendet sich realen und erfahrbaren *Begegnungen des Alltags bzw. unseres Lebens zu.* Es sind Begegnungen mit dem In- (mit sich selbst), Zwischen- und Außermenschlichen. Es sind die Begegnungen mit unseren Gefühlen, die sich stets als ein Begegnen mit uns offenbaren. Es ist der Blick in den vieldeutigen Spiegel, indem wir das Fremde im Eigenen erkennen, das uns eine Selbstbegegnung ermöglicht. Das Leben beschert uns Gewohntes, das uns vertraut und fremd erscheint, warum wir nicht selten mit uns selbst hadern und unzufrieden sind.

In den Begegnungen mit dem Zwischen-Menschlichen befinden wir uns in einem immer wiederkehrenden Lern- und Entwicklungsmodus, der zu Unrecht außerhalb des Selbst-

Menschlichen gestellt wird. Alle hier gemachten Überlegungen zielen darauf, der Abspaltung von Ich und Du entgegenzuwirken und in der Beziehung zueinander eine positive Lebenssicht zu geben.

Zwischenmenschliche Begegnungen verfügen über eine außerordentliche Wirkungsmacht auf uns. Gemeint ist: Es fällt uns das Entschuldigen schwer. Gewinnen wir nicht durch sie persönliche Reife und Stärke? Der Sprachgebrauch des Entschuldigens ist u. U. missverständlich und erleichtert es uns nicht, Demut zu zeigen. Viele sagen: Ich entschuldige mich. Können wir uns *selbst* entschuldigen oder bedarf es nicht der Bitte *um* Entschuldigung? Lässt sich das Entschuldigen, Verzeihen, Versöhnen und Vergeben differenziert beschreiben? Welche Bedeutung geben wir ihnen?

Freundlichkeit und Höflichkeit sind Alltagstugenden. Als Eigenschaften menschlichen Verhaltens haben sie einen gestalterischen Wert in Bezug zum anderen Menschen. Was sind sie uns heute in unserem Alltag wert? Bewahren sie den Schein der Tugend oder sind sie eine Tugend des Scheins, die der Respektlosigkeit Tür und Tor öffnet?

Wir ringen in der Liebe um ein ausgewogenes Verhältnis von Lieben und Brauchen. Lieben wir, weil wir einander brauchen, oder brauchen wir uns, weil wir einander lieben? Was ist richtig? Die Sichtweisen von Erich Fromm, Hans Jellouschek und Hans-Joachim Maaz, die sich hierzu äußerten, werden in einem Diskurs unterschiedlicher Ansichten zusammengeführt.

Die *Begegnungen mit dem anderen* (Neben- bzw. Außer-Menschlichen) sprechen den Umgang mit den natürlichen Dingen des Lebens an. Gemeint sind unser Verhalten gegenüber dem Natürlichen, hier mit dem Wald und der Zeit. Es ist die Begegnung mit dem Baum und dessen Lebens-, Wahrnehmungs- und Gefühlswelt, über die Peter Wohlleben in einem seiner Bücher schreibt. Seine Auffassung, dass Bäume miteinander kommunizieren und Gefühle haben, hat mich inspiriert, die Gedanken Wohllebens kritisch aufzunehmen und mich mit ihnen auseinanderzusetzen.

Allgegenwärtig und dennoch schwer fassbar ist unsere Begegnung mit der Zeit. Angesichts der Schnelllebigkeit in der Moderne hat Zeit eine dominante lebensgestaltende Funktion, wie Rüdiger Safranski es in seinem Buch über die Zeit verdeutlicht. Lassen unser heutiges Lebensverständnis und die damit einhergehenden Anforderungen eine menschlich tragfähige Zeitverinnerlichung zu? Wie sollten wir der Zeit begegnen – mit ihr, auf sie wartend, sich ihr entgegenstellend? Lässt sich ein Leben ohne Zeit denken und praktizieren?

Im Epilog wird der Mensch mit der von ihm selbsterzeugten Technik, insbesondere mit der künstlichen Intelligenz (KI) konfrontiert.

Die Begegnung des Menschen mit der Technik ist die außergewöhnlichste Begegnung mit sich selbst. Was macht die Begegnung mit Technik aus? Wie beeinflusst Techniknutzung unser Leben? Ist es sinnvoll, dass wir uns der Technikentwicklung entgegenstellen?

Angesichts der gegenwärtigen KI-Entwicklung ist das Verhältnis zwischen Mensch und Technik von besonderer Brisanz. Nicht umsonst spreche ich im Epilog von *ver-rückten Begegnungen*. Wir sollten wissen, dass unser Leben keine Nachspielzeit kennt. Umso wichtiger ist es, sich mit den *Verrücktheiten des Menschen* auseinanderzusetzen.

In diesem Abschlusskapitel verfängt sich die Kant'sche Frage: Was ist der Mensch? Es ist die Grundfrage selbstreflektierenden Denkens und Handelns, die die anderen Fragen: Was kann ich wissen? Was soll ich tun? und Was kann ich hoffen? einschließt.

Wie wir heute wissen, sind Fragen zum Menschsein immer wieder neu und zeitgemäß zu stellen und zu beantworten. Haben die derzeitigen Lebensbegegnungen den Menschen so verändert, dass sein *Ver*rücken eher zu seinem Nach- als zu seinem Vorteil gereicht? Führt sein *Ver*rücken zu einem unkorrigierbaren, existenzbedrohenden Verrücktsein? Es gilt auszuloten und zu hinterfragen, welchen Platz der Mensch in seiner aktuellen zeitgeschichtlichen und zukünftigen Lebenswelt einnehmen will. Inwieweit kann und will der Mensch für alles Geschehen mehr Verantwortung übernehmen statt im Vertrauen auf eine voraussetzungslose Freiheit seine eigene Zukunft zu gefährden? Weiter nachgefragt: Hat der Mensch sein jahrtausendealtes Lebenswerk verwirkt und ist dabei, alles dafür zu tun, sich selbst auf dieser Erde abzuschaffen?

Der Historiker Yuval Harari bringt es im Schlussteil seines Buches „Die kurze Geschichte der Menschheit" auf den

Punkt, wenn er schreibt: „Trotz unserer erstaunlichen Leistungen haben wir nach wie vor keine Ahnung, wohin wir eigentlich wollen, und sind so unzufrieden wie eh und je. Von Kanus sind wir erst auf Galeeren, dann auf Dampfschiffe und schließlich auf Raumschiffe umgestiegen, doch wir wissen immer noch nicht, wohin die Reise gehen soll. Wir haben größere Macht als je zuvor, aber wir haben immer noch keine Ahnung, was wir damit anfangen wollen. Schlimmer noch, die Menschheit scheint verantwortungsloser denn je. ... Gibt es etwas Gefährlicheres als unzufriedene und verantwortungslose Götter (gemeint sind die Menschen, die sich wie Götter benehmen – der Verf.), die nicht wissen, was sie wollen?" (Pantheon, München 2015, S. 507 f.)

Abschließend seien Bemerkungen gestattet, die die philosophische Herangehensweise, Bearbeitung und Lesart der Texte berühren. Die Fassung der Diskurse folgt vier philosophischen Grundinhalten, die sich auf die Kant'schen Fragen zurückführen lassen.

Es betrifft *erstens* das Erarbeiten eines begrifflichen Selbstverständnisses. Es geht um das Bestimmen, Abgrenzen und Differenzieren zu anderen in Verbindung stehenden Begriffen. Das geschieht, soweit es für die Themenbearbeitung sinnvoll ist.

Zweitens wird in den Texten darauf Wert gelegt, Zusammenhänge, Veränderung und Entwicklung, bestehende Bedingt- und Bestimmtheiten und Gegensätzlichkeiten zwischen Eigenschaften, Zuständen oder Sachverhalten zu beschreiben.

Die dialektische Betrachtung ist gewollt, weil sie unserer Wirklichkeit entspricht. *Drittens* fließen marginal erkenntnistheoretische Inhalte ein. Der Diskursinhalt wird in den Kontext von Erkenntnisursprüngen, Wahrnehmung und Erfahrung, Wissen und Wahrheit gestellt.

Im letzten und *vierten* Punkt ist der Focus auf die ethisch-moralische Sicht in der Behandlung der Fragestellungen gelegt. Sinn und Bedeutung, Werte und Normative, Entscheidungen und Handlungen erhalten hier ihren gebührenden Platz.

Die Texte sind so aufbereitet, dass jeder Leser sie mit seinem wachen und kritischen Geist aufnehmen und in die heutigen Weltgeschehnisse einordnen kann. Das ist die Grundlage dafür, die Lebensbegegnungen immer wieder auf einen Prüfstand zu stellen.

Ob der Leser (die Leserin) der Lust am Philosophieren etwas abgewinnt, weil er über diese Art zu denken einen neuen Zugang zu den Begegnungen des Lebens findet, wird er (sie) für sich selbst erschließen müssen.

Das Inhaltsverzeichnis verrät, dass die wenigen Texte divers angelegt sind, um so die Breite und Gestaltungsformen von Begegnungen aufzuzeigen. Die Klammer für alle Texte sind die Begegnungen. Alles, was mit dem Menschsein in Verbindung zu bringen ist, lässt sich nur über das Begegnen erschließen und verstehen.

Wenn Begegnungen das Menschsein ausmachen, so gründet menschliches Sein auf Verhalten, zu sich selbst, zu anderen Menschen und zu seinem Lebensumfeld.

Wie alles Menschliche sich in Wert und Qualität im Begegnen wiederfindet, so prägen Begegnungen unser menschliches Sein.

Begegnungen sind stets Bedingung und Ergebnis menschlichen Denkens und Handelns. Alles Wirkliche ist und alles Wirkende zeigt sich als Begegnung.

Kapitel I

Vermessung der Begegnung
Eine philosophische Annäherung

Philosophieren
Eine Begegnung zur Wirklichkeitsbewältigung

.

Alles Leben ist Begegnung
Lebenswirklichkeit als Resonanzboden

.

Begegnung in resonanter Wirklichkeit
Versuch einer Bestimmung

.

Begegnung mit Nachhaltigkeit
Die Wirkungsmacht eines Resonanzverstärkers

Philosophieren
Eine Begegnung zur Wirklichkeitsbewältigung

Der Alltag tritt uns so banal, gegenwärtig und unmittelbar erfahrbar gegenüber, dass die IKEA-abgewandelte Frage „Lebst du noch oder philosophierst du schon?" uns eher merkwürdig erscheint. Jeder kennt das Wort „Philosophieren". Es wird schnell abgetan, weil es, so meine Erfahrung, über das oder außerhalb des Alltäglichen unserer Lebenswirklichkeit gestellt wird. Philosophieren sei etwas für Spinner, die abgehoben, lebensfremd diskutieren und Bücher schreiben.

Eine Dame meines Alters, der ich von meiner Philosophischen Praxis erzählte, wusste von ihrem Enkel zu erzählen, was er vom Philosophieren halte. Sie habe ihn gefragt, was er im Philosophieunterricht lernt. Sie erhielt von ihm zur Antwort: „Oma, das ist ein Schulfach, das kannst du dir knicken. Da wird nur `rumgesponnen." Wir müssen akzeptieren, dass es *eine* von ihrem Enkel geäußerte Meinung ist. Dennoch wage ich zu behaupten, dass es nicht nur eine Meinung eines einzelnen pubertierenden Schülers über das Philosophieren ist. Philosophieinteressierte, die regelmäßig die philosophi-

25

schen Gesprächsrunden besuchen, erzählten mir, dass sie Freunde zum Mitkommen in das Rostocker Philosophische Café oder in den Salon einluden. Enttäuscht mussten sie deren Ablehnung zur Kenntnis nehmen. Die Gründe waren ähnlicher Natur wie die des Schülers.

Der Sinn des Philosophierens aus dem Alltag heraus ist noch nicht überall angekommen. Zumindest wird die Wirklichkeitsbewältigung unseres Alltages nicht durch eine „Philosophische Brille" gesehen. Dabei will ich nicht ausschließen, dass so manche Alltagskonversation philosophischer Natur ist, jedoch nicht als solche erkannt wird. Der Gedanke, dass in jeder alltäglichen Lebens-, Krisen-, Konflikt-, schlechthin Wirklichkeitsbewältigung Philosophisches steckt, stößt bei manchen auf Unverständnis und schwer glaubhaft.

Diese und viele weitere erfahrene Gesprächssituationen machen deutlich, dass der Kant'sche Aufsatz über die Aufklärung (vgl. Beantwortung der Frage: Was ist Aufklärung, in: Berliner Monatszeitschrift, Dezember 1784) bis heute nicht an Bedeutung verloren hat. Wir begegnen nach wie vor einer vom Menschen selbst verschuldeten Unmündigkeit. Die Bereitschaft, Selbstaufklärung selbst zu verantworten, den natürlichen Antrieb an Wissensneugier auszuleben, hält sich vor allem dann in Grenzen, wenn der Alltagsbezug nicht in der Unmittelbarkeit und praktischen Anwendung gesehen wird. Die Ursachen dafür sind vielfältig.

Nach über 230 Jahren seit Erscheinen des Kant'schen Aufsatzes hat der Aufklärungsprozess keineswegs seinen Abschluss gefunden. Ihn wird es m. E. auch nicht geben, weil jeder von uns Individualerfahrung in Sachen Aufklärung braucht und macht. Darauf verweist das Philosophische Manifest „Verändern wir die Welt!" deutlich. (vgl. HOHE LUFT, Heft 5/2015, S. 21 ff.).

Der Mangel an bestehender Aufklärung ist nicht nur eine Kritik an heute wirkenden Philosophen, die das Philosophieren allzu wenig als Tätigkeit begreifen und an althergebrachten inhaltlichen und methodischen Zöpfen des Philosophierens festhalten. Das Manifest ist ein Plädoyer, das Philosophieren neu, der heutigen Lebenswirklichkeit, den Erfordernissen und Ansprüchen angemessen, aufzustellen. Die zehnte These des Manifestes, von der Philosophin Rebekka Reinhard und den Philosophen Tobias Hürter und Thomas Vašek verfasst, bringt es auf den Punkt: „Philosophie soll die Welt verändern".

Karl Marx (1818 – 1883), der sich in jungen Jahren mit dem Religionskritiker Ludwig Feuerbach (1804 – 1872) auseinandersetzte und die Feuerbachthesen (1845) verfasste, können wir uneingeschränkt beipflichten: „Die Philosophen haben die Welt nur unterschiedlich interpretiert, es kömmt darauf an, sie zu verändern."

Ich muss eingestehen, dass ich gerne die Gelegenheit nutze, so manchem Gesprächsinhalt des Alltags einen philosophischen Touch zu geben. Ich mag es, wenn sich Lebenswirklichkeit und philosophisches Denken treffen. Das Hinterfragen und Zweifeln, Begriffserklärungen und ethisch-moralische

Fragestellungen, bewegen sich in den Vordergrund. Für mich sind das methodische Basics philosophischen Denkens. Die Welt in ihren Teilen zu analysieren und sie wieder aus einem anderen Blickwinkel zusammenzubauen, bedarf einer gewissen Denkübung, die nicht jedermanns Sache ist.

Small-Talk und eine gewisse Leichtigkeit zwischenmenschlicher Kommunikation machen das Philosophieren lebendig. Dem Philosophieren nicht nur mit seiner vermeintlichen Ernsthaftigkeit zu begegnen, sondern mit ihm Lust und Neugierde am Denken hineinzutragen, erachte ich für wichtig. Es lohnt sich, das Philosophieren zu einem lebenspraktischen Erlebnis zu entwickeln. Philosophen von Profession, die im universitären und außeruniversitären Bereich tätig sind, haben dafür Verantwortung zu übernehmen.

Das führt mich zu der Frage: Brauchen unsere alltäglichen Wirklichkeitsbegegnungen ein kommunikatives Denken, das wir Philosophieren nennen? Wenn wir diese Frage bejahen, ist zu ergänzen: Was hat das Philosophieren mit Begegnung und Wirklichkeitsbewältigung zu tun?

Die meiste Zeit seiner Existenz war der Mensch mit seinem nackten Überleben beschäftigt. An Philosophieren war nicht zu denken, was nicht heißt, dass die Menschen sich keine Gedanken über ihre Lebenswelt machten. Sie suchten Erklärungen für ihre Lebensumstände und das, was die Welt im Innersten zusammenhält.

Wenn der Mensch mehr als nur überleben wollte, kam er nicht daran vorbei, seine Welt als Ganzes zu begreifen, und sich Wissen über sie anzueignen. Mit der Abkopplung des Denkens von harter menschlicher Arbeit waren Raum und Zeit frei, über „Gott und die Welt" zu philosophieren.

Das Philosophieren etablierte sich zu einer exponierten Denkkunst, die das Alltagsdenken hinter sich ließ. Das ist Grund genug für die Erklärung, dass das Philosophieren bis heute losgelöst vom Alltagsdenken und der alltäglichen Lebensbewältigung betrachtet wird. Alltagsbegegnungen werden nicht oder viel zu wenig als philosophische Begegnungen wahrgenommen.

Der Mensch ist von Natur aus ein kreatives, antwortsuchendes und handelndes Wesen. Dafür braucht er keine Philosophie. Er hatte schon vor ihr eine Anschauung über (s)eine Welt, in der er lebte. Er versuchte für all das, was ihm begegnete und für die Wirklichkeitsbewältigung wichtig erschien, Erklärungen zu finden, die ihm Antworten für die Lebenspraxis gaben. Die gemachten Erfahrungen verschafften dem Leben eine innere Ordnung. Sie bündelten das Wissen, sortierten Entscheidungen und führten zu nutzbringendem und überlebenswichtigem Handeln. Sie waren es wert, für die Nachfahren aufgehoben (bewahrt) und weiter gegeben zu werden. Das brachte nicht nur Sicherheit, sondern Lebensfortschritt, der das Leben von Generation zu Generation handhabbarer, das heißt kontrollierbarer und beherrschbarer machte.

Diese Welt-Anschauung als Draufsicht auf die erfahrbare (erfahrene) Lebenswelt bildete die Grundlage für das spätere

Philosophieren. Solange menschliche Arbeit nicht Menschen für ein philosophisches Denken freisetzen konnte, reichte es nicht. Alle Kraft und Zeit waren auf die Existenz des Lebens gerichtet. Zur Sicherung des Lebensunterhaltes waren alle verpflichtet.

Priester und Schamanen waren schon jene, die sich zu jener Zeit mit dem Geistig-Spirituellen beschäftigten. Sie können wir als die Vorläufer des Philosophierens betrachten. Ihre Art zu denken, war den Weisen und Erfahrenen der Gemeinschaft (i. d. R. des Stammes) vorbehalten. Sie hatten für die Gesellschaft einen wichtigen, lebensführenden Platz eingenommen.

Die „Philosophenkaste", die sich vorrangig dem Denken über den Menschen und die Welt zuwandte, gab es nicht. Ihre Versorgung durch die Gemeinschaft bedurfte einer höheren Produktivität. Das änderte sich mit einer höheren Versorgungseffizienz. Die Gesellschaft konnte sich eine Schicht (Gruppe) von Menschen leisten, die sich verstärkt geistigen Genüssen zuwandte. Die Trennung von geistiger und körperlicher Arbeit war damit vollzogen. Menschen wie Sklaven, Handwerker und Bauern trugen zum Lebensunterhalt jenes „Geistesstandes"? bei, zu denen Patrizier, Priester, Künstler und Soldaten? gehörten.

Das Patriziat war jene gesellschaftlich-herrschende Gruppe, die in den meisten Fällen die Denker hervorbrachte. Die Geburtsstunde des Philosophierens im Abendland war im 6. Jh. v. Chr. nicht mehr aufzuhalten. Das Philosophieren in der europäischen Antike stand unter dem Motto „Erkenne die

Welt!". (vgl. David Precht, Erkenne die Welt. Eine Geschichte der Philosophie, Bd. 1, Goldmann 2015)

Das Philosophieren war zweifelsohne ein Privileg der herrschenden Schicht. Philosophiert haben jene, die nicht nur von der eigenen Neugier gepackt und von den Geheimnissen und Zusammenhängen unserer Welt fasziniert waren. Es philosophierten auch jene, die Zeit und Geld für die heute beiläufig so abwertend bezeichnete brotlose Kunst hatten. Das zeigt, dass mancher mit dem Philosophieren Sicht- und Einordnungsschwierigkeiten hatte.

Es ist nicht immer die gewohnte, althergekommene abfällige Haltung gegenüber dem Philosophieren, sondern bei vielen Menschen der Respekt vor dieser Denkkunst und das fehlende Zutrauen, sich auf diesem Terrain zu bewegen.

Philosophieren ist kein Erschaffen von materiellen Dingen wie Brot backen, Schiffe oder Möbel bauen. Es ist kein Fußballspielen. Philosophieren bringt keinen unmittelbaren praktischen Nährwert. Wird der Philosophie eine Existenzberechtigung zugestanden, dann wird sie primär in Schulen, Hochschulen und Universitäten verortet. Sie wird als Luxus der Gesellschaft geduldet. Im schlimmsten Fall wird ihr die Tauglichkeit für die Begegnungen mit unserer Lebenswirklichkeit abgesprochen.

So naheliegend diese Schlussfolgerung anmuten mag, so falsch ist sie auch. Wir brauchen das Philosophieren nicht, weil wir vieles aus unserem menschlichen Selbstverständnis richtig machen. Anders formuliert: Wir philosophieren, ohne dass wir es immer wissen oder wollen. Unser Denken ist philosophischer, als wir glauben. In unserem alltäglichen Leben steckt mehr Philosophie, als wir es erahnen. Was uns fehlt, ist das bewusste Herstellen einer Verbindung zwischen dem Leben und unserem natürlichen Vermögen, philosophisch zu denken und zu handeln. Was wir brauchen, ist eine aktive Begegnung mit der Lebenswirklichkeit, die das Philosophieren mit einschließt. Und wir benötigen eine Sichtweise auf das alltägliche Leben, die ein philosophisches Begegnen erlaubt. Wie ist das zu verstehen?

Das Philosophieren beginnt schon morgens, wenn wir vor dem Spiegel stehen und fragen: Wie sehe ich aus? Was erwartet mich am heutigen Tag? Was will ich wie erledigen? Oder muss ich mich heute wieder über meinen Chef ärgern? Was macht mich unglücklich? Darf ich mich auch dann von meinem Partner (meiner Partnerin) trennen, wenn er (sie) schwer krank ist und ich ihn (sie) nicht mehr liebe? Und am Abend: Kann ich mit dem Tag zufrieden sein? Was bedeutet es, wenn ich mich meinen Träumen hingebe?

Das mag wenig philosophisch anmuten, sondern eher lebenspraktisch und emotional-psychologisch. Doch unser Leben fordert uns zum Philosophieren heraus, wenn wir in den Alltagsfragen das Philosophische erkennen: Was ist mir der heutige Tag wert, den mir mein Leben schenkt? Wie wichtig ist es für mich, in meinem Denken und Handeln Prioritäten zu setzen und was hat das mit Lebensqualität zu tun? Welche Bedeutung hat für mich das Zusammenleben mit anderen

Menschen - auch mit jenen, die mir nicht immer wohlgesonnen sind? Was heißt für mich alltägliches Leben zu leben? Welchen Wert und Sinn haben Partnerschaften (Ehe, Familie, Freunde) für mich? Mit diesen Fragen begegnen wir dem Leben philosophisch.

Das Philosophieren braucht fragende und zugleich skeptische Betrachtungen über unsere Lebensbegegnungen. Sie erzeugen auf nachhaltige Weise denkproduktive Handlungsansätze über das Alltägliche hinaus. Und das nicht, um sich vom Alltag wegzubewegen, sondern sich dem Alltag im Rahmen einer philosophischen Begegnung lebensbestimmend zu stellen.

Das Philosophieren ist ein Begegnen in und mit unserer Lebenswelt. Es erschließt uns den Sinn für die Lebensbewältigung. Allein das ist es wert, unserer Lebenswirklichkeit philosophisch zu begegnen. Das Philosophieren ist eine Brücke, auf der sich Mensch und seine (außerhalb und innerhalb von ihm bestehenden) Lebenswelten begegnen.

Menschen machten sich schon immer Gedanken über ihre Lebensweise, ihr Zusammenleben, die Geschehnisse und deren Ursachen in der Welt. Sie schauen sich mit ihren Erfahrungen die Welt an, die ihnen das Leben ermöglichen. Das Sammeln von Erfahrungen über sich selbst, über das menschliche Zusammensein und seine Spiritualität, über die Natur im Allgemeinen und deren Kräfte im Besonderen, über das Nutzen von vom Menschen hergestellten Werkzeugen – all finden wir in seiner Anschauung über die Welt.

Welt-Anschauung versteht sich als die Gesamtheit an Wissen, Erfahrungen, menschlichen Werten, Vorstellungen über den Menschen, über dessen Leben in der Gruppe, in der Gesellschaft, über die Natur, über die von ihm geschaffenen Werkzeuge (Techniken). Weltanschauung sind über Generationen hinweg gemachte Erfahrungen des Menschen mit seiner Lebenswelt; und es sind Begegnungen mit sich selbst.

Da es in der abendländischen Gesellschaft an Vorstellungen und Werten hinsichtlich des Lebens und der Welt viele gibt, liegt es nahe, dass uns viele Weltanschauungen begegnen. Jede Anschauung von der Welt spricht für sich. Die heidnische Viel-Götter-Kultur in vorchristlicher Zeit oder der heutige Atheist ist von einer Weltanschauung beseelt. Jeder Mensch trägt eine und damit seine Weltanschauung, ob er sich dessen bewusst ist oder nicht. Sie ist das Produkt von Erziehung, kollektiver Wertevermittlung und in der Lebenspraxis gemachter Erfahrung. Die Weltanschauung wächst und wird mit dem Leben „erwachsen". Sie wird zum Kompass für die Lebensgestaltung, die der Mensch zu meistern hat. Sie bringt die Antwort auf die Frage nach dem Sinn des Lebens auf den Punkt.

Verstehen wir das Begegnen als ein Aufeinandertreffen von Lebenswirklichkeit und Philosophieren, so ist es keineswegs einseitig. Philosophie trifft auf die reale und wirkende Lebenswelt; die Wirklichkeit berührt unser philosophisches Denken.

Ich unterstelle, dass das Philosophieren auf die menschliche Lebenswelt ebenso Wirkung erzeugt wie umgekehrt die Lebensumwelt des Menschen Wirkungen auf das Philosophieren hinterlässt. Wie ist das gegenseitige Begegnen von Philosophie und Wirklichkeit zu verstehen?

Der Beantwortung dieser Frage sei vorangestellt, dass, wenn wir hier vom „Philosophieren" sprechen, es darum geht, unseren Begegnungen mit der Realität „Professionalität" zu schenken. Das bedeutet, über das „Die-Welt-Anschauen" hinauszugehen und der von uns angeschauten (kontemplativ begegneten) Welt eine Ordnung (Struktur) zu verleihen, indem wir in unseren Begegnungen mit der Wirklichkeit „philosophisches Werkzeug" in die Hand zu nehmen. Philosophieren heißt, Kriterien der Wissenschaftlichkeit zu folgen. (vgl. Hans-Jürgen Stöhr, Scheitern als Grenzgang, S. 289 ff., Romeon Verlag, Kaarst 2017)

Wir geben der weltanschaulichen Betrachtung Professionalität, so mein Methodenansatz, wenn wir den philosophischen Lebens- bzw. Wirklichkeitsbegegnungen mit vier Denkperspektiven verbinden: der metaphysisch-analytischen, dialektischen, erkenntnistheoretischen und ethisch-moralischen. Es sind philosophische Begegnungen mit der Wirklichkeit mit jeweils vier verschiedenen Zugängen.

Metaphysisch-analytisch der „Welt" zu begegnen bedeutet, die Wirklichkeit in ihrem Wesen zu begreifen und mit unserem Verständnis Begriffliches zu klären, zu bestimmen bzw. zu entwickeln. Begriffe sind Gedankenbilder. Wir erfassen ihre Bedeutung mittels Intension (Begriffsinhalt) und Extension (Begriffsumfang). Wir entwickeln ein begriffliches Selbstverständnis, um mit Hilfe von Begriffsklärungen die Grundlage für weiteres Philosophieren zu schaffen.

Es lässt sich nur gut Philosophieren, wenn ein Austausch über das begriffliche Verstehen stattgefunden hat. Das Erfahren von begrifflichem Konsens oder Dissens ist für das folgende Philosophieren wichtig. Wenn unerkannt bleibt, was als „Welt" verstanden werden soll, die begriffliche Beschreibung eines Objektes nicht gleich, sondern unterschiedlich ausfällt, sind Missverständnisse und philosophische Stolpersteine vorprogrammiert.

Ebenso berührt es die Thesenbildung und das Formulieren philosophischer Annahmen. Begriffe wie Gott, Zeit oder Raum sind metaphysischer Natur, weil deren Annahmen in der Bestimmung unterschiedlich ausfallen können. Ableitungen und Beweisführung gelten als schwierig. Es werden Axiome gebildet und vorausgesetzt, die den Einstieg in das Philosophieren ermöglichen. Das erklärt, warum die Philosophie uns nicht nur eine „Wahrheit" präsentiert. Die Philosophie- und Ideengeschichte ist mit dem Entstehen unterschiedlicher philosophischer Denkrichtungen verbunden. Wenn wir beispielsweise über das Leben philosophieren, so ist zu klären, was wir darunter verstehen. Wir fragen: Was ist Leben? Wir folgen der Frage, ob das Leben eine göttliche oder natürliche Quelle hat oder ein Konstrukt seines Selbst ist.

Zu allem begrifflichen Selbstverständnis gehört, wie wir uns diesen Fragen nähern: deduktiv oder induktiv. Deduktiv bedeutet, sich im Denken vom Allgemeinen (Abstrakten), einem gebildeten Begriff oder Axiom, hin zum Konkreten, was heißt zur Lebenswirklichkeit, zu bewegen. Das macht vor allem dann Sinn, wenn zu klären ist, ob der Begriff der Lebenswelt genügt.

Oder wir schlagen einen umgekehrten, induktiven Denkweg ein, der von wirklichen Tatsachen, konkreten Lebenserfahrungen, experimentellen Ergebnissen usw. ausgeht. Wir bewegen uns hin zum Allgemeinen, wenn wir dieses Wissens in neue oder veränderte Begriffe bis hin zur Thesen-, Gesetzes- bzw. Theorienbildung formen.

Der zweite Aspekt philosophischer Begegnung beinhaltet, die Wirklichkeit in ihrer *Dialektik* zu verstehen. Dialektisch *wird* unsere Wirklichkeitsbegegnung dann, wenn wir uns in den Betrachtungen der Lebenswirklichkeit auf Zusammenhänge und Wechselwirkungen, Bewegung und Entwicklung konzentrieren. Hier fragen wir, wie das eine mit dem anderen in den Geschehnissen unseres Lebens in Beziehung zueinander steht, worin deren Ursächlichkeiten und Wirkungen bestehen. Es ist das Ergründen von Entstehungsgeschichten in ihren Veränderungen, Verläufen und Resultaten.

Wir fragen nach der Wirkung menschlichen Denkens und Handelns auf die Natur. Wir wissen um den Einfluss des Menschen auf seine Lebenswelt. Doch welche Qualität eine derartige Einflussnahme hat und in welchem Ausmaß sie sich in welcher zeitlichen Dimension gestaltet, ist eine zutiefst dialektische Frage. Von deduktiver Natur ist sie, wenn die These der von Menschen gemachten Naturerwärmung durch Tatsachen belegt wird. Einem induktiven Herangehen folgen wir, wenn gesammelte Daten zur Klimaentwicklung den Schluss erlauben, dass es zu einer Klimaerwärmung gekommen ist. Es spielt nur in zweiter Hinsicht eine Rolle, worin deren Ursachen liegen. Weiterhin wäre dann zu klären, ob die Ursachen ausschließlich eine natürliche Quelle haben oder bzw. und vom Menschen gemacht sind.

Der *erkenntnistheoretische* Blick auf unsere Wirklichkeit zielt auf die Quelle unseres Wissens: Woher wissen wir, dass das, was wir wissen, der objektiven Wirklichkeit und keiner Einbildung entspricht? Wer oder was gibt uns die Gewissheit, dass unser Wissen von praktischem Wert ist und wir keinem Irrtum oder Denkfehler aufgesessen sind? Inwieweit können wir uns auf gemachte Erfahrungen verlassen?

Wir gehen den Weg des Erkennens und der Erkenntnis, wir streben nach wahrem Wissen, weil es *die* Grundlage unserer Lebensbewältigung ist. Doch wie viel kann ich von dem selbst wissen, und was benötige ich an Wissen, um erfolgreich durch das Leben zu kommen?

Eine erkenntnistheoretische Wirkbegegnung mit der Lebenswirklichkeit ist, wenn wir unser Wissen in sie gestalterisch, kreativ und nachhaltig hineintragen. Es wird über unser Handeln zu einer wirkenden Kraft. Die Rolle von Ideen, Anschauungen, Konzepten, Axiomen und Theorien in ihrer Wirkmächtigkeit ist unumstritten. Sie beeinflussen unsere Lebenswelt. Doch ist das, was wir tun, auch immer richtig?

So manche aus Wahrnehmungen gewonnene Erfahrungen und getroffene Schlussfolgerungen haben sich als unwahr oder Irrtum herausgestellt. Die Frage nach der Verlässlichkeit unserer Erkenntnisse ist durchaus begründet. Zweifel entstehen, wenn sich die Lebenswirklichkeit anders zeigt, als wir es annahmen. Das Ringen um die Wahrhaftigkeit des Wissens ist für unser Wirken auf die Lebenswelt genauso wichtig, wie davon auszugehen, dass unsere gemachten Lebenserfahrungen wahr sind. Das heißt, dass sich die denkende Innenwelt (Subjekt) mit der vom Menschen bestehenden Außenwelt (Objekt) in Übereinstimmung befindet. Oder ist nur das wahr, was der Mensch für wahr ansieht? Oder das, aus dessen praktischer Verwertung ein Nutzen entspringt? Mit diesen Fragen begeben wir uns in den Bereich des Metaphysischen, was deutlich macht, wie verwoben die philosophischen Denkperspektiven sind.

Wir bewegen uns mit den Erfahrungen und Erkenntnissen in die Lebenswirklichkeit, wenn wir sie mit unseren Entscheidungen und Handlungen zur Anwendung bringen. Das Entscheiden und Handeln ist nicht nur mit Wissen ausgestattet, sondern ist gleichsam von *Ethik und Moral* geprägt. Es ist die vierte Perspektive des Philosophierens mit Blick auf die Wirklichkeit.

Die Verknüpfung von ethisch-moralischen Überlegungen mit unseren Entscheidungen und Handlungen zeigt sich insbesondere dann, wenn deren Wert und Sinn auszumachen ist. Wir stehen in Verantwortung mit unserem Handeln, das die

Lebenswirklichkeit verändert. Der Mensch will sie sinnbestimmt gestalten. Sein Ziel ist es, dass es zu keinen gegenseitigen Behinderungen mit der Lebenswelt kommt und beide, Mensch und Umwelt, ihren Wirkungsraum mit Entwicklungspotenzial und Nachhaltigkeit bewahren.

Wir fragen nach der Vertretbarkeit technischer Anwendungen oder des Verzehrs von Fleisch angesichts von Massentierhaltung. Wir fragen nach Ge- und Verboten? Wir stoßen auf den Zusammenhang von Freiheit und Verantwortung, den Wert von menschlicher Kommunikation und Vertrauen. Wir ringen alltäglich um einen moralisch vertretbaren Zugang, der uns eine Orientierung für das Leben und den Umgang mit der Lebenswelt geben soll.

Es steht der formulierte Gedanke über die wechselseitige Wirkung von Philosophie und Wirklichkeit unbeantwortet im Raum. Auf die Wirkungsmacht der Philosophie auf die Lebensrealität wurde eingegangen. Bleibt zu fragen: Wie steht es mit der Wirkfähigkeit der menschlichen Außenwelt in Hinblick auf das philosophische Denken? Es ist der Frage nachzugehen, ob die Lebenswirklichkeit von solcher Natur und Kraft ist, dass die vier o. g. philosophischen Denkperspektiven ein Produkt jener Welt sind, in der der Mensch lebt. Anders formuliert: Sind jene Perspektiven, die die Begriffsarbeit, das Dialektische, Wahrheitsgemäße und Ethisch-Moralische zum Inhalt haben, Abbilder unserer Außenwelt? Ich beantworte diese Frage bedingt positiv.

Das *Metaphysische* in der objektiven Wirklichkeit zeigt sich, wenn wir fragen, ob unsere Lebensdinge Allgemeines (Abstraktes) und Konkretes (Einzelnes) in sich tragen. Hier lebt der altbekannte Universalienstreit zwischen den Nominalisten und Realisten auf, der seit der Antike in der Geschichte der Philosophie schwelt, in der Scholastik seinen Höhepunkt hatte und bis heute in unterschiedlichster Gestaltungsform weiterlebt.

Das Metaphysische löst sich in meinem Verständnis dialektisch auf. Die Dinge sind Allgemeines und Einzelnes zugleich, was heißt, dass sie einerseits Eigenschaften (Merkmale) in sich tragen, die die Dinge in Gruppen (Klassen) zusammenfassen lassen. Das Ergebnis ist der Begriff. Der Begriff „Stuhl" bildet die Menge aller existierenden Stühle ab, weil alle Stühle über gemeinsame Eigenschaften verfügen: vier Beine, Sitzfläche, Rückenlehne, im Gebrauch mit einem Tisch stehend etc. Wir geben dem Ding Stuhl eine Bezeichnung, die wir „Stuhl" nennen, auch wenn wir ihn in der unterschiedlichsten Ausstattung (Gestalt, Material, Farbe) vorfinden und dieser dem Wesen eines Stuhls entspricht. (vgl. a.a.O.)

Das Metaphysische ist in diesem Kontext kein von der Wirklichkeit losgelöstes Abstraktum. Das Allgemeine und das Konkrete sind von wirkender Realität. Sie werden für uns zum philosophischen Abbild, wenn wir uns das Allgemeine *und* Konkrete aus der Lebenswirklichkeit erschließen. Der Kreis der Metaphysik schließt sich in der Wechselwirkung von Lebenswelt und Begriffsbildung.

Dialektisches erschließen wir in der Wechselwirkung zwischen Objekt und Subjekt. Dialektik ist Theorie und Methode in ihrer Anwendung auf die Wirklichkeit. Sie ist es nur deshalb, weil unsere Lebenswirklichkeit selbst zutiefst dialektisch ist. Das dialektische Denken und Handeln hat einen Realitätsbezug, weil die Wirklichkeit selbst dialektisch *ist*. Die Bestimmtheit und Bedingtheit (Ursache und Wirkung, Zufall und Notwendigkeit) wie Veränderung und Entwicklung sind Eigenschaften unserer Lebenswelt. Sie werden mit unserer dialektischen Denkweise zu philosophischen Abbildern, die wiederum die Grundlage für das dialektische Erklären und Wirken auf unsere Lebenswelt bildet.

Wie lässt sich aus erkenntnistheoretischer Sicht unsere Begegnung mit der Erkenntnis und dem Wahren beschreiben, wenn wir unterstellen, dass die objektive Wirklichkeit Wissen und Wahrheiten ermöglichen? Sind sie ein Wirkungsprodukt von dem, was sich außerhalb von uns bewegt? Kann die menschliche Außenwirklichkeit Erkenntnisse erzeugen oder sind sie das Ergebnis menschlichen Denkens?

Ich gehe davon aus, dass es eine Außenwelt des Menschen gibt, die ihm u. a. als Wissensquelle dient. Sie ist der Boden menschlicher Wahrnehmung und Erkenntnis. Die Außenwelt ist unser Denk- und Handlungsangebot für unsere Lebenswelt. Sie kann nur deshalb für den Menschen als Erkenntnisquelle dienen, weil sie auf ihn wirkmächtig ist. Wir können unsere Wirklichkeit nur deshalb wahrnehmen und in der Folge erkennen, weil sie nicht nur ist, sondern weil sich bewegt und „strahlt". Sie *wirkt* auf uns.

Die *Wirk*lichkeit wird als die wirkende Realität letztlich zum Anstoß für Begegnungen, weil der Mensch über Wahrnehmungs- und Erkenntnisfähigkeit verfügt. Seine Sinne sind die organischen Vermittler zwischen realer Außen- und menschlicher Innenwelt. Das bedeutet, eine erkenntnistheoretische Wirkungsmacht braucht immer Erkenntnisobjekt *und* - subjekt, mit der Fähigkeit des Menschen, derartige Objekte in Form von Wahrnehmung, Erfahrung und Wissen aufzunehmen und eine Qualität der Objekte, sich dem Menschen zu zeigen. Beides findet gleichzeitig statt, was zur Begegnung zwischen Mensch und Umwelt führt

Macht es Sinn, nicht nur den Menschen, sondern auch dessen Außenwelt in einen ethisch-moralischen Kontext zu stellen? Anders gefragt: Hat der Mensch deshalb eine Moral, weil die Dinge selbst über eine Moral verfügen? Den Tieren, insbesondere den höherentwickelten Säugetieren, wird durchaus eine Moral zugesprochen. Wir wissen durch Beobachtungen und Tierexperimente, wie bei Vögeln, Ratten, Hunden, Elefanten und Primaten soziales-, bzw. kooperativ-unterstützendes Verhalten ausgeprägt ist. Wie sieht es bei Pflanzen aus? Zeigen Pflanzen, insbesondere Bäume moralisches Verhalten? Für Peter Wohlleben gibt es diesbezüglich keinen Zweifel. (vgl. Das geheime Leben der Bäume, Ludwig Verlag, München, 2015)

Die Moral des Menschen ist ein Produkt seiner biologischen und sozialen Evolution. Sie trägt ihn durch das Leben. Sie gibt ihm eine Verhaltensstruktur. Sie ist existenzsichernd.

Die Moral ist die Gesamtheit dem Leben Sinn und Ordnung, Halt und Orientierung stiftender und eine Menschengruppe zusammenhaltender Verhaltensweisen.

Die Ethik ist die theoretisch geronnene Moral, deren geistiges Abbild. Die „Naturmoral" steht für dieses menschliche Ethik-Moral-Verständnis Pate. Sie trifft auf den Menschen insofern, weil sie einerseits naturbedingt gegeben ist und andererseits moralisches (kooperatives) Tierverhalten Vorbild für menschliches soziales Verhalten ist. (vgl. u. a. Charles Darwin, Die Abstammung des Menschen und die sexuelle Selektion, Reclam, 2012, 5. Kap.)

Die Moral der Natur trifft auf den Menschen; und er vermag sie zu reflektieren. Diese Funktion ist nur schwach, wenn überhaupt wirksam, weil der Mensch selbst mit jener „Naturmoral" wie z. B. an solidarischem Verhalten ausgestattet ist.

Die vom Menschen hervorgebrachte Ethik wirft die Moral wieder zurück. Sie zeigt sich im Verhalten, im Umgang mit Umwelt und Natur, Pflanzen und Tieren und mit sich selbst und ihrer Technik. Insofern findet sich in ihnen über die Moral die Ethik wieder. Umwelt-, Natur- und Tierschutz sind beredte Beispiele dafür, dass Ethik und Moral in die Lebenswirklichkeit eingeflossen sind.

Das Philosophieren ist nicht nur ein Mittel, sich die außerhalb des Menschen bestehende Wirklichkeit geistig und gegenständlich verwertend anzueignen. Es ist zugleich ein Instrument menschlicher Selbstbegegnung. Dieses Begegnen ist ein Treffen mit dem *Ich, seinem Selbst*. Es zeigt sich in Selbstreflexion. Es ist eine exponierte Fähigkeit des Menschen, sich selbst bewusst widerzuspiegeln. Er vermag es, über sein Leben nachzudenken, über dessen Lebensbegegnungen zu urteilen. Er ist sich seiner eigenen Begrenztheit und Endlichkeit bewusst; und er kann über den Tod hinausdenken.

Die Selbstreflexion steht in enger Verbindung mit selbst gemachten Erfahrungen und eigens gewonnenen Erkenntnissen. Das Selbstreflektieren hat die Selbsterfahrung als Voraussetzung. Selbsterfahrung steht für das unmittelbare erfahrene Erleben der eigenen Lebenswirklichkeit. Sie ist das „Material" für Selbstreflexion. Insofern zeigt sie sich als ein Vorgang, der die gemachte Erfahrung als das gemachte *Er*-Leben gedanklich aufnimmt.

Die Selbstreflexion ist wiederum die Basis dafür, zur Selbsterkenntnis zu kommen. Mit ihr lernt der Mensch nicht nur seine äußere Lebens-, sondern vor allem seine eigene, innere Welt und sich selbst verstehen.

Selbsterkenntnis zeigt sich als gewordene Selbstreflexion. Als Resultat der Selbstreflexion greift sie auf (Selbst-)erfahrung zurück. Selbsterfahrung, Selbstreflexion und Selbsterkenntnis verstehen sich somit als die Spielarten emotionaler und gedanklichen Selbstbegegnung.

Diese Begegnungen mit sich selbst öffnen den Zugang zum Philosophieren. Denn alles Philosophieren, das den Menschen ins Zentrum der Betrachtung stellt, kommt nicht daran vorbei, sich ebenso dem Begegnen zuzuwenden. (Es ist dem Folgekapitel vorbehalten, sich ausführlich dem Begegnen philosophisch zu nähern.

Das Begegnen mit sich und über sich hinaus ist ein Mittel der menschlichen Auseinandersetzung mit der Natur, der Gesellschaft und der vom Menschen hervorgebrachten Technik. Es ist die Begegnung mit dem Universum. Es geht um Staunen über das, was um uns herum geschieht, um dessen Deuten und Verstehen. Begegnen ist das Stellen von Fragen, das Suchen nach und Geben von Antworten, die uns helfen, mit unserem Leben und den Geschehnissen unserer Wirklichkeit besser zurechtzukommen, ohne eine absolute Wahrheit zu verkünden oder in Aussicht zu stellen.

Unter dieser Maßgabe ist das Philosophieren in Form eines gelernten Denkens über die Dinge unseres Lebens erforderlich. Wir heben mit dem Philosophieren das weltanschauliche Denken auf eine Stufe, das uns erlaubt, unserer Lebenswelt neuerlich? auf neuer Stufe?, d. h. nicht nur weltanschaulich-kontemplativ, sondern philosophisch, praktisch und damit wirksam zu begegnen. Gemeint ist, wir denken mit ihm über das so genannte Alltagsdenken hinaus. Wir finden neue Antworten, die uns zufriedener machen, weil wir unsere Wirklichkeit besser verstehen oder mehr über sie wissen, was der Sinn menschlichen (Da-)Seins und Handelns ist.

Nicht alle wollen oder können Philosophie studieren. Man muss auch kein/e Philosoph/in sein, um unserem Leben philosophisch zu begegnen. Selbst Kinder philosophieren mehr als wir glauben. Ungeachtet dessen bin ich der Meinung, um unsere Welt in Gestalt von Natur und Technik, Gesellschaft, Kunst und Kultur, unser faszinierendes Universum besser zu verstehen, im Sinne von Goethes „Faust" immer wieder neu zu fragen, was die Welt im Innersten zusammenhält. Dafür kann ein Mindestmaß an philosophischem Denkwerkzeug hilfreich sein.

Die Neugierde des Menschen, auf Unbekanntes eine Antwort zu finden, scheint seiner in ihm wohnenden kreativen Natur zu entspringen. Worauf es vor allem ankommt, ist, sich offen, fragend und staunend auf die Ereignisse des Lebens einzulassen und sich kritisch mit den Dingen unserer Welt auseinanderzusetzen. Das beginnt mit den alltäglichen, persönlichen Belangen des Lebens oder mit dem, was in der Stadt oder in unserem Land geschieht.

Wie wird das Philosophieren praktisch möglich? Welches Denkwerkzeug braucht es? Jede Wissenschaft verfügt über Methoden, Techniken oder Verfahren. Sie sind Arbeits- und Denkmittel, um entsprechend dem Gegenstand der Wissenschaften zu neuen Erkenntnissen zu gelangen oder bisheriges Wissen in Frage zu stellen. Das gilt auch für die Philosophie. Sie hält Denkwerkzeuge bereit. Sie verfolgen das gleiche Ziel, Wissen zu generieren, um die „Welt" zu erklären, zu verstehen oder menschlich besser zu machen.

Für das Philosophieren nimmt das Stellen von Fragen für die Erkenntnisgewinnung einen exponierten Platz ein. Zugleich hat die Philosophie nicht wie viele andere Wissenschaften den Anspruch, immer „wahrhaftige" Antworten zu finden. Das ist dadurch begründet, dass unterschiedliche philosophische Ausgangsprämissen unterschiedliche Antworten hervorbringen. Hier zählt in der Gedankenentwicklung die widerspruchsfreie Ableitung des Gedankens.

Dennoch ist die Suche nach Wahrheit der Philosophie nicht fremd. Anders ist, dass das Philosophieren mit einer weltanschaulich-philosophischen Grundannahme verbunden ist. Dazu gehören u. a. die Fragen nach der Existenz und der Erkennbarkeit unserer Welt. Je nachdem, wie diese Fragen beantwortet werden, können während des Philosophierens zu einem und demselben Gegenstand unterschiedliche, selbst gegensätzliche Antworten entstehen, die in der jeweiligen „Logik" (Ableitung) des Gedankens als gerechtfertigt und plausibel anzusehen sind.

Das Fragen beim Philosophieren ist anderer Natur. Immanuel Kant (1724 – 1804) und viele andere Philosophen vor und nach ihm haben es uns vorgemacht. Kant fragt: Was kann ich wissen? Was soll ich tun? Was kann ich hoffen? Was ist der Mensch? Diese Fragen sind von grundlegender Natur. Sie konfrontieren uns mit dem Menschen und seinem Leben als Ganzes. Sie zeigen uns nicht nur den Kern dessen, was das Philosophieren ausmacht; sie zeigen auch, womit sich der Mensch beim Philosophieren beschäftigt. Es geht in erster Linie um den Menschen selbst, um die Möglichkeiten seines Denkens und Handelns. Der Mensch ist bei allen philosophischen Betrachtungen stets Ausgangs- und Endpunkt. Sie verwalten sein Selbstverständnis und das Bild über seinen Platz in der Welt. Diese vier Fragen drücken die Essenz menschlicher Lebensbegegnung nach innen und nach außen aus.

Was kann ich wissen? Diese Frage ist verbunden mit der Frage nach der Quelle unseres Wissens. Doch was sind Quellen unseres Wissens? Die Grundlage vieler unserer Erkenntnisse sind unsere gemachten Erfahrungen und Sinneseindrücke. Wir nehmen oft unsere Gefühle als Quelle unseres Wissens und sehen sie als wahrhaftig an. Hiermit sprechen wir an, ob das, was wir gesehen, gespürt, gefühlt haben, der Wahrheit entspricht. Die Frage nach der Wahrheit unserer Beobachtungen, Wahrnehmungen und Erkenntnisse nimmt hier einen wichtigen Platz ein.

Immer wieder werden wir uns bewusst oder fragen unbewusst, ob das Wissen, über das wir verfügen, ausreichend ist, Entscheidungen für den Alltag oder lebensentscheidender Natur zu treffen. Die Qualität unseres Wissens entscheidet maßgeblich über die Qualität der Entscheidungen für unser Handeln.

Auf den Alltag und das Leben bezogen sind solche Fragen präsent: Reicht mein Wissen aus, um meine beruflichen Ziele zu erreichen? Helfen mir meine gemachten Erfahrungen, ein erfülltes Leben zu führen?

Was soll ist tun? Diese Frage ist an die Ethik als einer Teildisziplin der Philosophie geknüpft. Werte als menschliche Grundeinstellungen und Einsichten nehmen hier einen wichtigen Platz ein, um Grundregeln und Verhaltensweisen menschlichen Zusammenlebens zu konstituieren. Es geht nicht darum, Entscheidungen zu treffen, die das Leben tagtäglich abfordert, sondern um jene, die lebensorientierend und bestimmend sind.

So kann aus unserem Alltag die Frage entstehen: Darf ich bei Rot über die Ampel gehen? Muss ich meinen Eltern oder meinem Vorgesetzten folgen in dem, was sie von mir erwarten? Was kann ich tun, damit ich mit meinem Leben zufriedener bin? Darf ich meinen schwerkranken Lebenspartner auch dann verlassen, wenn die Liebe zum ihm verloren gegangen ist?

Was kann ich hoffen? Die Frage berührt das Verhältnis zwischen Wissen und Glauben. Auf was darf ich mich stützen – auf mein Wissen oder auf meinen Glauben oder auf beides? Sie sind zwei wichtige Quellen, die uns helfen, durch den Alltag zu kommen. Es berührt zutiefst den Wunsch nach Sicherheit und Freiheit. Beide sind Werte unseres Lebens, die tagtäglich miteinander ringen. Einmal behalten Wissen und Sicherheit und ein anderes Mal Glaube und Freiheit und wieder in einer anderen Wertekonstellation was? die Oberhand im Denken und Handeln.

Wir werden durch unser Leben mit Fragen konfrontiert wie: Kann ich dennoch auf eine Genesung hoffen, wenn Ärzte mir wenig Aussicht geben? Gibt das spätere Leben mir ausreichend Sicherheit? Was ist, wenn ich in Altersarmut abrutsche? Kann ich auf Gott vertrauen, so dass ich von Schicksalsschlägen verschont bleibe?

Was ist der Mensch? Diese Frage ist die „Klammer" aller

drei vorangestellten Fragen. Sie nimmt all das auf, was letztlich den Menschen ausmacht. Bekommen wir sinnvolle Antworten auf die oben genannten Fragen, so sind sie hilfreich für eine Antwort auf die vierte Frage. Ungeachtet dessen sei diese Frage ergänzend kommentiert, weil für manche Leserin oder manchen Leser die Erklärung zu abstrakt erscheinen mag, vor allem dann, wenn dies nicht mit dem einen oder anderen Beispiel belegt werden kann.

Wenn der Mensch über eine solide Entscheidungsfähigkeit verfügt, die sich auf ein nachprüfbares Wissen begründet, so ist das eine gute Basis für das Handeln. Das beschert uns im Ergebnis vielfach den Erfolg. Wiederholt er sich, ermöglicht es persönliche Entwicklung und Fortschritt in der Gesellschaft. Diese Überlegung lässt den Schluss zu, dass der Mensch ein Wesen ist, das in der Lage ist, seine Welt in einer Weise zu sehen, die ihm hilft, sein Leben zu meistern, und das über viele Generationen hinweg. Das macht nicht nur deutlich, dass der Mensch erfolgreich sein Leben gestalten kann, sondern dass er auch in der Lage ist, die Umwelt zu seinem Vorteil, wenn auch nicht immer zum Vorteil aller Kreaturen des Lebens auf der Erde zu verändern. Perspektivisch können die vom Menschen eingeleiteten Veränderungen für kleine Zeiträume zu seinem Nutzen sein; langfristige werden zu seinem Nachteil, wenn er sich nachhaltig gesehen seiner Existenzgrundlage beraubt.

Die Frage, was der Mensch sei, stellt letztlich die Frage nach unserem Menschenbild, über das wir   verfügen: als

Menschheit in unserem Universum, als historisch, geografisch und/oder sozial eingegrenzte Gesellschaft, als Gruppe (z. B. in Familie oder im Betrieb) und als einzelnes menschliches Individuum. Es berührt die Stellung bzw. den Platz des Menschen in seiner Welt. Das ist insbesondere von Bedeutung, wenn davon ausgegangen wird, dass es nicht nur der auf der Erde, sondern ebenso anderswo im Universum vernunftbegabte wie auch nicht vernunftbestimmte Wesen gibt.

Wir Menschen sind nicht allein auf dieser Erde. Pflanzen und Tiere sind ebenso Lebewesen wie der Mensch. Sie sind Teil unseres Daseins. Insofern ist in diesem Zusammenhang die Frage zu stellen: Welchen Platz nimmt der Mensch in dieser natürlichen Welt ein und welche Rolle spielt er bei der Herstellung und Anwendung von Technik im Umgang mit der Natur? Was berechtigt ihn, sich über alle anderen Kreaturen des Lebens zu stellen? Wie steht der Mensch zu sich selbst? Was denke ich über Menschen, die aus einer anderen, dem Menschen nicht alltäglichen Welt kommen und auf unserem Planeten einen Platz beanspruchen?

Ein weiteres nützliches Handwerkzeug ist die argumentative Kommunikation. Unter Argumentieren wird das schlüssige (logische) Ableiten einer Behauptung verstanden, die zur Begründung der These führt. Sie hat so lange Bestand, bis ein anderer diese Begründung widerlegt und eine neue, bessere entwickelt, die die neue Behauptung plausibler macht. Unser Denken bringt „von Natur" her eine Portion an Argumentationsfähigkeit mit. Wir haben es in unserem Leben gelernt, mehr oder weniger „logisch" zu denken. Doch wenn wir die Techniken des Argumentierens lernen, wie das Schreiben und Rechnen in der Schule, so können wir, wenn wir das Argumentieren beherrschen, so manches Mal stichhaltigere Argumente hervorbringen, als mit unserem landläufigen, natürlichen Menschenverstand.

Ein solides Allgemeinwissen, menschliche Neugierde und Denkkreativität sind wichtige ergänzende Merkmale, die das Philosophieren im Alltag bestärken.

Philosophieren bedeutet fragen, hinterfragen, zweifeln an dem bisher Gedachten und steht für Staunen und Denken aus anderen Perspektiven des Alltags unseres Lebens.

Philosophieren hilft, die Logik des Denkens und damit unsere Gedankengänge zu schärfen.

Philosophieren unterstützt das Argumentieren bei gedanklicher Beweisführung und aufgestellter Behauptung.

Philosophieren schafft Denkmuster und Denkweisen, die für andere, den Kant'schen ähnliche Fragestellungen sich neuerlich anwenden lassen. Wir sprechen von einem Denkalgorithmus als wiederkehrender und nutzbarer Denkablauf, ohne dabei in Denk-Stereotype zu verfallen.

Philosophieren schärft unseren Blick für das scheinbar Alltägliche, das uns beim Philosophieren gar nicht so alltäglich gegenübertritt. Das Philosophieren im Alltag macht das Alltägliche zu einem persönlichen Denkmittelpunkt.

Philosophieren heißt fragen, was das ist; es heißt, ein Verständnis des Erfragten zu finden, worüber im Weiteren gesprochen werden soll. *Philosophieren* befördert die Selbstreflexionsfähigkeit und festigt das persönliche Wertebild.

Philosophieren ist ein Begegnen mit der Lebenswirklichkeit. Mit ihm schaffen wir Raum für Veränderungen, die wiederum unser Philosophieren beeinflussen. Das Philosophieren ist Ausgangspunkt und Ergebnis von Wirklichkeitsbewältigung.

Während meiner Darstellung über den Wert des Philosophierens verfolgte ich nicht den Anspruch zu erklären, was Philosophie ist. In meiner damaligen Studienzeit (1968 – 1975) gab es hierfür keine zufriedenstellende Antwort – es sei denn, man machte sich auf den Weg, eine eigene Erklärung zu finden. Ja, sie ist eine Wissenschaft; sie folgt den Grundkriterien und Prinzipien der Wissenschaftlichkeit wie jede andere Wissenschaft auch. Bleiben wir bei der Wortbedeutung: Phil – Liebe; Sophie – Weisheit – Philosophie als „Liebe zur Weisheit". Mehr braucht das Philosophieren für uns nicht sein: Es ist die Liebe zum Fragen und Zweifeln. Es ist die Liebe zum Finden von hilfreichen Antworten.

Es ist die Liebe zur Weisheit, die uns den Zugang zum Alltag unseres Lebens öffnet und einen Raum für innere und äußere Begegnungen schafft. Bei aller Zugänglichkeit und Alltäglichkeit bleibt das Philosophieren eine Begegnung des Menschen mit sich und seiner Welt von besonderer Art.

Wie sie sich zeigt, soll den weiteren philosophischen Begegnungen mit dem Alltäglichen unseres Lebens vorbehalten sein.

Bei aller bisherigen Betrachtung, das Philosophieren als ein Begegnen mit unserer Lebenswirklichkeit zu verstehen, so schulde ich dem Leser und der Leserin ein dezidiertes Verständnis des Phänomens Begegnen.

Was ist das Begegnen? Mit welcher Wirkmächtigkeit sind Begegnungen ausgestattet? Inwiefern können sie das Philosophieren unterstützen? Und weiter gefragt: Ist es sinnvoll, wie es landläufig geschieht, das Begegnen auf das Zwischenmenschliche festzulegen? Oder sollten wir unser Verständnis des Begegnens überdenken und ihm ein neues, inhaltlich vertiefendes bzw. erweitertes Verständnis geben? Es geht darum, die Begrifflichkeit des Begegnens neu auszuloten. Anstoß und erster Einstieg einer neuerlichen begrifflichen Annäherung mögen Überlegungen zur Resonanz sein.

Es sind die Begegnungen
mit den Menschen,
die das Leben lebenswert machen.

Guy de Maupassant (1850 – 1893)

Alles Leben ist Begegnung · Lebenswirklichkeit als Resonanzboden

Es mag banal und gleichermaßen erschreckend klingen: Sie, ich, wir alle, wurden von unseren Eltern in die Welt gesetzt, ohne jemals gefragt zu werden, ob das unser Wille ist. Selbst wenn sie es wollten, hätte das für uns keinen Sinn gehabt.

Jetzt sitzen wir mit unserem Leben an, drängeln uns in die Welt hinein, um mehr oder weniger in und mit diesem Leben einen sinnvollen Platz zu finden. Die allerersten Begegnungen sind Begegnungen, die sich als ein Entgegnen mit der Wirklichkeit anfühlen. Wir haben vom ersten Tag an den natürlichen und sozialen Widrigkeiten zu trotzen. Es ist der Beginn einer Lebenszeit, sich mehr oder weniger in der (un)wirklichen Lebenswelt zu behaupten. Es ist der Kampf, den wir aufnehmen (müssen!), weil wir frühzeitig unsere existenzielle Unvollkommenheit spüren und von allem Äußeren wie Essen, Trinken, Pflege und der sozialen Fürsorge abhängig sind.

Diese Begegnung ist ein Begegnen mit dem eigenen Leben in seiner ganzen natürlichen Ursprünglichkeit und selbst erfahrene Hilflosigkeit. Sie zu überwinden ist nur über die Entwicklung eines gesunden Urvertrauens möglich. Es ist der „Türöffner" auf dem Weg, dem Leben wohlwollend zu begegnen und herausfordernd zu entgegnen. Es ist der Schlüssel, den Begegnungen des Lebens eine andere, neue Qualität zu schenken. Die Begegnung *mit* dem Leben verwandelt sich über die Lebensjahre in ein Begegnen *im* und bei aller Güte auch *für* das Leben. Hier erhält „Alles Leben ist Begegnung" die zweite Bedeutung: Es ist das bewusste, aktive Eingreifen in das eigene, dem Menschen geschenkte Leben. In seiner Lebenszeit wird der Mensch lernen, das Leben zu verstehen, zu gestalten und ihm einen Sinn geben.

Wenn wir uns unser Leben bewusst werden, nehmen wir aktiv Einfluss auf unser Lebensgeschehen. Diese Art des Begegnens im Leben tritt uns in zweierlei Hinsicht gegenüber. Nach innen insofern – und damit wieder mit dem (im eigenen) Leben – als dass wir unser Leben selbstbestimmt in die Hand nehmen. Es ist unser Körper, die Seele, das Bewusstsein, mit denen wir leben, uns mit unserem Bewusstsein gegenübertreten. Wir wirken auf unseren Körper und setzen uns mit unseren Gefühlen auseinander. Wir machen uns Gedanken über uns und nutzen sie für unsere Wirklichkeitsbewältigung.

Wir übernehmen mit dem Erwachsenwerden im wachsenden Maße Verantwortung für unser Leben. Wir lernen unsere Denk- und Handlungsräume zu gestalten. Es ist in allem ein Begegnen mit uns selbst, mit dem Ich im eigenen Leben, auch wenn wir das nicht immer bewusst und oft nur vermittelt wahrnehmen.

Diese Begegnung ist dergestalt, indem wir den Körper, die

Seele und das Bewusstsein als Objekte des Ich erfahren. Sie treten dem Ich als Äußeres, nicht dem Ich zugehörig gegenüber, obwohl sie in uns sind. Das passiert dann, wenn das Ich sich selbst bzw. Teile von ihm (Körper, Seele, Geist) reflektiert. Diese Fähigkeit des Ichs zur Selbstreflexion macht es möglich, mit dem Ich das Selbst im Ich zu erfahren.

Das Selbst ist der Markenkern des Ichs. Das zur Selbstreflexion kompetente Ich lässt das Ich zum Selbst werden. Damit hebt sich das Ich in dem Selbst auf. Die Subjekt-Objekt-Identität löst sich im Ich. Das Selbst ist das reflektierte Ich im Selbstbezug. Die Begegnung des Ichs mit sich selbst – körperlich, seelisch, geistig – zeigt sich als dessen innere Selbstbegegnung.

Alles Leben ist Begegnung, versteht sich als ein Begegnen im Leben mit Außenwirksamkeit. Gemeint ist, dass wir als menschliche Individuen in ständiger Begegnung mit anderen Menschen und unserem Lebensumfeld sind. Die Begegnung des Menschen mit seiner Lebenswelt macht sie zum Objekt des Verstehens, des Gestaltens und der Sinngebung. Wir treten ihr gegenüber zwecks körperlicher, seelischer und geistiger Aneignung. Diese dem Menschen (Subjekt) gegenüberstehende Lebenswelt (Objekt) ist der äußere Begegnungsraum menschlichen Seins. Die vom Menschen angeeignete (reflektierte) Welt ist im Ergebnis seine äußere Selbstbegegnung. Wir können sagen: Die Begegnungen sind das Mittel des menschlich körperlichen, seelischen und geistigen „Einverleibens" seiner Außenwelt.

Der Mensch holt sich von ihr das Essen und Trinken. Seine erlebten Gefühle haben ihren Ausgangspunkt in den vieler Orts wahrgenommenen Begegnungen mit der außerhalb von ihm stehenden Lebenswelt. Er macht Erfahrungen und generiert sie zu seinem persönlichen Wissen, aus denen Glaubenssätze, Lebensprinzipien bzw. Werte werden.

Das Leben spielt sich in und mit Raum und Zeiterfahrung, im erlebten Jetzt, Danach und gedachtem Davor, ab. Es sind zwei uns alltäglich begegnende Phänomene von fundamentaler Bedeutung, weil das Leben für den Menschen eine räumliche und zeitliche Dimension hat.

Obwohl wir das Leben *in* Raum und *mit* Zeit verwirklichen, betrachten wir sie als ein dem Leben Gegenüberstehendes. Wir koppeln sie von uns ab. Das passiert vor allem dann, wenn wir dem menschlichen Lebensraum und der Zeit den „Kampf" ansagen. Wir treten gegen die Zeit wie in einem Wettbewerb an, weil wir meinen, sie würde uns weglaufen und wir müssten deshalb schneller und vor ihr da sein. Wir sagen Lebensräumen den Kampf an, indem wir sie entweder vernichten, in Besitz nehmen oder zum Eigentum erklären. Dieses Paradoxon konstituiert in unsrem Bewusstsein Begegnungen, die unserer Lebenswelt schaden.

Alles Leben wird ein Leben in Begegnungen, wenn es sich sowohl beginnend mit seinem Lebensumfeld, als auch mit sich selbst in einem lebendigen Ich gestaltet. In diesem aktiven Sein erfährt es seinen universellen und individuellen, biografischen Wert.

Das Leben an sich hat keinen Wert. Es ist wertfrei. Es ist wie es ist. Das heißt nicht, dass das menschliche Leben in seiner Wertfreiheit wertlos ist. Es zeigt sich in seinem Wert in dem Moment, wenn der Mensch beginnt, bewusst über sein Leben mit gestaltbarer Macht zu verfügen.

Das Leben wächst in seinen Wert, wenn der Mensch beginnt, sein eigenes Leben zu leben, es zu bestimmen und Verantwortung zu übernehmen. Das ist der zutiefst menschliche Einstieg in das Begegnen mit dem *und* in das Leben.

Ein Leben in Beziehungs- und Begegnungslosigkeit gewinnt keinen Wert. Es verfängt sich in Wert- und Sinnlosigkeit. Die anfängliche Wertfreiheit des Lebens hebt sich zunehmend auf, wenn es sich mit inneren und äußeren Begegnungen füllt.

Die Frage nach der Bedeutung und dem Sinn des Lebens erfährt ihren zentralen Stellenwert, weil sie aufgrund permanenter innerer und äußerer Veränderungen immer wieder einer neuen Antwort bedarf. Die Sinn-Frage wird zu der lebensbegründenden, -bestimmenden und begleitenden Frage: Was bin ich? Was kann ich? Was will ich sein? Diese Fragen tragen wir das ganze Leben mit uns, immer im Bemühen, in unseren Lebenszeiten und -räumen eine sinnvolle Antwort zu finden, die uns bei unseren inneren und äußeren Lebensbegegnungen begleiten.

Diese Begegnungen haben nicht nur ihren Sinn, weil sie dem Leben selbst eine Bedeutung geben. Sie sind gleichermaßen von wichtiger Funktion für das Leben. Sie machen den

Menschen zu dem, was sie werden, dann sind und wieder werden. Wir sind dazu verdammt, unser Leben in Begegnungen zu gestalten, ob wir es wollen oder nicht. Wehren wir uns dagegen, ist das ebenso Lebensbegegnung. Doch diese hätte nachteilige Folgen für das Leben. Ein Leben in Gestalt einer begegnungslosen Begegnung, das nur aus und mit sich selbst lebt, kommt über sein Dasein nicht hinaus. Es ist im Charakter ein Überleben, dem jedes *Er*-Leben im Leben fehlt. Es ist nicht das, was einen Menschen ausmacht.

Fehlende (begegnungslose, bzw. widerstrebende) Begegnungen bedeuten den sozialen, seelischen und geistigen Tod menschlichen Lebens. Begegnungen sind immer ein Gewinn und liefern uns einen unermesslichen Erfahrungsschatz. Sie tragen zur Persönlichkeitsentwicklung bei und fördern das Erwachsensein. Sie lassen unser Leben zum Erlebnis werden.

Lebensbegegnungen zeigen sich in einer ausgeprägten Dialektik. Das heißt, dass Begegnungen sowohl in ihrer aktiven wie passiven Gestalt auftreten. In aktiver Form insofern, indem wir selbst unsere Begegnungen mit der Umwelt herausfordern. Wir sind wissbegierig, weil wir die Natur erkennen und nach unseren Bedürfnissen verändern wollen. Der Mensch kreiert neue Technik, die er als seine zweite Natur betrachtet und mit der ersten einverleibt, um seinen Lebensvorstellungen gerecht zu werden. (Dass das in der Menschengeschichte nicht immer zum Vorteil für Mensch und Natur bis heute geschieht, ist uns allzu bekannt und soll in dieser Betrachtung nicht weiter verfolgt werden.) Es ist ein Begegnen, das sich als wechselseitige Veränderung am Objekt und Subjekt zeigt. Begegnung ist hier ein aktives Gegenübertreten gegenüber dem, was wir für unser Leben benötigen.

Begegnungen zeigen sich passiv, wenn dem Menschen von außen Wirkendes entgegenkommt. Es sind Begegnungen mit Lebenssituationen, mit denen der Mensch konfrontiert wird. Es sind Entscheidungen zu treffen, die ein Handeln oder ein Nichts-Tun abfordern. Dieses Begegnen ist kein Agieren, sondern ein Reagieren. Der Mensch *wird* begegnet mit dem, was ihm gegenübertritt.

Begegnen ist immer auch ein Entgegnen. Sie zeigen sich als Lebensspiel von Aktion und Reaktion, als Anfang und Ende, Ausgangspunkt und Resultat. Im Ergebnis einer entstandenen Begegnung steckt der Beginn einer neuerlichen, sich wechselseitig gestaltenden Be- und Entgegnung. Jede Begegnung ist Entgegnung, jede Entgegnung eine Begegnung. Was was ist, erkennen wir am jeweils Aktiven und Passiven in einer Begegnung. Es ist die Sichtweise und Perspektive, die bei der Betrachtung wechselseitiger Begegnungen (Entgegnungen) eingenommen wird.

In diesem Wechselspiel konstituiert sich Veränderung, die Mensch und Begegnungen erfahren. Sie bringt Zuwachs an Persönlichkeit und qualifiziert zukünftige Begegnungen, die es ermöglichen, das Leben besser zu verstehen, zu gestalten und dessen Sinngebung zu unterstützen.

Diese Überlegungen führen mich zum *Begriff der Resonanz*. Er bildet genau das ab, was das Wechselspiel des Be- und

Entgegnens zum Inhalt hat. In RESONANZ. Eine Soziologie der Weltbeziehung (Suhrkamp, Berlin 2016) macht Hartmut Rosa deutlich, dass ein gelingendes Leben nicht an dem Reichtum, an der Verfügbarkeit insbesondere materieller Ressourcen festgemacht werden kann. Der Schlüssel gelingender zwischenmenschlicher, Begegnungen liegt in „der Verbundenheit mit und der Offenheit gegenüber anderen Menschen (und Dingen)…" (a.a.O., S. 53)

Der Begriff der Resonanz ist ein uns bekannter Begriff aus der Physik oder Musik. Er ist hier in einer anderen Fassung zu verorten: Resonanz ist kein Echo im Sinne eines eigenen Rückrufs. Es geht nicht darum, sich selbst spiegelbildlich zu hören, sondern um das von anderen Wahrgenommen-Werden mit einem „kommunikativen Rückruf". Es ist ein erzeugtes, ein vor allem psychosoziales Schwingen beim Gegenüber, was zu einer derartigen Anregung führt, die auf den Urheber zurückgeht, der den Anstoß zur Resonanz gegeben hat.

Jeder kennt die Wirkung einer Schaukel, wenn diese im Zuge einer Schwingung angestoßen wird und sich weiter „aufschaukelt". Oder denken Sie daran, wenn Sie sich einen Teller Suppe von der Kantine holen und mit diesem auf dem Weg zu Ihrem Sitzplatz sind. Sie merken, dass Sie mit Ihrem Gehen Gefahr laufen, dass die Suppe über den Tellerrand schwappt.

Resonanzen leben von Impulsen und einem so genannten Resonanzboden (Resonanzkörper). Sind beide Bedingungen gegeben, können Schwingungen entstehen. Der Anstoß ist ein akustisches, visuelles oder emphatisches Ereignis, das bei dem Gegenüber etwas auslöst, in Bewegung bzw. Schwingung bringt. Wir erfahren das, wenn wir von etwas angetan sind und in uns etwas in Bewegung gebracht wurde. Wir sind ge- bzw. berührt und nehmen das „Anstößige" in uns auf. Es inspiriert uns. Es ist Impuls, wenn er bei dem Gegenüber ankommt und als Klangkörper wirkt. Das passiert, wenn das Subjekt den Klang des (eigenen) Körpers wahrnimmt. Nur dann werden Schwingungen entstehen.

Dieses Prinzip lässt sich auf unser Leben, auf die Begegnungen mit den Menschen übertragen. Es ist das Begegnen und Entgegnen, die zu einer wirkungsvollen und qualifizierten Begegnung führen. Das Entscheidende in diesem Wechselspiel von Begegnung und Entgegnung ist dessen Qualität. Dafür bedarf es eines Anstoßes, damit das Begegnen als Resonanz wirkt. Es ist der berühmte Anstoß, der beim Gegenüber ein „Klingen" auslöst. Es ist das emotionale bzw. gedankliche Berührt-Werden.

Jedes qualifizierte Berührt-Sein benötigt diesen Resonanzboden, der jene Schwingungen zulässt, damit die vom Empfänger aufgenommen werden können. Wenn jemand sagt: „Das berührt mich.", „Das macht mich traurig" oder „Darüber bin ich froh" – so sind das in Worte ausgedrückte Resonanzen. Es sind herzliche Gesten der Umarmung, der Anerkennung oder Wertschätzung, die Anstöße für Schwingungen sind und Resonanzen beim Gegenüber hervorbringen. Die Verfügbarkeit über Resilienz (psychische Widerstandsfähigkeit) und Achtsamkeit sind heutzutage wichtige persönliche Kompetenzen, derartige Resonanzen zu ermöglichen und zu leben.

Im Zwischenmenschlichen passiert zu wenig an notwendiger Resonanz für ein gesundes du gutes Leben. Es bleiben wohltuende Anerkennung und Wertschätzung aus oder werden nicht zur Kenntnis genommen. Missachtung oder gar Ignoranz beherrschen unseren Beziehungsalltag. Was bleibt, sind Entfremdungs- statt Resonanzerfahrungen (vgl. H. Rosa, Resonanz statt Entfremdung, Thesenpapier, 2012, S. 6).

Ich spüre das selbst in vielen alltäglichen Situationen. Für geschickte Mails gibt es oft keine Rückantwort, weder ein Danke noch eine Bestätigung. Lässt uns heute das Leben keine Zeit für ein derartiges Feedback? Menschen laufen auf der Straße oder warten an Haltestellen und sind mit ihrem Handy beschäftigt. Ein permanenter Blick auf das Smartfon wird abgefordert: durchschnittlich eine Stunde pro Tag. Sind das verschenkte zwischenmenschliche Resonanzen, wenn wir das Leben des Mitmenschen nicht hinreichend wahrnehmen? Viele der heutigen Begegnungen auf der Straße, am Arbeitsplatz und selbst im Privaten wirken gehetzt, geschäftig, selbstbezogen, die uns immer mehr den Resonanzboden entziehen. Es sind Begegnungen ohne ein resonantes Entgegnen.

Wir sind dabei, unserer Lebenswelt zusehends digital zu verfremden. Das wäre m. E. nicht so bedeutend, wenn wir einen hinreichenden Ausgleich pflegten, analog zu kommunizieren. Eine dialogische Kommunikationskultur mit Resonanzen würde unserem Leben mehr Menschlichkeit geben. Je digitalisierter unsere Beziehungswelt auftritt, desto mehr haben wir darauf zu achten und Sorge zu tragen, dass die analogen Dialoge mit allen Regeln einer gelingenden Kommunikation nicht verlorengehen.

Gemachte und dazu sinntragende Resonanzerfahrungen sind identitätsstiftend. Sie fördern nicht nur menschliches Entscheiden und Handeln, sondern sie stärken das Selbstvertrauen und Selbstwertgefühl. Ich sehe sie als persönlichkeitstragende und -erweiternde Basics, die angesichts unserer heutigen Zeit von Beschleunigung, gewollter wie ungewollter Lebens- bzw. Arbeitsverdichtung bedeutsam sind, weil sie die Resilienz und das zwischenmenschliche, dialogische Begegnen unterstützen.

Resonanzerfahrungen sind Erfahrungen des Berührt-Werdens mit einer hohen emotionalen Kraft. Das macht deutlich, wie wichtig es heute bei aller Rationalität von Zielfindung, Aufgabenformulierung und deren Bewältigung ist, die emotionale Intelligenz zu nutzen und zu stärken. Es wird zunehmend wichtig, unsere Lebenswelten, einschließlich unsere Arbeitswelt, immer mehr in einem emotionalen Kontext zu verstehen und zu gestalten. Das heißt: Wir müssen dem Leben und Arbeiten den Entfremdungseffekt nehmen, indem wir z. B. das Arbeiten (berufliche Tätigkeit) als Teil des Lebens verstehen und es nicht als außerhalb von ihm stehend betrachten. Mehr noch, der Charakter der Arbeit ist zu wandeln: Die Arbeit als lohnenswerte Leistung ist zu ergänzen mit dem Medium des *Er*lebens, in der Freude, Genuss, Abwechslung, gestaltbare Höhepunkte am Arbeitsplatz bestimmend sind.

Leistungsbezogene Zielerfüllung organisiert sich dann fast von selbst, weil die Erzeugung von Erlebenseffekten am Arbeitsplatz das Zielführende ist. Das bedarf einer grundsätzlich veränderten Haltung zu dem, was wir unter Arbeit(en) verstanden wollen. Soll es ein förderliches und bestimmendes Instrument der Profitmaximierung sein? Oder sind es nicht die Arbeitnehmer selbst, die mit ihrer Arbeitskraft das Potenzial haben, nicht die Arbeit zu nehmen, sondern zu geben, weil jener, so genannter Arbeitgeber nicht die Arbeit vergibt, sondern den Arbeitsgegenstand und die Arbeitsmittel zur Verfügung stellt. Arbeit vermittelt sich nur über jene, die über die Arbeitskraft mit ihren Kompetenzen verfügen, und über jene, die die Mittel zur Arbeit zur Verfügung stellen. Insofern ist es irreführend, ja demagogisch von Arbeitnehmer und Arbeitgeber zu sprechen, weil weder der eine die Arbeit nimmt noch der andere sie gibt. Hier scheint mir Aufklärung vonnöten zu sein, das Bild gerade zu rücken und es so zu zeigen, wie es sich in seinem Wesen wirklich zeigt.

Das Arbeiten lebt mit dem Menschen, der über seine Arbeitskraft verfügt. Sie ist der „Türöffner", dass Arbeit realisiert wird. Solange berufliche Tätigkeit als Mittel zum Zweck des Überlebens, außerhalb von Lebenszeit als Zeit des *Er*lebens gestellt wird, reduziert sich das Arbeiten auf das Geldverdienen, wird Arbeit zu einer lebensbestimmenden Entfremdungserfahrung. Wenn die kommunikative, dialogische

Resonanzbildung am Arbeitsplatz, in der Familie, in öffentlichen Lebensräumen fehlt, dann werden unsere Lebenswelten immer mehr verstummen.

Soziale Resonanzen sind heute mehr denn je eine Grundvoraussetzung für ein gelingendes Leben. Resonanzerlebnisse unterstützen die Gesundheit des Menschen. Fehlen sie, erzeugt das Verstummen eine nachhaltige Entfremdung. Resonanzdefizite machen krank – den Menschen, die Familie, das Team, die betriebliche Lebenskultur, die Gesellschaft in ihrer Gesamtheit. Unsere Gesellschaft ist gesundheitlich angeschlagen. Darüber können wirtschaftliche Erfolge, gefüllte Steuerkassen nicht hinwegtäuschen. Im Gegenteil. Das Geld und mit ihm Macht und Gier fressen resonante zwischenmenschliche Begegnen auf.

Die bisherigen Überlegungen gehen davon aus, dass Begegnungen zwischen den Menschen stattfinden. Mensch und Begegnung sind in unserem Denken derart fest gezurrt, dass wir keinen Zweifel über dessen Richtigkeit aufkommen lassen. Sie gehören zusammen. Dennoch lohnt es sich, diese Beziehung auf den Prüfstand zu stellen.

Dem aufmerksamen Leser wird aufgefallen sein, dass dieses Kapitel mit „Alles Leben ist Begegnung" überschrieben ist, obwohl sich meine Gedanken auf das *menschliche* Leben konzentrierten. Das bedarf der kritischen Auflösung. Wenn Mensch und Begegnung eins sind und wir formulieren „Alles *Menschliche* ist Begegnung", hat dann die These „Alles *Leben* ist Begegnung" gleichermaßen ihre Gültigkeit?

Alles Leben schließ das Menschliche mit ein, was heißt, dass, wie wir wissen, neben dem Menschen als Lebewesen weitere wie Pflanzen und Tiere leben. Lassen wir die letzte These zu, schließt sie die Erstere mit ein. Dann haben wir davon auszugehen, dass Begegnungen nicht nur zwischen den Menschen, sondern auch zwischen außermenschlichen Lebewesen stattfinden. Es begegnen sich Tiere und Pflanzen unter- und miteinander. Ist es sinnvoll, auch von zwischentierischen bzw. -pflanzlichen Begegnungen zu sprechen? Können sich Tiere und Pflanzen begegnen? Finden zwischen Mensch und Tier bzw. Mensch und Pflanzen Begegnungen statt?

Beantworten wir diese Fragen positiv, dann gilt „Alles Menschliche ist Begegnung", doch nicht jede Begegnung ist von ausschließlich menschlicher Natur, weil Begegnungen ebenso zwischen anderen Lebewesen sowie zwischen Mensch und ihnen stattfinden können. Natürlich ist davon auszugehen, dass die Begegnungen zwischen den Menschen von anderer Qualität sind als jene zwischen Mensch und Tier bzw. Pflanzen, und wieder anders sind als jene unter den nichtmenschlichen Lebewesen. Damit noch nicht genug: Die Brisanz der Problematik wächst, wenn der Begegnungsbegriff nicht nur auf das Leben, sondern auf die gesamte Wirklichkeit erweitert wird.

Drei Thesen stehen im Raum: Alle Menschliche ist Begegnung. Alles Leben ist Begegnung. Alles Wirkliche (Wirkende) ist Begegnung. Welche Intension und Extension wollen wir dem Begriff der Begegnung geben? Es ist dem nachfolgenden

Kapitel vorbehalten, sich dem Begriff der Begegnung vertiefend bzw. erweiternd zu nähern.

Doch wieder zurück zur Beziehung zwischen Mensch und Begegnung. Wie verhält es sich, die unumstrittene These „Alles Menschliche ist Begegnung" umzuformulieren in: *Alles Begegnen ist menschlich.* Folgen wir ihr, sind folgende Deutungsinhalte möglich:

Alles, was als Begegnung bestimmt ist, ist von menschlichem Charakter. Diesem Schluss kann ich nicht folgen, selbst wenn zwischen nichtmenschlichen Lebewesen Begegnungen stattfänden. Es gibt keinen Grund, ihnen ein menschliches Gesicht zu geben. Daran ändert sich nichts, wenn z. B. tierisches Verhalten unter Wölfen oder Primaten so genannte menschliche Züge wie Empathie tragen oder Kooperation bestimmt sind.

Die These *„Alles Begegnen ist menschlich"* macht nur Sinn, wenn wir Mensch und Begegnung als exklusiv betrachten und sie mit der These „Alles Menschliche ist Begegnung" in Verbindung bringen.

Alles Begegnen ist menschlich kann heißen, wir geben dem Begegnen ein menschliches Gesicht. Begegnungen tragen das Menschliche per se in sich. Das betrifft das Sein, sein Wesen, sein Verhalten, seine Moral.

Alles Begegnen ist menschlich kann auch heißen, dass Begegnungen von Natürlichkeit bestimmt sind, weil Mensch und Natur voneinander nicht zu trennen sind, weil der Mensch ein Produkt und Teil der Natur ist. Das führt zur Frage: Warum sollte es nur Begegnungen zwischen den Menschen geben, wenn er doch der Natur entsprungen und nach wie vor Teil dieser ist? Ist es dann nicht sinnvoll, eher davon zu sprechen: „Alles Leben ist Begegnung". Es gäbe dann nicht nur zwischenmenschliche Begegnungen, sondern sie finden überall dort statt, wo Leben ist.

Begegnungen werden in unserem Alltagsverständnis nur mit dem Menschen in Verbindung gebracht. Wir sprechen von Begegnungsstätten für Senioren, der Erinnerung oder des kulturellen Lebens. Menschen treffen sich. Sie begegnen sich in den unterschiedlichsten Lebenssituationen. Es würde eher ein Nachfragen provozieren, wenn das Begegnen außerhalb des Menschlichen betrachtet wird. Das rührt daher, weil wir Begegnungen als ein gezieltes, bewusstes Gegenübertreten verstehen und mit ihnen Kultur und Moral verknüpfen. Es ist nicht nur das. Es versteht sich als ein menschliches Sich-Nähern, in dem Emotionen mitschwingen.

In nicht wenigen Büchern und Filmen finden wir „Begegnung" bzw. „Begegnen" in deren Titel. Mensch und Begegnung werden als unzertrennlich betrachtet. Wir unterstellen, dass das Begegnen stets von menschlicher Natur bestimmt ist. Insofern macht es Sinn, Mensch und Begegnung in einen Zusammenhang zu bringen. Menschsein heißt, in Begegnung zu sein, Begegnen zu initiieren und den zwischenmenschlichen Dialog mit Resonanzwirkung zu ermöglichen.

Alles Menschliche ist Begegnung, heißt, wenn der Mensch seinem Wesen gerecht werden will, in Begegnungen zu leben,

Begegnungen zu erleben. Menschsein heißt, in Begegnung mit sich und den Mitmenschen sein. Der Mensch wird und ist Mensch über das Begegnen.

Begegnungen machen den Menschen erst mit all' seinen Stärken und Schwächen, mit seinen Erfahrungen und seinem Wissen zum Menschen, die er wieder in neuerliche Begegnungen einbringt. Sie sind sein Wachstums- und Entwicklungspotential für zukünftige, bewegende Begegnungen.

Begegnungen sind fluide menschliche Verknüpfungen: zu sich selbst, zu den anderen und zu seiner Außenwelt. Sie sind eine Eigenschaft menschlichen Verhaltens. Sie sind im Charakter verschieden. Es zählen kontemplative Betrachtungen wie auch die praktische Wirklichkeitsaneignung in Gestalt von Ausprobieren, Experimentieren, Bauen usw. Es sind Begegnungen zwischen den Menschen, die sich als Solidarität, Helfen, Liebe oder Freundschaft zeigen. Es sind Begegnungen, in denen das Schöne, das Gute im Leben zu erleben und zu genießen Platz gefunden hat. Es sind auch Begegnungen, die uns in unseren Gefühlen wie Freude, Traurigkeit oder Wut berühren. Insofern drückt das Begegnen, das den Menschen als Subjekt mit einschließt, stets Menschliches aus. Es ist Prozess und Resultat menschlichen Seins. Es macht den Menschen zu tiefst menschlich.

Begegnungen machen den Menschen nicht nur menschlich; sie sind selbst von Menschlichkeit. Das beginnt damit, dass die Begegnungen nicht immer allein passieren, sondern dass es Sinn macht, sie gezielt zu schaffen. Die „Aktion Mensch" wirbt mit Begegnung auf der Internet-Seite: „Begegnungen bereichern unser Leben, wenn wir es zulassen... Wer Begegnung will, muss Begegnung schaffen." Das aktive Gestalten von Begegnungen durch den Menschen gibt dem Begegnen seinen menschlichen Wert.

Dieses bisher beschriebene menschliche Begegnen unterstellt, dass es von Natur aus friedlich ist. Dass das Begegnen zugleich eine menschlich-destruktive, zerstörerische Seite hat, braucht nicht näher erklärt werden, weil es eine tiefe, immer wiederkehrende Erfahrung unseres menschlichen Daseins ist. Sie zeigt sich vor allem dort, wo Krieg, Kampf, Gewalt, Unterwerfung, Demütigung oder Erniedrigung stattfinden. Dieses Begegnen trägt die Gefahr seiner Auflösung in sich, obwohl er stets neue Begegnungen erzeugt. Es ist der in den Begegnungen nicht aufzuhaltende Kampf zwischen dem Guten und Bösen, dem Gelingen und Scheitern, dem Gewinnen und Verlieren, so wie J. W. v. Goethe (1749 – 1832) es seinen Mephisto im Faust sagen lässt: „Ich bin ein Teil von jener Kraft, die stets das Böse will und stets das Gute schafft, ... Ich bin der Geist, der stets verneint und das mit Recht, denn alles, was entsteht, ist wert, dass es zugrunde geht. Drum besser wär's, dass nichts entstünde. So ist denn alles, was ihr Sünde, Zerstörung, kurz das Böse nennt, mein eigentliches Element."

Hier zeigen sich die Zerrissenheit und der ambivalente Wert des Begegnens: Es steht im Gegensatz zwischen konstruktiv und destruktiv, menschlich und unmenschlich. Es ist in seiner Dynamik ein Erzeugen von Begegnungen, die sich wieder vernichten (aufheben) und in dem Aufheben neue Begegnungen hervorbringen. Der Mensch drückt dem Begegnen seinen widersprüchlichen Stempel auf. Er ist mit und in seinen Begegnungen sein eigener Erzeuger und Vernichter, Geburtshelfer und Todbringer, Schöpfer seines Selbst.

In alledem erfährt das menschliche Leben über das Begegnen seinen Sinn und gibt jeder Lebenssituation seine Bedeutung.

Was bei allem bisherigen Diskurs über Begegnung und Begegnen fehlt, ist eine explizite Begriffsbestimmung. Alle bisherigen Erklärungen über das Begegnen hatten einen ausschließlich menschlichen Bezug. Nun ist es Zeit zu fragen, ob es Sinn macht, den Begriff des Begegnens über das Menschliche und Lebend-Natürliche hinaus auf die Wirklichkeit als Ganzes zu übertragen.

Das folgende Kapitel geht der Frage nach: Ist alles Wirkliche Begegnung?

Ist erst das Reich der Vorstellung
revolutioniert,
so hält die Wirklichkeit nicht Stand.

Georg Friedrich Wilhelm Hegel (1770 – 1831)

Begegnung in resonanter Wirklichkeit · Versuch einer Bestimmung

Die philosophisch-analytische Begriffsarbeit über Begegnungen hat eher eine untergeordnete Rolle gespielt. Das Literaturangebot fällt äußerst dürftig aus. Unter den nennenswerten Quellen befinden sich die Schriften des Religionsphilosophen Martin Buber (1878 – 1965), auf den das dialogische Prinzip zurückgeht (vgl. Das dialogische Prinzip, Gütersloher Verlagshaus 1999). „Alles wirkliche Leben ist Begegnung" (Hrsg. Stefan Liesenfeld, Verlag Neue Stadt, 2017) ist eine seiner bemerkenswerten Gedanken, die mich zu meinen Überlegungen über Begegnungen inspirierten und zu der kritischen Frage führten: Ist das Begegnen ausschließlich an das menschliche Leben geknüpft?

Die Diplomarbeit von Jörg Meisslinger „Begegnung als Zentrum und Teil einer existenzialistischen Sozialpädagogik" (1999) ist für eine Begriffsklärung hilfreicher. (vgl. in: http://www.meisslinger.de/d_diplom.htm) Beide Arbeiten stellen das Begegnen in einen anthropologischen Kontext. Das heißt: Begegnungen finden nach Auffassung der Verfasser nur mit und nicht ohne den Menschen statt. Die Begegnung ist als dialogisches Verstehen vom Menschen bestimmt und damit von menschlichem Charakter. Sie wird durch das Du und Ich

75

getragen.

Zu alledem ist nichts einzuwenden. Das vorangestellte Kapitel „Alles Leben ist Begegnung" und die anderen o. g. Texthinweise bekräftigen, dass menschliches Leben nur über Begegnungen zu verstehen ist. Alles Menschliche hat seinen Grund und seine Bestimmtheit im Begegnen. Begegnungen geben dem Menschen Raum und Zeit für Gestaltung an sich selbst und dessen Lebenswelt. Sie sind Quelle menschlicher Individual- und Gemeinschaftsentwicklung.

Doch wie ist es mit dem Begegnen außerhalb des Menschlichen bestellt? Gibt es auch Begegnungen jenseits des menschlichen Du und Ich? Anders gefragt: Ist es sinnvoll, von einer Begegnung zu sprechen, die eine Ich- und Es- oder gar eine menschenunabhängige Es-Es-Beziehung zum Inhalt hat? Ist das Aufeinandertreffen eines Menschen mit einem Tier oder mit einem Gewitter eine Begegnung? Ist der Fall eines Apfels auf den Boden eine Begegnung zwischen beiden?

Alles Begegnen ist real i. S. von *existent, wirklich*. Es ist zudem auch *wirk*lich, weil Begegnungen nicht nur real sind, sondern Wirkung zeigen. Frage: Ist das Begegnen dann zugleich wirkungsfähig? Und umgekehrt: Ist alles Wirkliche (Wirkende) als ein Begegnen zugleich auch sinnbestimmt beschreibbar?

Wenn Wirkliches selbst nur in seinen Teilen und nicht in der Gesamtheit Wirkfähigkeit i. S. des Bedingens, Beeinflussens bzw. Veränderns besitzt, stellt sich die weitere Frage: Wie sieht diese Wirkmacht (Wirkungsmächtigkeit) bei Begegnungen aus?

Um sich einer begrifflichen Aufklärung zu nähern, ist das Finden anderer Ausdrücke, die der Bedeutung des Begegnens nahe stehen, hilfreich. Diesbezüglich hält das „Synonym-Wörterbuch" eine breite Palette von Ausdrücken bereit, die einen ähnlichen Bedeutungsumfang besitzen. Begegnung versteht sich als Beisammensein, Treffen, Aufeinander-Zugehen, Zusammenkommen. Sie steht weiterhin für Spiel, Kampf, Wettbewerb, Aufeinander-Treffen. In allem haben wir es mit einem Hin- bzw. Zueinander-Bewegen unterschiedlicher Wirkintensität zu tun. Die Termini (Wörter) wie Beisammensein, Treffen etc. sind m. E. von schwächerer Wirkungsstärke als jene, die für Spiel oder Kampf etc. stehen. Was sie alle miteinander verbindet, ist, dass bei allen Begegnungen der Mensch die „Finger im Spiel" hat. Anders formuliert: Der Mensch ist bei Begegnungen immer dabei. Ist das wirklich so? Ist er bei allen Begegnungen präsent? Gibt es kein außermenschliches Begegnen?

Wir können feststellen: Alles Begegnen ist wirklich im Sinne des Existierenden (Bestehenden, Vorhandenen). Begegnen *ist*. Zugleich ist es *wirklich*, weil von bzw. mit Wirkung existent. Das Wirken äußert sich im Beeinflussen, Gestalten, Verändern. Begegnen ist Wirkliches, Wirkendes und in Folge von Wirkung. Insofern hat das Begegnen stets eine Wirkungsmacht als Bestand, Akt, Prozess und Resultat.

Wenn Buber von „Alles wirkliche Leben ist Begegnung" spricht, so geht es ihm nicht darum, auf *eine* Art, auf ein wirkungsvolles (wirkungsbestimmtes) Leben aufmerksam zu machen, das Begegnungen hervorbringt. Als Sozialphilosoph bindet er Begegnungen an den Menschen essenziell. Wenn er von Begegnungen spricht, dann sind es immer die zwischen Menschen.

In der Religionsphilosophie wird das menschliche Leben mit einer Spiritualität verknüpft. Das Leben ist wirklich, wenn es von Gott getragen und ihm zugewandt ist. Nur auf dieser Grundlage werden nach dieser Auffassung menschliche Begegnungen zu wirklichen und damit wahren Begegnungen. Oder anders formuliert: Das wirkliche Leben *ist* immer eine Begegnung mit Gott, unabhängig davon, wo (wie) er verortet wird.

Es ist nach wie vor unklar, wie Begegnungen zu fassen sind und ob es sinnvoll ist, auch außerhalb des Menschen von Begegnungen zu sprechen. Wir können bei J. Meisslinger (vgl. a.a.O.) recherchieren. Er schreibt: „Eine einfache Definition des Begriffes ist nicht möglich, denn was als Begegnung aufgefaßt wird, das wird unterschiedlich gesehen. Dabei lassen sich zwei Grundtypen unterscheiden:

1. die „Begegnung" zwischen einem Subjekt und einem Objekt

2. die Begegnung zwischen einem Subjekt und einem anderen Subjekt.

Begegnung, das meint eine besonders geartete Beziehung. Da Dinge von sich selbst aus keine Beziehung entfalten, wird der Begegnungsbegriff nicht für die Beziehung zwischen Objekten benutzt. Bei einem auf dem Tisch stehenden Glas läßt sich nur schwer von einer Beziehung reden. Der Vorgang läßt sich physikalisch beschreiben als Wechselspiel der Kraft, mit der das Glas nach unten drückt und der Gegenkraft, mit der der Tisch das Glas in Position hält." (a.a.O., S. 10)

Kommentiert heißt das: Begegnungen finden dort statt, wo sich Beziehungen entfalten, die Veränderungen hervorbringen. Eine Begegnung ist immer nur dort von Wirkung, wenn zwei Menschen aufeinandertreffen.

Für das Zustandekommen einer Begegnung nennt Meisslinger im umgangssprachlichen Sinne sechs Faktoren. Dabei entscheidet das Zusammenspiel über das Entstehen einer Begegnung:

1.   das Vorhandensein von zwei „Polen", zwischen denen Begegnung stattfindet,

2.   die Nähe bzw. der Abstand

3.   die Intention, die Motivation und die Realisation

4.   die Freiheit

5.   die Unvorhersehbarkeit

6.   die Wechselwirkung. (a.a.O., S. 12)

Bei seinem Begriffsdiskurs macht er darauf aufmerksam, dass Mensch und Roboter oder Tiere untereinander zwar miteinander wechselwirken, jedoch sich nicht im Sinne einer Beziehung zueinander begegnen. Damit unterstellt Meisslinger einen anthropologischen Beziehungsgriff. Begegnen heißt für ihn, eine Beziehung eingehen bzw. haben. „Erst wenn der Mensch als Begegnender hinzutritt, scheint man mit Recht von einer Begegnung sprechen zu können." (a.a.O., S. 11) Zugleich ist nach Meisslinger dies an die Bedingung verknüpft, dass der Mensch frei entscheiden kann, ob er eine Begegnung mit einem anderen Menschen eingeht. Damit werden von ihm auch so genannte Zufallsbegegnungen ausgeschlossen, es sei denn, sie werden mit willentlicher Entscheidung getroffen, eine Art Begegnung sein zu wollen. (vgl. ebenda)

Des Weiteren schließt Meisslinger Begegnungen mit sich selbst visuell wie gedanklich als sinnlos aus. (vgl. a.a.O., S. 12 f.). Ebenso erachtet er es für die Begriffsklärung als nicht erträglich?, Begegnungen weder mit einfacher noch wechselseitiger Bewegung i. S. des Aufeinander-Zubewegens und Voneinander-Wegbewegens zu verknüpfen. (vgl. ebenda) Eine Begegnung wird für ihn erst zu einer, wenn sie an Freiheit, Willen und Motivation gebunden ist. Damit hebt er die Wirkungsmacht von Begegnungen in Besonderheit und an Bedingungen geknüpft hervor.

Meisslinger verweist auf den existentialistischen Denkansatz und qualifiziert seinen Begegnungsbegriff für die sozialpädagogische Arbeit. Er nimmt nicht nur Bezug auf Jean-Paul Sartres (1905 – 1980) Begegnungsverständnis, sondern er verweist auch auf den Ansatz von M. Buber.

Fern vom existenzialistischen Begegnungsverständnis, in dem sich (nur) das menschliche Du und Ich begegnen, ist der von M. Buber in Erweiterung christlich-religiös und gottgefällig. Es schließt Gott als das außerhalb des Du und Ich Stehende für eine Begegnung mit ein. „Alles wirkliche Leben ist Begegnung" macht bei M. Buber deutlich, dass letztlich die Begegnung mit Gott von eigentlicher Wirkungsmacht ist, die „wahre" i. S. von wirklicher Lebensbegegnung erlaubt.

Im Existentialismus liegt die Wirkungskraft von Begegnungen ausschließlich im Menschen. Freiheit in den Entscheidungen und menschliche Verantwortungsübernahme in den Handlungen macht das Sein des Lebens aus.

Mit den dargelegten unterschiedlichen Erklärungsansätzen zum Begegnungsverständnis (vgl. a.a.O., S. 30 ff.) ist herauszustellen, dass der Wirklichkeitsbegriff bei Sartre, Buber und Co. in meinen Überlegungen einen zentralen Platz einnimmt. Insofern ist für den weiterführenden Diskurs entscheidend, von welchem Verständnis das Wirkliche bzw. die Wirklichkeit erklärt wird und wie wirkungsmächtig das Wirkliche (Wirklichkeit) auftritt. Das ist deshalb bedeutsam, weil das Wirklichkeits- und Wirkungsverständnis den Begegnungsbegriff in seiner Intension (Bedeutungsinhalt) und Extension (Bedeutungsumfang) begründet. Wir können für die Herleitung des Begegnungsbegriffs auf folgende Thesen bauen:

1. Begegnungen sind existent, gegeben, real: wirklich.
2. Begegnungen sind nicht nur wirklich aufgrund ihres Vorhandenseins (Bestehens), sondern auch wirklich i. S. einer mit ihnen verbundenen Wirkfähigkeit.
3. Begegnungen äußern sich in Wirksamkeit und sind mit Wirkungsmacht ausgestattet.
4. Begegnungen sind bewegend, verändernd, prozessierend und haben ein Resultat.

5. Begegnungen sind ein Akt des Formierens und des Gestaltens.

6. Alles Leben ist Begegnung im Verständnis, das es a) *menschliches* Leben impliziert und b) dieses Leben in seinem Wesen als *Begegnung* erscheint.

In weiteren Diskurs zur begrifflichen Annäherung nehme ich diese Thesen auf. Die Frage ist, ob diese Aussagen für einen qualifizierten Begegnungsbegriff hinreichen? Lässt sich ein Begriff der Begegnung entwickeln, der die Essenz existentialistischer und religiös-theologischer Begriffsintension aufnimmt und zugleich über sie hinausgeht? Das würde bedeuten, sie in das Begegnungsverständnis einzubinden und zugleich sich von ihr zu lösen.

Mein Versuch der Neubestimmung zielt dahin, die Bindung an Mensch und Gott als das *wahre* Wirkliche zu vernachlässigen und in einem erweiterten, inhaltlich qualifizierteren Begegnungsbegriff aufzuheben.

Das wahre und wirkliche Leben nur in Begegnung mit Gott anzuerkennen ist ein Lebensverständnis, das mit dem christlich-religiösem Glauben verknüpft ist. Dieses Verständnis von Lebensbegegnung hat seinen Platz in der Religionsphilosophie. Meine Entgegensetzung ist: Das Leben ist (wird) *wirklich* in einem aktiven, ausschließlich vom Menschen getragenen Lebensraum, wenn es von Selbstverwirklichung und Selbstwirksamkeit bestimmt ist. Das bedeutet, Kritik am religionsphilosophischen Begriff der Begegnung zu üben und dem des Existenzialismus zu folgen.

Andererseits übe ich Kritik am existenzialistischen Begegnungsbegriff, der alle Begegnungen außerhalb des Menschen ausschließt, was wiederum der Buber'schen Begegnungsvorstellung entgegenkommt, auch wenn dieser nur das Göttliche mit ihm verbindet.

Meine Idee ist, den Begriff der Begegnung in der Extension zu erweitern und in der Intension zu spezifizieren. Ob und inwieweit dieser Begegnungsbegriff philosophisch und praktisch einem weiteren Diskurs standhält, sei der Kritik überlassen.

Wir können m. E. davon ausgehen, dass überall dort Begegnungen stattfinden, die von Wirkungsmacht sind. Wirkung ist die Kraft, mit der sich das Begegnen verwirklicht. Das Bestehen einer derartigen Wirkungsmacht ist eine notwendige, jedoch nicht hinreichende Bedingung, weil nicht jedes Aufeinander-Wirken, wie später zu entwickeln ist, den Charakter einer Begegnung hat. Wir können uns vorerst auf folgende Gedanken stützen:

- Es sind immer zwei Seiten beteiligt, die sich gegenüber stehen und ein Verhältnis konstituieren.
- Mindestens eine der Seiten nimmt eine aktive Rolle i. S. des Aufeinander-zu- Bewegens ein und tritt als Agierende auf.
- Wirkungen entstehen, die die Qualität des Begegnens beeinflussen.

Begegnungen finden statt, wenn sie folgende Bewegungsstruktur aufweisen:

- A bewegt sich auf B oder B sich auf A zu – einseitiges, extrinsisches Begegnen.
- A und B bewegen sich gleichermaßen aufeinander zu – zweiseitiges, extrinsisches Begegnen.
- A begegnet sich selbst – intrinsisches Begegnen.

Aus allen drei Begegnungsformen entsteht ein Wirkungsresultat, das weitere Begegnungen ermöglicht. Das unterstellt, dass Begegnungen

- auch außerhalb des Menschlichen stattfinden,
- als ein eigenständiges In-Beziehung-Treten von zwei oder mehreren aufeinandertreffenden Seiten (Körper, Zustände, Ereignisse, Lebewesen, Menschen) zu verstehen und
- immer Voraussetzung und Ergebnis neuerlicher Begegnungen mit Wirkungsmacht sind.

Die Basics für das Begegnungsverständnis sind zwar abgesteckt, doch, wie oben angemerkt, geben sie m. E. noch nicht *die* hinreichende Bestimmung. Es fehlt der „Schlussstein", der den Begegnungsbegriff über die bisherige Fassung hinweg qualifiziert: Er ist die *Resonanz*.

Hartmut Rosa entwickelt seinem bemerkenswerten Buch Resonanz. Eine Soziologie der Weltbeziehung (Suhrkamp 2016) im Kapitel „Resonanz" (a.a.O., S. 281 ff.) einen soziologisch gefassten Resonanzbegriff, den ich für meine weiteren Überlegungen über das Begegnen aufnehme.

„Resonanz" in der lateinischen Wortbedeutung (re-sonare) kann als Widerhall, Ertönen verstanden werden. (vgl. a.a.O.,

S. 281). In der Physik (Akustik) ist dieser Begriff eine wichtige Kategorie. Er beschreibt das Aufeinander-Treffen zweier eigenständiger, schwingungsfähiger Körper. Eine Resonanz ist dann gegeben, wenn einer der beiden Körper in Eigenschwingung gerät und über diese den anderen in seiner Eigenfrequenz anregt. Wichtig ist, wie Rosa meint, dass beide Körper mit eigener Stimme sprechen und in dem Aufeinander-Treffen über ein eigenständiges, autonomes Wirken verfügen.

Diese Stimme ist nicht die einer Reaktion auf einen Reiz oder eine Wirkung auf eine Ursache, sondern von „entgegenkommendem Charakter" (vgl. a.a.O., S. 109). Mit eigener Stimme heißt, fernab vom akustischen Echo oder einem optischen Spiegelbild, über das Anderssein des Einen dem oder den Anderen anregend zu begegnen. Mit eigener Stimme sprechen heißt, eine Antwort (Reaktion, Wirkung) zu geben, die in ihrer Art anders – eigenständig, unabhängig – als die Stimme des Impulsgebers ist.

Diese Anregung kann in unterschiedlicher Art und Weise auftreten. Bleiben wir bei der Akustik, so ist nicht ausgeschlossen, dass miteinander schwingende Körper wie zwei Stimmgabeln sich wechselseitig zur Eigenfrequenz animieren. (vgl. a.a.O., S. 282)

Ist der Anstieg eines Schwingungsimpulses größer als die Eigenwirkung des eigenen Körpers, kommt es zu einer Resonanzverstärkung, die der Begegnung beider Körper einen verstärkenden Auftrieb gibt. Umgekehrt kann diese Resonanz wieder verflachen, was die Qualität der Begegnung verändert.

Insofern haben wird es in resonanten Begegnungen mit einem wechselseitigen Auf-, Ab- oder Einschwingen zu tun, indem es zu gegenseitigen Anpassungsbewegungen kommt (vgl. a.a.O., S. 283), die der Begegnung eine dynamische Stabilität i. S. einer Bestandssicherung verleihen.

Selbst eine „Resonanzkatastrophe" schließt Rosa nicht aus, „in der einer oder mehrere oder alle der beteiligten Resonanzkörper zerstört werden" (ebenda).

Das Entstehen einer von beiden Seiten herausgebildeten Eigenschwingung bedarf eines Resonanzraumes, der eine Resonanzwirkung zulässt. (vgl. a.a.O., S. 284) Dieser Resonanzraum ist immer dann und nur dann vorhanden, wenn die „resonanten Subjekte" so in Berührung kommen, dass sie aufeinander jeweils mit eigener Stimme antworten. (vgl. a.a.O., S. 285) Insofern haben wir es hier im Resonanzverständnis mit einem Beziehungsmodus zu tun, der die Responsivität (ein Antwort gebendes Verhalten) mit einschließt. Für die jeweiligen in Eigenschwingung sich begegnenden Seiten heißt das, dass sie die Fähigkeit besitzen, aufeinander einzugehen und füreinander ansprechbar zu sein. Die sich Begegnenden verfügen über eine Art der Aufeinander-Bezogenheit, die ein wirkfähiges responsives oder synchronisches Antworten möglich macht. (vgl. a.a.O., S. 283) Begegnungen gibt es dort, wo resonante Entwicklung, wie in Gestalt einer Schwingungsverstärkung (Responserresonanz) oder einer Anpassung (Synchronresonanz), stattfindet. Stets ist sie antwortend und eigenstimmig. (vgl. a.a.O., S. 285)

Das „Sprechen mit eigener Stimme" braucht einen „entgegenkommenden Resonanzraum", der die Schwingungsimpulse, ein Berühren und Berührt-Werden, ermöglicht. (vgl. a.a.O., S. 284). Es handelt sich hierbei um Gegebenheiten bzw. Milieus, die Resonanzen und damit resonante Beziehungen und Begegnungen begründen. Die menschliche Stimme braucht den eigenen Körper, um der Stimme eine Stimme zu verleihen. Die Zuschauer eines Fußball- oder anderen Spiels geraten in Resonanz durch die agierenden Spieler in einem dafür eigens geschaffenen Stadion (Sporthalle). Der Resonanzraum ist der Raum, der Begegnungen schafft.

Begegnung ist kein Zustand, sondern ein durch Verhalten der Seiten entstandener Beziehungsmodus. Als Begriff ist Begegnung relational (aufeinander Bezug nehmend) zu verstehen, weil die Begegnung selbst eine relative Bindung verkörpert, weil deren Seiten durch Wirkung aufeinander bezogen sind.

Begegnung ist ein in Beziehungsein in Gestalt eines Aufeinander-Treffens von alledem, was sich resonant berührt.

Begegnung ist ein Antwortverhältnis, indem jede der begegnenden Seiten sich eigenstimmig einbringt. Eine sachlich-ernste oder traurige Situation kann als komisch empfunden werden. Oder wir sagen: Wenn die Geschichte nicht so lustig wäre, könnte man darüber heulen.

Der Begegnungsbegriff hat noch nicht seine endgültige Bestimmung. Haben wir es (nur dann) mit Begegnungen zu tun, wenn deren aufeinander wirkende Seiten sich in Resonanz befinden oder auch dann, wenn ihnen der Resonanzcharakter fehlt?

Wirkungsbeziehungen sind von Welt. Welt ist alles das, was sich begegnet bzw. in der Begegnungen stattfinden. (vgl. a.a.O., S. 65) Das heißt: Alle Begegnungen sind Wirkungsbeziehungen; jedoch nicht alle Wirkungsbeziehungen haben den Charakter einer Begegnung. Zugleich ist davon auszugehen, dass nicht alle Begegnungen von resonanter Natur sind. Das bedeutet, dass resonante von nicht-resonanten Beziehungen zu unterscheiden sind. Bei Letzteren differenziere ich zwischen resonanzfreien und resonanzlosen Begegnungen. Von resonanzfreien Begegnungen spreche ich, wenn wir deren Wirksamkeit manipulieren, kontrollieren bzw. beherrschen können. Sie sind frei von jeder Selbstwirksamkeit, frei von eigener Stimme. Es sind kausalistische oder instrumentalistische Wechselwirkungen in Gestalt mechanischer Rückkopplungen, wie wir sie z. B. im Zusammenhang zwischen Temperatur und dem Aggregatzustand des Wassers oder im Zusammenspiel der Zahnräder eines Uhrwerks kennen (vgl. a.a.O., S. 285)

Hier stellt sich die Frage, ob es überhaupt sinnvoll ist, in dieser Art von Wirkbeziehungen von Begegnung zu sprechen. Begegnung steht hier für ein Aufeinandertreffen zweier Seiten, Elementen oder Teilen eines Ganzen – für nicht mehr.

Resonanzlose Begegnungen sind jene, die zwar das Potenzial der Resonanz tragen, das jedoch real nicht zur Wirkung kommt. In diesen Begegnungen fehlt das Aufeinander-

Antworten. Der Grad der Resonanzlosigkeit bei dieser Begegnung kann dynamisch ausfallen. Sie verfängt sich in eine Verstimmung, die einer Störung der Wechselwirkung gleichkommt, ohne dass sie in irgendeiner Form gefährdet ist. Eine Verstärkung der Verstimmung führt zu einer Verfremdung. Gemeint ist, dass die Verstimmung ein Niveau erreicht hat, bei dem die sich begegnenden Seiten sich zueinander brüchig verhalten. Sie laufen Gefahr, sich in eine kritische, existenzbedrohende Distanz hineinzubewegen. Sie verlieren sich in der Begegnung, ohne aus dieser auszusteigen. Damit ist die Begegnung an einem so genannten Knotenpunkt, der die Weichen für ihren weiteren Verlauf stellt.

Entfremdung ist der Schritt aus der Verfremdung hin zur weiteren Distanz. Beide sich begegnenden Seiten verlieren sich durch Selbstveränderung, die einen Bindungsverlust nach sich zieht. Die Seiten haben sich in-, zu- und füreinander „verloren". Die physische und kommunikative Verbindung ist gerissen. Sie heben sich als sich begegnende Pole auf: Aus der Verbundenheit wird Losgelöstheit, aus Offenheit Verschlossenheit. Die Verstimmung erfährt über die Verfremdung in der Entfremdung ihren Höhepunkt. Sie findet ihren Ausdruck in der Verstummung. Beide Seiten haben sich nichts mehr zu sagen. Die Verbindung ist zerrissen.

Stumme Begegnungen sind von indifferentem (gleichgültig) oder repulsivem (abstoßend, verweigernd, ausgebliebene Erwartungen) Charakter. Insofern sind sie in ihrem Wesen nicht beziehungs-, so doch resonanzlos. (-los heißt gelöst, aber nicht frei von Resonanz.) Was diese Begegnungen im Innersten der Beziehung miteinander verbindet, ist die Verborgenheit der Resonanz. Das bedeutet, dass die durch Verstummung entstandene Resonanzlosigkeit aufgehoben werden kann, wenn die jeweiligen Bedingungen für eine Resonanz wieder hergestellt werden (können). Eine abgeschwächte bzw. verlorengegangene Resonanz in Begegnungen hat das Zeug, „wiederbelebt" zu werden. (vgl. a.a.O., S. 292, 323) Aus diesen Überlegungen heraus leitet sich ein dreistufiges strukturelles wie dynamisches Begegnungsverständnis ab:

Niveau 1: kausalistisch, mechanisch begründete Begegnungen (resonanzfrei), die über kein Resonanzpotenzial verfügen: Es sind *Schein-Begegnungen.*

Niveau 2: ver- bzw. entfremdete, indifferente bzw. repulsive Begegnungen mit abgeschwächtem, inhärentem Resonanzpotenzial: Das sind *Potenzial-Begegnungen.*

Niveau 3: resonante Begegnungen, die die Welt? mit eigenen Stimmen, mit Selbstverwirklichung „sprechen", das heißt, wirken lassen: Es sind *Resonanz-Begegnungen.*

Während das Begegnungsniveau 1 von den anderen Begegnungsniveaus losgelöst existiert, besteht zwischen den Niveaus 2 und 3 ein Zusammenhang. Hier folge ich H. Rosa, Resonanz und Entfremdung nicht in einer formalen Gegensätzlichkeit i. S. einer sich gegenüberstehenden Ausschließlichkeit zu sehen, sondern sie in ihrer Dialektik zu erfassen, die das Entfremdete, Verstummte konstitutiv in das Resonanzverständnis aufnimmt, sodass aus dieser Denkperspektive – wie oben verdeutlicht – resonante Begegnungen auch „verstummen" können, wenn sie ihren Resonanzboden verlieren. Eine entstehende Resonanzlosigkeit ist somit selbst Teil der Resonanz, die die Entfremdung mit dem Resonanzbegriff verbindet. (vgl. a.a.O., S. 316 ff.)

Für resonante Begegnungen heißt das, dass in ihnen per se das (Ent-)Fremde(te) steckt. Erst dieses Andere macht die Begegnung zur Begegnung mit resonantem Charakter.

Begegnung in der Dialektik von Resonanz und Entfremdung zu betrachten, gibt dem Begegnungsbegriff seine Besonderheit. Sie ist sein Markenzeichen. Begegnung ist das Aufeinander-Treffen zweier Gegebenheiten, von der eine gegenüber der anderen einen Impuls aussendet und die andere mit eigener Stimme „antwortet", wobei deren Antwort für den Impulsgeber fremd, unberührt erscheint.

Eine qualifizierte Begegnung ist das Aufeinander-Treffen zweier Seiten, die mit Resonanz *und* Entfremdung verbunden sind.

Ich gehe davon aus, dass wir in unserer zugänglichen Lebenswelt alle drei Begegnungsniveaus ausmachen können. Wir finden sie in der a-menschlichen, d. h. verdinglichten (mechanischen, physikalischen, chemischen), in der vitalistischen (tierischen und pflanzlichen) und menschlichen Lebenswelt (Mensch, soziale Gruppe, Gesellschaft) sowie in der Verknüpfung dieser Welten. Andererseits lassen sich Begegnungen wie folgt ordnen:

-   intrasubjektive Begegnungen als ein Treffen mit sich

selbst (Ich-Bezogenheit)

- intersubjektive Begegnungen als ein Miteinander- bzw. Aufeinander-Treffen von Menschen (Ich- und Du-Bezogenheit)
- Subjekt-Objekt-Begegnungen als ein Mensch-Welt-Treffen, in dem sich Mensch und Außermenschliches begegnen (Ich- und Es-Bezogenheit) und
- interobjektive Begegnungen als ein Treffen außerhalb des Menschen von Zwischen-Weltlichem (Es- und Es-Bezogenheit).

Die Begegnungen sind in ihrer Gesamtheit stets in einer Subjekt-Objekt- und verdinglichten Beziehung eingebunden, weil es der Mensch allein ist, der diese Begegnungen *denkt*.

Rosa beschreibt hierfür eine Vielzahl nachlesbarer Beispiele. Die nachfolgenden Texte sind Begegnungsbeschreibungen, die uns das Begegnen in all' ihren Bildern näherbringen, ohne in jedem Fall den Nachweis für die vier Begegnungsqualitäten antreten oder das von ihm beschriebene Thema in diese einordnen zu wollen.

Bisher wurde eine deskriptive Sicht auf das Begegnungsverständnis verfolgt, die mit einer Begriffsklärung einherging. Was ausgeblieben und nachzuholen ist, soll folgen: die Begegnung in einen normativen, ethisch-moralischen Kontext zu stellen. Es ist zu fragen: Worin besteht der menschliche Wert von Begegnungen? Wie ist ihr Sinn einzuordnen? Wie wertvoll ist die oben angebotene Begegnungsklassifizierung?

Begegnung wird zu einem *normativen* Konzept, wenn wir

erstens nach ihrem Sinn für ein gutes, gelingendes, erfolgreiches Leben (vgl. H.-Jürgen Stöhr, Scheitern im Grenzgang, Romeon Verlag, Kaarst 2017, S. 16 ff.) und zweitens nach ihrem Wert (Nutzen) für die natürliche Lebenswelt fragen.

Diese Fragen sind nur zielführend, wenn sie in einem menschlichen Kontext stehen. Außerhalb des Menschlichen machen sie für mich keinen Sinn. Tiere, Pflanzen, Steine und sonstige mechanisch-physikalische, chemisch-biologische Weltphänomene stellen sich weder die Sinn- noch die Frage nach dem Wert ihrer gemachten Begegnungen. Das Begegnen zeigt sich als menschliche Macht sich selbst erzeugender Wirkungen und wirft von dieser Position die Frage nach der Stellung und Wirksamkeit des Menschen in der Welt auf.

Da, wie oben beschrieben, das Begegnen in der Welt einen menschlichen Bezug hat, was heißt, dass Begegnungen – mit schwachem wie starkem Charakter – überall dort auftreten, wo der Mensch deren konstitutiver Teil – kontemplativ wie gestaltend – ist, zeigt sich das Begegnen als Mittel für das Welt-Verstehen und Welt-Gestalten, für eine Sinn-Annahme und Sinn-Gebung. Das Begegnen ist der grundlegende Zugang zur Lebenswelt.

Sobald wir ins Leben treten, uns dieses Lebens (selbst) bewusst werden und uns für dieses geschenkte Leben entschieden haben, ist es zugleich eine Entscheidung für zu gestaltende Lebens- bzw. Welt-Begegnungen. Der Wert von Begegnungen hat stets eine menschliche Perspektive und offenbart sich in dem Umstand, dass es konstitutiv zum Leben gehört:

Leben wird Leben durch Begegnung. Sie ist erfahrbare und erfahrene Lebenswirklichkeit.

Da ich Begegnungen an das Leben und die Welt knüpfe, sind sie per se wertfrei, jedoch nicht wertlos. Als Lebens- und Weltmedium sind sie dazu „bestimmt", das Leben wertvoll zu machen. Begegnungen in ihrer Art, in ihren Inhalten und Qualitäten begründen die Qualitäten des Lebens (vgl. auch a.a.O., S. 37 ff.). Sie gebären immer wieder aufs Neue das Leben.

In Begegnung zu sein heißt auch, die Lebenswelt und damit das eigene Leben offen anzunehmen, sie verstehen und gestalten zu wollen. Sie ist „Türöffner" für eine Welt zum Besseren, wenn der Mensch vor allem den Wert resonanter Begegnungen zu schätzen weiß.

Begegnung schafft Wissenszuwachs, Bewusstseinserweiterung, Persönlichkeitsgewinn und befördert menschliche Entscheidungs- und Handlungskompetenz. Hierin sehe ich ihren grundlegender Wert und Nutzen. Sie erwirkt Welterweiterung.

Begegnung braucht Achtsamkeit zu sich selbst und gegenüber der Lebenswelt. Sie zeigt sich im gegenseitigen Respekt (Anerkennung und Wertschätzung) aufeinander treffender Seiten. Begegnung braucht Sinnlichkeit in der Wahrnehmung und im Berühren der Wirklichkeit. Sie sind Bedingungen für eine auf Selbstwirksamkeit begründete Selbstverwirklichung, die die Persönlichkeitserweiterung befördern.

Begegnungen zeigen sich gleichsam in ihrem Wert durch

Verlust bzw. Entfremdung. Mit jeder Begegnung laufen wir Gefahr, Fehler zu machen oder gar zu scheitern und bewegen uns stets in einem Spannungsfeld zwischen Scheitern und Erfolg. Begegnungen sind für uns vielfach angstbesetzt, furchterregend und zugleich anziehend und begehrenswert. Wir begegnen unserer Welt mit Attraktion (gewünscht, gewollt) und Repulsion (abgelehnt, verweigert).

Wir tun uns schwer bei Begegnungen, die unsere Lebensqualität beinträchtigen oder unser Leben in Gefahr bringen, obwohl sie selbst einen Wert für Persönlichkeitswachstum haben, weil sie unser Leben erfahrener und damit besser machen. Unsere Begegnungen mit Scheitern bzw. Misserfolgen im Leben, um die wir am liebsten einen großen Bogen machen würden, sind oft wertvoll und von Resonanz gefüllt, die unsere Persönlichkeit in ihrem Wachsen bereichert.

Wir initiieren in unserem Leben Begegnungen, von denen wir meinen, sie täten uns gut; stattdessen bringen sie Verfremdung und menschlichen Begegnungsverlust. Das unangemessene Benutzen eines Smartphones ist ein in Begegnung sich gestaltendes Entfremdungsphänomen. Diese Begegnung mit dem Handy offenbart sich als resonanzlose, stumme Begegnung unter den Menschen. Diese verfremdete Begegnung zwischen Mensch und Technik – Ähnliches gilt für Mensch und Natur (H. Rosa, a.a.O., S. 453 ff.) – löst sich nur in eine resonante auf, wenn wir den verstummten zwischenmenschlichen Beziehungen entgegentreten und menschlichen Begegnungen den Wert geben, den es innehat. Wir haben die Pflicht und die Verantwortung der wachsenden, vom Menschen selbst verursachten Welt-Verstummtheit entgegenzutreten. Die immerwährende, an die Bedingungen des Lebens angepasste Suche nach Antwort auf die Frage, was macht das Menschsein aus und welchen Platz brauchen resonante Begegnungen für dessen Selbstverständnis, darf nicht verstummen.

Begegnungen haben eine wichtige Lebens- und Wirklichkeitsfunktion: Sie machen das Leben lebenswert und geben den Dingen und der Wirklichkeit menschlichen Lebens einen Sinn. Begegnungen vermitteln nicht nur schlechthin Sinnerfahrung, sondern sie befördern unsere Erfahrungs-, Kommunikations- und Erlebniswelt. Begegnungen sind unsere Helfer in unseren Entscheidungen und Handlungen.

Mit dem Wissen, dass Resonanz ein Beziehungsmodus ist, der das Bezogensein zwischen den „Welt-Dingen" und nicht den Zustand eines Dings oder einer Sache selbst ausdrückt, sollten wir dafür Sorge tragen, dass unsere Lebenswelt sich als eine Welt des Berührt- bzw. Angesprochenseins und Antwortens zeigt. (vgl. a.a.O., S. 291)

Wir sind zutiefst verpflichtet, ein Leben in Begegnungen zu leben. Wir stehen in der Verantwortung, Begegnungen – und nach Möglichkeit resonante – zu initiieren, zu gestalten und ihnen einen menschlichen Sinn zu geben. Alle Loslösung des Lebens von Begegnungen lässt unser Leben als sinnlos erscheinen.

So sehr ich den bisher entwickelten Begegnungsbegriff als

qualifiziert ansehe, so defizitär erscheint er mir in einem bisher nicht diskutierten Merkmal. Ich spreche hier die Eigenschaft der Nachhaltigkeit in Begegnungen an, die ich resonanten Begegnungen zuordnen möchte.

Begegnungen mit Nachhaltigkeit · Wirkungsmacht eines Resonanzverstärkers

Jede menschliche Begegnung erzeugt ein Aufeinandertreffen, das nicht ohne Wirkung bleibt, egal, wie sie sich zeigt. Es entsteht ein wirkungsmächtiger Fußabdruck. Dabei vermögen wir es nicht, diesen Rückstand gleich und vollständig in seiner Wertigkeit einzuschätzen. Das wirft die Frage nach der Nachhaltigkeit derartiger Wirkungen auf. Führt der Gedanke über die Nachhaltigkeit einer Begegnung zu einer qualifizierteren Betrachtung, die Begegnungen auf eine höhere Stufe stellt? Ist Nachhaltigkeit eine Eigenschaft, die wir nur in menschlichen Begegnungen oder auch außerhalb von ihnen finden? Schließen wir das Merkmal der Nachhaltigkeit in die Begegnung ein, erfährt das Begegnen einen ergänzenden ethisch-moralischen Kontext. Das bedeutet, den Wert einer vorhandenen oder auch nicht bestehenden Nachhaltigkeit in Begegnungen auszumachen. Die Beantwortung dieser Fragen beginnt mit einem auszumachenden Gültigkeitsbereich: Was wollen wir als Begegnung mit welchem Inhalt (Intension) und welcher Umfänglichkeit (Extension) gelten lassen?

Wie bereits aufgezeigt, lassen sich Begegnungen differenziert beschreiben. Diese Qualitätsunterschiede sind durch die jeweiligen Gegenspieler, zwischen denen eine Begegnung stattfindet, bestimmt. Wir sprechen von Begegnungen zwischen Mensch und Mensch, zwischen Mensch und Außermenschlichem. Gemeint sind z. B. Mensch-Tier-Begegnungen oder jene mit anderen natürlichen Gegebenheiten in der nicht-lebenden Natur. Ich denke z. B. an einen Sturm oder ein Gewitter. Dabei ist es naheliegend, jenes Zusammen- bzw. Aufeinandertreffen als Begegnung zu beschreiben, bei denen der Mensch als Akteur oder auch als passiver Beteiligter auftritt.

Da hier die Nachhaltigkeit im Focus der Betrachtung steht, erhalten Begegnungen mit Resonanzcharakter mein besonderes Interesse, weil m. E. davon auszugehen ist, dass Nachhaltigkeit und Resonanz eng miteinander verknüpfte Eigenschaften in Begegnungen sind. Das führt zur These: *Resonante* Begegnungen sind Begegnungen *mit* Nachhaltigkeit. Oder müssen wir eher einschränkend davon auszugehen, dass Nachhaltigkeit ein Attribut ist, dass nur bestimmten resonanten Begegnungen zukommt? Das würde bedeuten, zwischen resonanten Begegnungen mit und ohne Nachhaltigkeitscharakter zu unterscheiden.

Der nachfolgende Diskurs soll Aufklärung darüber schaffen, in welchem Zusammenhang beide Eigenschaften zueinander stehen und ob die Einlagerung der Nachhaltigkeit in den bisherigen (resonanten) Begegnungsbegriff ihm eine neue Qualität verleiht. Ist dem so, verändert sich das Niveau des bisherig formulierten Begegnungsverständnisses.

Resonanz in Verbindung mit Nachhaltigkeit zu bringen und beide Merkmale in das Verständnis von Begegnungen zu platzieren, lässt zweifelsfrei den Begegnungsbegriff in einem neuen wie auch besonderen Licht erscheinen.

Den bisherigen Überlegungen liegen folgenden Thesen zugrunde und bilden das gedankliche Sprungbrett für Weiteres:

1. Alles Begegnen ist wirklich im Sinne des Existierenden (Bestehenden, Vorhandenen). Begegnen ist. Zugleich ist es wirklich, weil von bzw. mit Wirkung existent. Das Wirken äußert sich im Beeinflussen, Gestalten, Verändern. Begegnen ist Wirkliches, Wirkendes und in Folge von Wirkung. Insofern hat das Begegnen stets eine Wirkungsmacht als Bestand, Akt, Prozess und Resultat.

2. Begegnung ist ein In-Beziehung-Sein mit Veränderungs-, Gestaltungs- und Entwicklungspotenzial.

3. Begegnungen finden nicht nur zwischen Menschen statt. Sie sind auch von außermenschlicher Realität. Je nach Wirkungsfeld weisen sie unterschiedliche Wirkfähigkeiten und -qualitäten aus. Alles Wirkliche ist Begegnung, doch sie sind zwischen Objekt und Objekt (aus der Sicht des Menschen als Subjekt), Subjekt und Objekt und der zwischen zwei Subjekten unterschiedlich.

4. Resonante Begegnungen sind eine besondere „Spezies" unter den Begegnungen. Sie werden von jeweils eigenen Stimmen sich begegnender Seiten getragen, die auf Selbstverwirklichung zielen und dementsprechend aufeinander wirken. Diese Begegnungen sind responsiv, d. h., die sich Begegnenden verhalten sich zueinander antwortend. Sie zeigen zu-, auf- und füreinander Reaktio-

nen.

Der Griff nach der Nachhaltigkeit und deren Einbettung in die Begegnung lässt den Schluss zu, dass der Begegnungsbegriff noch nicht ganz zu Ende gedacht sein kann. Das Einbringen der Nachhaltigkeit in das Begegnungsverständnis stellt damit das Bisherige an Überlegungen neuerlich auf den Prüfstand.

Die These, die der Kritik unterzogen wird, heißt: Begegnungen sind „wahrhaftig", d. h. von *höchster* Qualität, wenn sie von Responsivität, Resonanz *und* Nachhaltigkeit getragen werden.

Responsivität ist interaktives Antworten. Sie steht für die Bereitschaft von Akteuren, auf kommunikativ Vermitteltes, Gehörtes antworten zu können bzw. zu wollen. Das legt nahe, dass Responsivität ausschließlich an den Menschen gebunden sei. Ersetzen wir *Ant*-Worten mit *Re*-Agieren, so wird deutlich, dass Responsivität keineswegs nur auf Begegnungen zwischen den Menschen zu fassen wäre, sondern dass sie den Gültigkeitsbereich des Menschen als Subjekt überschreitet. So werden z. B. Organen *responsives* Agieren auf äußere Reize zugestanden. Die begriffliche Fassung von Responsivität geht weit über das menschliche Subjekt hinaus. Aus dieser Überlegung haben wir es mit einem Begriff der Responsivität allgemeiner Natur zu tun, der in Bezug auf zwischenmenschliche Begegnung von anderer spezifischer Art ist. Sie zeigt sich in dem *bewussten* Wahrnehmen von *kommunikativen* (verbalen wie nonverbalen) Signalen und in der Bereitschaft, auf sie zu reagieren bzw. zu antworten.

Die Responsivität gewinnt an Wert, wenn sie nicht nur an das Antworten, sondern an das *Ver*-Antworten menschlichen Verhaltens geknüpft wird. Nur der Mensch allein vermag sein Reagieren in den Kontext von Verantwortung zu stellen.

Mein Resümee ist: *Erstens.* Responsivität ist eine Eigenschaft, die Begegnungen zukommt; doch nicht *alle* sind naturgemäß responsiv. *Zweitens.* Responsivität wird wirkungsvollen Ereignissen auch außerhalb zwischenmenschlicher Begegnungen zugeordnet. *Drittens.* Responsive Begegnungen sind nicht nur von besonderer Art, wenn sie ausschließlich menschlich sind. Sie sind es mehr, wenn sie in Verbindung mit *Ver*antwortung stehen. Zu verantwortende Begegnungen haben eine ethisch-moralische Evidenz und heben sich von allen responsiven Begegnungen ab.

Menschen, die sich begegnen, sind responsiv oder auch nicht; sie sind resonant oder auch nicht. Dass und wie sie sich begegnen (wollen), liegt in ihrer Verantwortung. In dem Moment, wenn Menschen sich auf eine Begegnung einlassen, tragen sie eine Verantwortung für sie. Die Qualität der Verantwortung wird an der Responsivität und Resonanzfähigkeit der sich Begegnenden zu messen sein. Dazu gehört u.a. das responsive Zuhören (vgl.: Michael P. Nichols, Die Macht des Zuhörens, Narayana Verlag, 2018, S. 215 ff.), das wiederum die Resonanz beeinflusst.

Knüpfen wir das *Ver*antworten an das menschliche Verhalten, so ist es ausschließlich an den Menschen gebunden. Das ist eine Frage der gesetzten begrifflichen Fassung und der Frage, welchen Gebrauchswert wir einer Verantwortung geben wollen.

Um sicher zu gehen, frage ich dennoch: Können auch Tiere *Ver*antwortung übernehmen? Dieser Gedanke ist insofern nicht abwegig, wenn wir begründet unterstellen, dass Tiere untereinander für das Gemeinwohl einer Gruppe, wie wir das z. B. bei den Primaten, Elefanten oder Wölfen kennen, einstehen. Dann müssten wir ihnen gleichsam eine Moral des Verantwortens zuerkennen, die wir als eine *tierisch-evolutive*, selbst, aber ungewollt auferlegte Verantwortungsethik formulieren könnten. Die Grundlage für diese Moral ist deren kooperatives Verhalten, das nur *mit* einem aus menschlicher Sicht betrachteten *respektvollen Umgang und einer Toleranz* zu haben ist.

Es bleibt natürlich dem Betrachter überlassen, in welchen Kontext er den Begriff der Verantwortung stellt. Beide Perspektiven der Verantwortung – tierisch wie menschlich – machen Sinn, auch wenn die tierische einer menschlichen Betrachtung unterliegt.

Interessant wird es, was nicht Gegenstand der weiteren Betrachtung sein soll, wenn gefragt wird, ob Verantworten bei Mensch und Tier von gleicher oder grundsätzlich qualitativ unterschiedlicher Natur ist. Wer mag zu beurteilen, dass Selbst-Verantwortung unter den Menschen im Vergleich zu jener unter den Tieren von höherem Wert sei? Wir sind m. E. gut beraten, diesen Vergleich weniger anzustellen, als vielmehr davon auszugehen, dass die jeweilige menschliche und tierische Verantwortung qualitativ anders und dennoch gleichwertig ist. Es gibt insofern keinen Grund, die Verantwortung des Menschen *über* die der Tiere zu stellen. Dass die Verantwortung des Menschen von viel größerer Wirkungsmacht ist, wird dabei nicht in Abrede gestellt.

Wenn wir wollen, dass Tiere ihre originäre, evolutiv begründete Verantwortung wahrnehmen, so haben wir Menschen die Verantwortung dafür, ihnen den Raum (Bedingungen) natürlichen Verhaltens zu gewähren, der ihnen erlaubt, ihrer Verantwortung gerecht zu werden. Da wir Menschen derart tief in den so genannten Verantwortungsbereich der außermenschlichen Lebenswelt eingegriffen haben, ist der Rückwurf der Verantwortung auf den Menschen zwingend. Der Übergriff des Menschen auf die Natur, der deren Nachhaltigkeit im hohen Maße zerstört hat, steht nun in der Verantwortung, den so genannten *natürlichen* Verantwortungsverlust wieder herzustellen. Der Imperativ heißt: Mensch, sei verantwortungsvoll gegenüber der natürlichen Lebenswelt! Gestehe Tieren eine Eigenverantwortung in ihrem Lebensraum zu!

Doch wie sieht es mit der Nachhaltigkeit aus? Was ist unter Nachhaltigkeit zu verstehen? Welchen Wert können wir ihr im Diskurs der Begegnungen zuordnen?

Der Begriff der *Nachhaltigkeit* hat sich in allen Bereichen des gesellschaftlichen Lebens etabliert. Auch wenn Nachhaltigkeit mit unterschiedlichen Intensionen beschrieben wird, so ist sie mit zwei Grundwerten verknüpft: *Erstens.* Das Niveau der Nutzungs- bzw. Verbrauchsrate an Ressourcen für das menschliche Leben darf nicht höher sein als das der Wiederbeschaffung. *Zweitens.* Nachhaltigkeit ist eine Qualität menschlichen Handelns. Dabei ist schnell auszumachen, dass selbst Arten in der Tier- und Pflanzenwelt sich in ihren Biotopen nachhaltig verhalten. Wenn dies auch nicht gezielt und bewusst geschieht: Tiere und Pflanzen (auch nicht alle gleichermaßen!) sind so aufeinander resonant eingestimmt, dass sie sich ihre evolutive Nachhaltigkeit „gewähren". Keine Art vermag es, eine andere existenziell zu vernichten. Ihnen allen scheint die artbedingte Nachhaltigkeit angeboren zu sein. Das ist *ein* Grundprinzip der lebenden Natur.

Ohne Nachhaltigkeit gibt es kein generatives Verhalten, ohne Regeneration keine Fortpflanzung, ohne Vererbung keine biotische Evolution. Nachhaltigkeit ist *das* konstitutive Merkmal des Evolutiven. Zugleich ist die Evolution das Abbild sich gestaltender Nachhaltigkeit. Die eine oder andere Art mag *umweltbedingt* aussterben. Die natürliche Nachhaltigkeit geht jedoch nicht verloren. Sie ist sowohl Grund als auch Zeugnis für die Evolution.

Doch wie steht es um den Zusammenhang und die begriffliche Verknüpfung von Begegnung, insbesondere zwischenmenschlicher, und Nachhaltigkeit?

Praxis und Lebenserfahrung machen uns immer wieder deutlich, dass im zwischenmenschlichen Umgang unsere Begegnungen von unterschiedlichster Qualität und Wirkung sind. So kennen wir Begegnungen, die uns *nach*denkenswert erscheinen. Andere legen wir schnell beiseite, weil sie uns nicht berühren oder für uns schlechthin keinen Wert haben. In anderen wiederum vermögen wir uns mit der Kunst des aktiven (responsiven) Zuhörens die gebührende Aufmerksamkeit zu verschaffen.

Wir sprechen von Nachhaltigkeit in einer Begegnung, wenn mit ihr ein *Nach*wirken einhergeht. Die Begegnung bleibt nicht ohne Folge (Schlussfolgerung, Konsequenz) und Folgen (Anstoß für ein neuerliches Aufeinandertreffen).

Wir haben es hier mit zwei Nachhaltigkeiten unterschiedlicher Qualität zu tun. Nachhaltigkeit vom Typ A ist von eher kurzfristiger, schnell auslaufender und sich auflösender Natur. Diese Nachhaltigkeit ist schwach ausgeprägt und von geringer Wirkung. Es ist eine Art Nachhaltigkeit, die schnell wieder zugrunde geht. Nachhaltigkeit im Typ B offenbart sich in einem sich bewegenden, gestaltenden Kontext. Das heißt, wir begegnen hier einer Nachhaltigkeit, die neue Begegnungen ermöglicht bzw. schafft. Die Begegnung wird Voraussetzung und Resultat ihres eigenen Wirkens, von einer selbsttragenden Dynamik und erfährt eine Historie. Es sind Begegnungen, die den Wert des Bestehens *und* der Entwicklung in sich tragen.

Eine Begegnung mit Stabilitäts- und Entwicklungspotenzial ist eine notwendige Bedingung für deren Nachhaltigkeit. Allen resonanzlosen Begegnungen fehlt diese Nachhaltigkeit. Sind damit im Umkehrschluss alle resonanztragenden Begegnungen nachhaltig?

Die Uneinheitlichkeit des Verständnisses von Nachhaltigkeit erlaubt keine schnelle und schlüssige Antwort. Das längere Anhalten bzw. das andauernde Vorhandensein eines Zustandes mag formal i. S. der Wortbedeutung nachhaltig erscheinen. Doch von einer qualifizierten Nachhaltigkeit, die ich mit Dynamik und Entwicklung verknüpfe, kann nicht die Rede sein.

Qualifizierte Nachhaltigkeit steht in meinem Verständnis für Erfolg(en), in dem ein Nachwirken stattfindet. Dieses Nachwirken hat Entwicklungscharakter, was so viel bedeutet, dass mit ihm eine bestandsbegründende Veränderung stattfindet. Es ist ein Mehr, wenn nicht nur fortwährende Bestandssicherung stattfindet, sondern sich die Nachhaltigkeit selbst qualifiziert, d. h. sich selbst weiterentwickelt. Anders formuliert: Die Nachhaltigkeit erfährt ihre höchste Stufe, wenn sie selbst einer Dynamik unterliegt und das Evolutive in sich trägt. Ich spreche hier von einer *dynamisierten bzw. evolutiven Nachhaltigkeit*. Wie zwei unsichtbare Hände, die sich selbst zeichnen, reproduziert die Nachhaltigkeit von evolutivem Charakter sich selbst. Es entsteht mit einer sich generierenden Nachhaltigkeit ein immerwährender Impuls für eine Dynamik in den Begegnungen. Wir haben es mit einer sich selbst erzeugenden Nachhaltigkeit durch Nachhaltigkeit zu tun. Es ist das, was wir *nachhaltige Entwicklung* nennen. Sie steht für Zukunft in der menschlichen Gesellschaft. (sh. Weltgipfel der UNO für nachhaltige Entwicklung 2015)

Die *nachhaltige* Entwicklung ist die Quelle für eine sich *entwickelnde* Nachhaltigkeit, was bedeutet, dass das geltende Denk- und Handlungsprinzip selbst einer Dynamik unterliegt und im Denken und Handeln Berücksichtigung finden muss.

Diese vorangestellten Überlegungen sind der Zugang für die weitere Bestimmung der Nachhaltigkeit in Begegnungen. Begegnungen können responsiv oder nicht responsiv sein. Begegnungen sind resonanzfrei, resonanzlos oder resonanztragend. Begegnungen haben eine andere Wirkungsmacht, wenn sie von nachhaltiger Natur oder frei von ihr sind. Es sind Responsivität, Resonanz *und* Nachhaltigkeit, die die Güte einer Begegnung bestimmen. Sie sind *die* Qualitätslieferanten für Begegnungen.

Die Güte einer Begegnung hat verschiedene Ausdrucksweisen. Sie ist *erstens* eine Begegnung *mit* Gütern. Eine Begegnung braucht eine Bereicherung an Qualitäten, die sie letztlich zu dem macht, was sie sein soll. Sie braucht Raum und Zeit. Sie benötigt Inhalt und Struktur, um das Zusammentreffen auf die Stufe einer Begegnung zu heben.

Eine Begegnung zeigt sich *zweitens von* Güte, wenn wir in ihr eine Qualität im Sinne von wertvoll ausmachen. Der Wert einer Begegnung wird bestimmt durch das Vorhandensein der Qualitätsgüter Responsivität, Resonanz und Nachhaltigkeit. Sie ist gleichsam von bester Güte, wenn zwischenmenschliche Begegnung durch Verantwortung und Freiheit, Dialog und Vertrauen getragen wird.

Sie ist *drittens* nicht nur von, sondern auch *in* Güte. Hier wird die Aufmerksamkeit des Guten in einer Begegnung darauf gelenkt, sich in Verbundenheit und Offenheit, Anerkennung, Wertschätzung und Achtsamkeit zu zeigen. Wir schenken uns in der Begegnung eine erweiterte Qualität, die die Nachhaltigkeit von Begegnungen befördert.

Und wir können *viertens* von einer Begegnung *im* Guten sprechen. Es sind Begegnungen, die getragen werden von gegenseitigem Einvernehmen, Achtung und respektvollem Umgang. Eine Begegnung im Guten trägt das Unterschiedliche und Gegensätzliche in sich, was uns oft zur Verzweiflung bringt. Begegnungen drohen zu scheitern. Insofern gehört zu einer Begegnung im Guten auch die Toleranz im Umgang mit nicht Veränderlichem oder Unverfügbarem.

Die Wirkungsmacht von Responsivität, Resonanz und Nachhaltigkeit zeigt sich nicht nur gegenüber der Begegnung, sondern auch untereinander. Die Nachhaltigkeit ist Ausdruck und Maß für bestehende Responsivität und Resonanz in Begegnungen. Umgekehrt gilt, dass eine tragfähige Nachhaltigkeit Begegnungen nicht nur Stabilität und Entwicklungspotenzial verleiht. Resonanz und Responsivität werden befördert. Eine auf Nachhaltigkeit begründete Begegnung verstärkt rückwirkend deren Responsivitäts- und Resonanzpotenzial. Hier finden Rückkopplungen statt.

Begegnungen von hoher Qualität zeichnen sich durch Responsivität, Resonanz und Nachhaltigkeit *mit* Entwicklungspotenzial aus. Jede Eigenschaft ist für sich eine notwendige, jedoch nicht hinreichende Bedingung. Alle drei Merkmale zusammen bringen Begegnungen auf ein Niveau mit hoher Wirkungsmacht. Dabei ist es unerheblich, wo die Begegnungen stattfinden.

Zugleich ist es gut zu wissen, dass responsive Begegnungen einen Nährboden für ihre Resonanzfähigkeit bilden. Haben sich Responsivität mit Resonanz in einer Begegnung vereinigt, haben wir Bedingungen, die zur Nachhaltigkeit von Begegnungen führen.

Im Bereich zwischenmenschlicher Begegnungen, sollten wir Responsivität, Resonanz und Nachhaltigkeit als Anspruch für ein gutes Miteinander formulieren. Das heißt: Menschliche Begegnungen, die durch Responsivität, Resonanz und Nachhaltigkeit gespeist sind, tragen den Menschen und seine Gesellschaft in die Zukunft.

Dass Begegnungen nicht immer und allerorts so ausgestattet sind, wissen wir aus aktuellem Erleben und eigener Geschichte. Zwischenmenschliche Konflikte und zerstörerische (kriegerische) Auseinandersetzungen sind vielfach bestimmend und werden vielleicht auch nicht vollständig abstellbar sein. Dennoch sollte es in der Verantwortung aller liegen, im Großen wie im Kleinen, menschliche Begegnungen mit möglichst hoher Responsivität, viel Resonanzpotenzial und Nachhaltigkeit auszustatten. Eine derartig dominierende Wirkungsmacht kann der Mensch nur sich selbst geben. Nutzt der Mensch das ihm verfügbare Machtpotenzial nicht, werden Begegnungen halbherzig, verstümmeln, werden nichts mehr wert sein. Die menschliche Gesellschaft droht zu verstummen, ist bar jeder Zukunft und nachhaltiger Entwicklung.

Individualisierung, Digitalisierung und Globalisierung sind nicht gerade die besten Helfer, menschliche Begegnungen in Richtung Responsivität, Resonanz und Nachhaltigkeit zu befördern. Vielleicht reicht das bestehende menschliche Qualitätspotenzial aus, um auf diese gesellschaftlichen Trends eine derartige Wirkungsmacht auszuüben, dass sie sich nicht den drei Grundwerten menschlicher Begegnungen entgegenstellen, sondern sie positiv beeinflussen.

Das nun folgende Kapitel ist den Begegnungen im Alltäglichen gewidmet. Sie sind ein kleiner Lebensausschnitt aus unserem Lebensalltag. Sie alle erhalten eine eigene „Stimme". Zugleich ist die Möglichkeit gegeben, den (die) entwickelten Begegnungsbegriff(e) auf Haltbarkeit zu prüfen.

Kapitel II

Begegnungen mit dem Alltäglichen

Das Fremde im Eigenen

▪

Das Gewohnte und das Fremde

▪

Freundlichkeit und Höflichkei
im Grenzgang der Respektlosigkeit

▪

Begegnungen mit der Schuld ·
Entschuldigen, Verzeihen, Versöhnen, Vergeben

▪

Begegnung zwischen Lieben und Brauchen·

▪

Stimmungen im Wald

▪

Die Wirkungsmacht von Zeit

Das Fremde im Eigenen

Der morgendliche Blick in den Spiegel ist für uns gewöhnlich und selbstverständlich; und doch wirkt er immer wieder fremd oder gar befremdlich. Er wird zu unserer ersten Tagesherausforderung. Wir hadern mit uns: Sind wir's oder sind wir's nicht? Diese Begegnung lässt uns nicht selten verstummen. Zu Recht, weil das Bild im Spiegel nicht jene(r) ist, der (die) vor ihm (ihr) steht. Es begegnen sich zwei Welten.

Das Hineinsehen in den Spiegel ist nichts anderes als die *Bildung* eines mechanisch-optischen *Ab*bildes unseres biologischen *Ur*bildes. Wir haben es hier mit dem Rück-Wurf von Lichtwellen in unsere Augen zu tun. Das natürliche *Ich* begegnet sich im Bild des Spiegels. Diese Spiegelbilderfahrung ist allgegenwärtig und dennoch von eigenartiger Besonderheit. Sie zeigt das Eigene und offenbart zugleich das in uns Fremde. Das *Ich* in Gestalt des Eigenen *ent*wirft sich bei Betrachtung im Spiegel zum optischen Gegen-Entwurf. Es ist das Fremde, das sich in uns widerspiegelt. Wir kommen wieder bei uns an; und das ist nicht immer das Eigene, was sich im Spiegel zeigt. Wir *sehen* uns und doch wieder nicht, weil wir in dem Entwurf nicht das sind, was wir *wirklich* sind.

Doch was sehen wir, was der Spiegel uns zurückwirft?

Das Eigene und das Fremde. Es ist nicht meine Absicht, die Begriffe des Eigenen und des Fremden dezidiert und umfassend zu entwickeln, zumal deren Gebrauch mit kultursoziologischen und -philosophischen Überlegungen verbunden ist. (vgl. Yousefi Hamid Reza: Phänomenologie des Eigenen und des Fremden, in: Wege zur Kultur: Gemeinsamkeiten – Differenzen – Interdisziplinäre Dimensionen, hrsg. v. Klaus Fischer u. a., Nordhausen 2008, S. 25-52)

Ungeachtet dessen ist die Frage nach dem Eigenen und dem Fremden für das individuelle menschliche Selbstverständnis von essenziellem Wert. Es berührt die Wirklichkeit des menschlichen Lebens in seinem Grunde und greift tief in die Persönlichkeit hinein. Hier knüpfen die nachfolgenden Betrachtungen über das Bild vom Spiegel an und nehmen das Wechselspiel vom Eigenen und dem Fremden auf. Sie zielen auf Identität, Selbstverständnis, Rollenbild, Selbst- und Fremdwahrnehmung.

Schnell wird erkennbar, dass das Eigene sich als zugehörig zu einer Persönlichkeit zeigt. Sie legt das *Ich* frei. Zugleich steht diesem *Ich* das Fremde als das außerhalb vom *Ich* Existierende gegenüber. Es ist das *Du*, der andere Mensch, und die außerhalb vom *Ich* bestehende Lebenswelt. Dieses Fremde offenbart sich verschiedentlich: Es ist das, was man sich nicht oder selbst nur mit Kraft und Energie aneignen kann. Es ist das schwer Fass- oder Verstehbare. Es ist auch das Verunsichernde, auf und in uns befremdlich Wirkende.

Das Fremde kann auch das Fremde im Eigenen insofern sein. Das geschieht, wenn der eigene Körper oder ein Teil von ihm als fremd und nicht zum eigenen dazugehörig wahrgenommen wird. Die Wahrnehmung bzw. das Erleben von Krankheiten, Traumata, Schicksalsschlägen bis hin zum nahenden Tod sehe ich als derartig Fremdes an, was vor allem dann geschieht, wenn wir dieses Fremde nicht als Eigenes erfahren und annehmen können. Körperprothesen üben eine ähnliche Wirkung auf und in uns aus. Gliederamputationen haben nicht selten Phantomschmerzen zur Folge, obwohl es physiologisch keinen Grund dazu gäbe. Sie sind dennoch vorhanden und fühlen sich im Körper befremdlich an.

Das Fremde im Eigenen ist mit gelebten Rollen verbunden, die sich immer dann auftun, wenn Beziehungen zu anderen Menschen, Umgebungen oder Situationen entstehen. Der Opa *wird* zum Opa nur durch seine gelebte Beziehung zum Enkelkind und umgekehrt. (Der Bäcker *wird* Bäcker, wenn er die Backstube betritt und Backwaren produziert. Der Mensch *wird* Läufer und Gewinner, wenn er im Laufwettbewerb als Sieger hervorgeht.)

Dieses Fremde (Opa-Sein) löst sich zum Eigenen auf, wenn das außerhalb von ihm existierende (Enkel-)Kind den Kontakt zu ihm herstellt. Für das Enkelkind-Sein gilt es ebenso. Diese Beziehung zeigt sich fremd, weil das Opa-Sein für sich allein keine Wirkung zeigt. Formal sind die Rolle des Opas oder die des Enkelkindes; doch lebendig werden sie nur dann, wenn Begegnung stattfindet.

Es ist auch das Fremde in uns, wenn wir uns selbst nicht verstehen, uns in der eigenen Haut nicht wohlfühlen und sagen, dass wir manchmal neben uns stehen.

Umgekehrt wirkt das Eigene im Fremden, sowohl in als auch außerhalb von uns. Das passiert, wenn das Eigene im *Ich* auf das so genannte Fremde in uns Wirkung ausübt, um Einfluss zu erlangen. Das Autogene Training, die Autosuggestion oder Meditation sind derartige Übungen, über das Eigene das Fremde aufzunehmen. Es sind uneigene Techniken, die in uns Wirkung hervorbringen.

Wir machen uns mit der Anwendung jener Verfahren oder Instrumente das Fremde zu Eigen und schaffen uns eine *eigene* Welt mit einer Ergänzung, die gar nicht so recht zu uns gehört, weil sie naturgemäß nicht *in* der eigenen existiert. Gemeint sind in uns erzeugte Wirkungen, die wir mit der Anwendung von Techniken hervorbringen und oft in uns, vor allem anfänglich, als fremd erscheinen und wir nicht recht wissen, ob das Eigenes ist.

Umgekehrt wirkt das Eigene, verbunden mit dem *Ich* an Haltung, Einstellung, Entscheidung und Handlung, auf das außerhalb vom *Ich* bestehende Fremde. Mit Anschauung und Aneignung wandelt sich das Fremde *im* Eigenen, ohne aufzuhören, Fremdes im *Ich* zu sein. Das *Ich* wandelt dieses Fremde in seinem Eigenen in Eigenes um mittels innerer, d. h. durch Essen und Trinken bewirkter oder durch äußere Einverleibung, d. h. durch Veränderung von Naturstoffen in für den Menschen nützliche Stoffe, Materialien oder Gerätschaften .

Dieses Einverleibte macht das *Ich* zu Seins, ohne dass es vollständig Seins wird. Gegessenes und Getrunkenes wird halbwegs wieder ausgeschieden, vollständig entfremdet. Naturstoffe werden zu menschlichen Zwecken gewandelt, ohne selbst gänzlich und physiologisch einverleibt und zu eigen gemacht zu werden.

Der Wandel des Eigenen und des Fremden bewegt sich in einem *dialektischen* Spannungsfeld. Das Eigene wandelt sich mit unterschiedlicher Qualität in Fremdes und umgekehrt. Dabei behalten beide ihre, wenn auch gewandelt jeweils eigenen Identitäten. Das Eigene hebt sich niemals vollständig als solches auf, wenn es Fremdes in sich aufnimmt. Das gilt auch für das Fremde, das kein vollständiges Eigenes wird, wie wir das beim körperlichen, stofflichen Einverleiben, dem Konsumieren, oder der Naturaneignung durch stoffliche Umwandlung von Naturgegenständen, der Produktherstellung, oder bei der Schaffung von Techniken aus Naturmaterial ausmachen können.

Nichts anderes erfahren wir über das *Ich* in seiner Identität und in seinem Spiel zwischen Eigenheit und Fremdheit. Der Raum für dieses Spiel ist die Kommunikation sowohl als Selbstgespräch als auch als Ausdruck der Gestaltungsform zwischenmenschlicher Beziehung und Begegnung. Damit sind wir wieder zurück beim *Ich*, bei einer gestaltbaren Innen- und Außenwirklichkeiten durch Selbstbetrachtung, Selbstreflexion und Selbstwirksamkeit.

Das eigene und gespiegelte Ich. Das optische Abbild des

Ich-Gesichtes erzeugt in uns das erste gespiegelte Urteil in dem für uns beginnenden Tag. Wie zeigt sich diese Begegnung, die im Spiegel als Entgegnung zurückfällt? Reflektiert sie unser Befinden? Wir glauben es, weil wir dieses Befinden vor dem Spiegel(bild) in unseren Sinnen abgebildet erhalten. Und das, was wir sehen, ist nicht das, was in und mit uns ist. Dennoch tun wir gut daran, in den Spiegel hineinzusehen. Das Gute ist, dass wir wissen, dass wir nicht *das* sind, was wir sehen, und uns unkritisch in der Selbstwahrnehmung und -beurteilung beeinflussen lassen. Was uns im Spiegel als ein optisch-visuelles Bild *gegenüber* tritt, ist *nur* eine mechanische *Wider*spiegelung – nicht mehr und nicht weniger. Und dennoch löst sie in uns Gedanken und mit ihnen Gefühle und Bewertungen aus: Wie sehe ich nur aus? Wie geht es mir (angesichts meines Spiegels)? Wie fühle ich mich?

Wir werden über diesen Spiegel mit dem eigenen *Ich* und unserem Selbstwertgefühl konfrontiert. Vielleicht sollten wir froh darüber sein, über diese menschliche Erfindung zu verfügen. Wie stünde unser *Ich* da, wenn wir ihn nicht hätten? Tatsache ist, der Spiegel erfüllt vieler Orts seinen Zweck. Er ist zuträglich für das innere *Selbst* und äußere *Ich*.

Oft ist ein Spiegel für derartige Konfrontationen hilfreich, weil er uns entgegnet und sagt, was er uns zu sagen *hat*: nackt, ungeschminkt, unverblümt und auch ungespiegelt, was heißt: unreflektiert.

Es gibt nicht wenige Menschen, die weder mit noch ohne Spiegel eine bewusste Reflexion ihres *Ichs* vornehmen. Sie reden nicht mit ihrem Spiegel; sie fragen sich nicht, wie es mit dem Wohlbefinden steht. Sie sehen über ihn hinweg oder tun eine Selbstbefragung als belanglos ab.

Angesichts bestehender schnelllebiger und arbeitslastiger Lebenszeit, in der Zeit und Leben miteinander in Kollision geraten, kann es schnell passieren, sich selbst in diesem Lebensdschungel zu verlieren. Da ist das regelmäßige Befragen durchaus hilfreich. Ob wir es aussprechen oder nicht: Stimmungen, Gefühlslagen sind schwer zu verbergen. Sie zeigen sich im Verbalen wie im Nonverbalen, in Mimik und Gestik und in der Körperhaltung. Was spricht also dagegen, unseren Mitmenschen am Frühstückstisch oder am Arbeitsplatz offen und ehrlich mitzuteilen, dass wir zurzeit nicht „guter Dinge" sind? Ist es nicht für beide Seiten eine hilfreiche Information für ein gegenseitiges Verständnis und ein wichtiges Mittel gegenseitiger Vertrauensbildung?

Miteinander reden erzeugt Vertrauen und Vertrauen befördert Kommunikation. Sie bauen sich beide gegenseitig auf. Dieser „Engelskreis", wie die Psychologen ihn im Gegensatz zum „Teufelskreis" als zwei wechselwirkende, aufschaukelnde Komponenten beschreiben, geben dem Eigenen und dem Fremden das Gesicht: Vertrauen zeigt sich in der Kommunikation und Kommunikation verstärkt das Selbst- und Fremdvertrauen. Die Begegnung zweier Menschen, die sich im Wechselspiel zwischen Vertrauen und Kommunikation mit eigener Stimme bewegen, können sich gegenseitig in Schwingung bringen: Wir haben es hier mit einer *resonanten* Begegnung zu tun.

Das aktuelle Befinden bewusst wahrzunehmen und es dem Gesprächspartner vertrauensvoll mitzuteilen, ist insbesondere für jene hilfreich, die dazu neigen, Übellaunigkeiten anderer persönlich zu nehmen und darüber zu grübeln, was falsch gelaufen ist, und die alleinige Ursache für die missglückte Begegnung bei sich suchen. Es sind Menschen, die aufgrund einer schwachen Resilienz (persönliche Widerstandsfähigkeit) eher zur Vulnerabilität (Überempfindlichkeit) neigen, was sich darin äußert, dass sie Vieles an Geschehnissen persönlich, auf sich bezogen, deuten.

Wir müssen feststellen: Der Weg zum selbstbewussten *Ich* geht nur über eine Persönlichkeit, die zu einem erwachsenen Menschen gereift ist. Was ist eine Persönlichkeit? Wie steht sie in Beziehung zum Selbstwertgefühl? Lassen sich Dinge des Lebens voneinander abgrenzen, die nicht zum *Ich* gehören? Wann weiß ich, ob das zu klärende Problem mein eigenes ist, zu meinem Gesprächspartner gehört oder keinem der beteiligten Personen zuzuordnen ist?

In dem Wort „Persönlichkeit" steckt das Wort „Person". In seiner Bedeutung greifen wir auf das lateinische „persona" zurück. Es drückt die Einzigartigkeit des menschlichen Individuums aus. Diese Einzigartigkeit soll der „Persönlichkeit" vorbehalten sein.

Interessant dagegen ist das Verständnis, „persona" als „Maske" zu begreifen. Es ist die Maske eines Schauspielers aus dem antiken oder späteren mittelalterlichen Theater. Das rührt daher, dass das Theaterspielen einst die Domäne der Männer war und der Darstellung weiblicher Rollen mit Masken ein entsprechendes äußeres Bild verliehen wurde. So hatte ein Schauspieler oft nicht nur eine, sondern mehrere Rollen zu spielen, die durch das Tragen von Masken angezeigt wurde.

Es ist heute im übertragenen Sinne nicht verwunderlich, dass wir dieses Verständnis im Alltag übernommen haben und sagen: „Das bist nicht du" oder „Welche Rolle spielst du gerade?" oder „Zeig' endlich dein wahres Gesicht!". In unserem aktuellen Leben verkörpern wir zehn und mehr Rollen. Wir tragen Rollen in der Familienstruktur. So kann ein Mann zugleich Vater, Opa, Bruder, Sohn und Onkel sein. Jede Rolle zieht ihre Beziehung mit dem entsprechenden Verhalten und Wertebild nach sich. Opa-Sein ist nur möglich in der Beziehung zum Enkel, während Lebenspartner-Sein ein anderes Verständnis erforderlich macht, als in der Opa-Rolle zu sein.

Andere Beziehungskonstellationen bringen uns in die Rolle des Lebenspartners, des Trainers, des Teilnehmers eines Seminars, als Gast usw. Oder wir geben einzelnen Personen Charakterrolle wie der Böse, die Liebe oder die Fleißige. Es ist insofern wichtig, sich dieser verschiedenen Rollen-Möglichkeiten bewusst zu sein und sie aktuell ggf. nach außen zu transportieren, damit keine Missverständnisse entstehen. Die Rollen sind schnell ausgemacht, wenn diese nicht offenkundig gemacht werden.

Wenn jemand mit einem Arbeitskollegen befreundet ist

und oft mit ihm oder gar mit dessen Familie Zeit verbringt und dieses Freundesrollenbild in die Arbeitswelt hineinträgt, kann es u. U. zu einem Rollen- und in Folge zu einem Beziehungskonflikt kommen, weil die Rolle „Freund" mit der anderen Rolle „Arbeitskollege" (oder umgekehrt) gleichgeschaltet wird. Insofern ist es immer wichtig, in eine Selbstreflexion zu gehen, um seinen Rollenstatus zu klären, nach außen hin deutlich zu machen und hin und wieder zu überprüfen. Es ist im Umgang mit sich selbst und seinen Mitmenschen eine wichtige Handlungsmaxime, sich dessen bewusst zu sein, dass wir mehrere *Ichs* in unserer Persönlichkeit tragen.

Persönlichkeit steht für ein Gesamtbild von nach innen und nach außen tragender Eigenschaften eines Menschen. Sie repräsentiert die Einmaligkeit bzw. Einzigartigkeit eines Menschen in seinem Charakter und Temperament. Insofern steht der Begriff der Persönlichkeit im engeren wie im weiteren Sinne in einer Doppelbedeutung.

Der Mensch ist *eine* und *mit* Persönlichkeit. Er ist es nicht von Anfang an, sondern *wird* zu einer Persönlichkeit. Mit seinem Geworden-Sein ist er eine Persönlichkeit und kann sagen: *Ich bin und ich habe eine Persönlichkeit*. Dieser Weg zur Persönlichkeitsentwicklung ist zugleich ein Weg der Persönlichkeitsherausbildung. Insofern ist das Resultat der Persönlichkeit nur deshalb einmalig, weil der Weg dorthin sich durch Einzigartigkeit auszeichnet.

Ich kenne keinen Menschen, der auf seinem Weg, im Werden und in der Persönlichkeit mit einem anderen absolut gleich ist. Und selbst wenn es eineiige Zwillinge sind, werden ihre Verhaltenseigenschaften, Wertebilder und Lebenswege niemals deckungsgleich sein. Das heißt, die Persönlichkeit ist in ihrer Hausbildung nur identisch mit sich selbst.

Persönlichkeit ist Temperament *und* Charakter. Beide Standbeine unserer Persönlichkeit, so meinen Fachkollegen der Psychologie, sind in etwa gleich ausgeprägt. „Temperament" versteht sich als natürlicher Habitus eines Menschen. Es ist vergleichbar mit der Hardware eines Computers. Schon in der Antike waren unterschiedliche Temperamente in einer Lehre beschrieben worden, die auf die Vier-Elemente-Lehre und Humoralpathologie – auch als Viersäftelehre bekannt – zurückgreift und dem griechischen Arzt Hippokrates von Kos (460 – 370 v. Chr.) zugeschrieben wird. Die Idee von den vier Temperamenten ist in der Schrift „Die Natur des Menschen" niedergeschrieben, die, wie vermutet wird, von dessen Schüler und Schwiegersohn Polybos (um 400 v. Chr.) verfasst wurde. Die allseits bekannten Verkörperungen dieser vier Temperamente sind der Phlegmatiker, der Sanguiniker, der Choleriker und der Melancholiker, die jeweils in ihrem Naturzustand über eine spezifische Ausprägung der Säfte verfügen: Schleim, Blut, gelbe und schwarze Gallenflüssigkeit.

Heute wissen wir, dass diese Unterteilung nur im Ansatz hilfreich ist und nicht das Wesen einer Persönlichkeit abbildet. Inzwischen hat sich die Persönlichkeitslehre als eine eigenständige Teildisziplin in der Psychologie herausgebildet. Im deutschsprachigen Raum sind mehr als zehn Analyseverfahren zur Bestimmung einer Persönlichkeit bekannt, die nicht nur das Temperament, sondern auch den Charakter eines Menschen im Blickfeld haben.

Unter „Charakter" wird das von der Außenwelt durch Erziehung und Erfahrung Geformte verstanden. Persönlichkeiten sind nicht nur durch das Temperament, sondern ebenso durch äußere Einflüsse bestimmt. Die Erziehung durch Eltern, Pflegepersonen o. a. gehört zu jenem Teil gestaltbarer Persönlichkeitsentwicklung, die einen jungen Menschen begleiten. Zu etwa gleichem Teil spielt als außenwirkende Einflussdeterminante die Eigenerfahrung, die wir während unseres Lebens machen, eine Rolle. Kinder brauchen in den Anfangsjahren nicht nur die Erziehung der Erwachsenen (Eltern, Großeltern, Erzieher) als Lebensvor- und Wertebildner. Sie benötigen als eine weitere persönlichkeitsbildende Reibfläche Gleichaltrige, um voneinander zu lernen und sich gegenüber anderen behaupten zu können.

Aus dieser Determination bildet sich die „Wertelandschaft" in ihren Grundzügen heraus, die bis zum Ende des Lebens ihre Dynamik behält und im zunehmenden Alter festere Konturen annimmt, sich aber niemals *ver*festigt. Die erste Zäsur findet im Alter von sechs, sieben Jahren statt.

Mein zweiter Sohn war alles andere als leicht „erziehbar". Er hatte schon früh seinen eigenen Kopf. Er liebte die Freiheit und den Widerspruch. Er war stets eine und keineswegs leichte Herausforderung für mich. Daran hat sich bis heute nichts Wesentliches geändert. Was ich erzählen möchte, ist, was Sie vielleicht bei Ihren Kindern auch beobachten konnten, wenn sie zum Kindergeburtstag eingeladen wurden. Ich hatte meine Bedenken, ob mein Sohn sich in dieser Gesellschaft zu benehmen weiß. Warum sollte er es dort anders machen als zu Hause, wenn er, wie es heißt, „über die Stränge schlug". Als die Kinder einst nach der Feier von den Eltern des Geburtstagskindes nach Hause gebracht wurden, war der Kommentar einer Mutter, was ich doch für einen wohlerzogenen Sohn hätte. Ich konnte nur darüber schmunzeln und dachte mir meinen Teil: Wenn sie wüsste …. Natürlich habe ich diese Lobeshymne auf meinen Sohn mit Genugtuung entgegengenommen. Ich war zum Schluss gekommen, dass die Erziehung doch ihre Früchte trug, die später andere und nicht (und vielleicht dann auch?) die Eltern ernten würden.

Temperament und Charakter und die damit einhergehende Wertelandschaft, die wir in und mit unserer Persönlichkeit vereinigen, bestimmen unsere Denk- und Verhaltensweisen, Entscheidungen und unseren Lebensstil. Die *Wertelandschaft* versteht sich als die Gesamtheit aller Grundüberzeugungen, die in einer Persönlichkeit verankert sind. Werte sind Einstellungen, Haltungen, Lebensziele, Sinngebungen, die ihren Ausdruck in den alltäglichen Lebens-, Denk- und Verhaltensweisen finden.

Werte, die wir in uns tragen und eine persönliche, ganz individuelle Landschaft bilden, sind in Qualität und Ausprägung unterschiedlich. Es gibt Werte des Alltäglichen wie Pünktlichkeit und Ordentlichkeit, Sauberkeit und Zuverlässigkeit, die in uns mehr oder weniger ausgeprägt sind. Wir kennen Werte, die ich Werte zweiter Ordnung nenne, die das zwischenmenschliche Zusammenleben berühren, zu denen ich u. a. Freundschaft und Liebe, Solidarität und Verantwortung zähle. Werte in einer nächsthöheren Kategorie haben für mich einen primär gesellschaftlichen Bezug. Dazu zähle ich Werte wie Ehre, Freiheit, Selbstbestimmung oder Gesundheit.

Unabhängig vom bisherigen Diskurs stellt sich die Frage: Ist die Persönlichkeit eines Menschen von Gott bestimmt oder von Natur (genetisch) gegeben oder ein vom Menschen selbst geschaffenes Konstrukt und damit ein Produkt individueller „Selbstorganisation". Als letzterer ist er ein Mensch, der sich selbst und seine eigene Lebenswelt und Lebensgeschichte erschaffen kann. Er ist sein eigener Konstrukteur und Baumeister, Entwickler und Coach.

Die philosophische Grundidee der Selbstkonstruktion geht bis in das 17. Jahrhundert zurück. René Descartes (1596 – 1650) legte bahnbrechend die Grundlage für den philosophischen Rationalismus und subjektiven Idealismus mit seinem berühmten dictum „cogito ergo sum" – Ich denke, also bin ich. Diese philosophische Denklinie hat sich im Laufe der philosophischen Ideengeschichte in verschiedenen Linien fortgesetzt. Mit Albert Camus (1913-1960), Martin Heidegger (1889-1976) und Jean-Paul Sartre (1905-1980) erhält das „cogito ergo sum" im 20. Jahrhundert eine grundlegend neue Bedeutung. Der Gedanke von Sartre „Der Mensch ist nichts anderes, als wozu er sich macht." wird zum Leitmotiv der 50er und folgenden 60er Jahre des 20. Jahrhunderts. Sartre ging davon aus, dass wir stets lebensbestimmende Entscheidungen treffen. Wir tun das, was wir zu tun gedenken, indem wir tun, was wir tun, und sichern uns damit die menschliche Existenz. Mit jedem Handeln entwirft sich der Mensch selbst – Schritt für Schritt, Erfahrung um Erfahrung. Heute würde wir sagen: Der Mensch erfindet sich selbst. Die dabei zu treffenden Entscheidungen sind der Weg für das selbst zu verantwortende Zukünftige unseres Seins. Mit jedem Denken und Handeln sichern wir unsere individuelle Freiheit, Selbstbestimmung und Selbstverwirklichung. Sie werden zu Leitbegriffen einer selbst zu gestaltenden Existenz. – Wir erfinden unsere Biografie, unsere persönliche Lebensgeschichte, indem wir kleine, mittlere und große, wichtige und weniger wichtige Entscheidungen treffen, mit denen wir unsere Geschichte, unser Werden beeinflussen und bewirken. Wir gestalten und erneuern stets unsere Biografie. Wir machen uns zum Konstrukteur unser selbst; wir sind als Subjekt zugleich unser eigenes zu gestaltendes Objekt. Damit sind wir das, was uns herausfordert, wenn es heißt: „Mache etwas aus dir!"; „Nimm dein Schicksal selbst in die Hand und überlasse es nicht dem Zufall!".

Lebensgeschichte wird und ist selbstbestimmte Biografie. Niemand kann sich freisprechen von dem, was er tut oder getan hat. Keiner kann die Verantwortung für seinen eigenen Lebensweg abgeben, weder an die Eltern noch an widrige Lebensumstände, die ihn begleiteten. Verantwortung für sich zu übernehmen wird damit zum Teil biografischer Selbstgestaltung.

Dem gegenüber stehen Ansichten, die dies in Frage stellen: Lebensgeschichte ist „Schicksalgeschichte", den Zufällen, äußeren Lebensumständen oder höheren Mächten ausge-liefert.

Doch Lebensgeschichte findet nicht losgelöst von einem Umfeld (Menschen, Ereignisse usw.) statt. Es ist der „Teig", den wir kneten, und wir entscheiden darüber, wie wir mit diesem Teig umgehen, ob und welche Zutaten wir ihm beimischen wollen. Indem wir das tun, greifen wir selbst in die Lebensumstände ein, gestalten und verändern unsere Lebensgeschichte. Ist das die Erklärung dafür, dass Lebensgeschichten sich gottesunabhängig vollziehen, auch wenn die Schöpfung des Menschen eine von Gott gewollte ist?

Beantworten wir diese Frage positiv, gehen *unseren* Entscheidungen auch selbst produzierte Gedanken voraus. Wir entscheiden, *was* wir denken, welche Gedanken wir zulassen und welche nicht.

Epiktet (um 50 bis 135 n. Chr.) vermochte dies deutlich zu machen, indem er sagte: „Es sind nicht die Dinge selbst, die uns bewegen, sondern unsere Ansichten, die wir von ihnen haben." Die Entscheidung ist unser Denkresultat und Voraussetzung für unser zukünftiges Handeln. Das Handlungsergebnis wird Teil unserer Lebensgeschichte.

In den 80er und den folgenden 20 Jahren geriet der philosophische Existenzialismus mit dem Tod von Sartre in Vergessenheit und trat in den Hintergrund. Jetzt ist er wieder da:

„ Erfindet euch neu!" heißt es im Zeitgeist-Plädoyer des philo-sophieMAGAZIN Nr. 6/2013, S. 30 ff. Nicht die Rebellen der 68er oder die Kommune I und II sind die „Erfinder" der heu-tigen, neuen Lebensexistenz, sondern die „Notebook- und Smartphone-Generation". Die Digitalisierung der Gesellschaft nimmt ihren nicht mehr aufzuhaltenden Lauf. „Ich google, also bin ich" – das ist der heutige digitalisierte Descartes'sche Slogan. Facebook, Twitter und Co. – allesamt Produkte menschlicher Intelligenz – schaffen eine neue, zweite Men-schenwelt – eine Welt digitalisierter sozialer Netze. „Ich bin im Netz – hier darf ich sein!" würde vielleicht der heutige Faust auf seinem Osterspaziergang sagen. Notebook und Handy haben sich zu unserem außerhalb von uns selbst be-stehenden Wissensträger etabliert. Ohne sie geht gar nichts mehr. Eine digitale Parallelwelt ist entstanden und entwickelt sich unaufhörlich weiter.

Tragen wir unser Wissen auf unserem Schoß, wenn wir das Notebook öffnen oder das Smartphone in unseren Händen bemühen? Gibt es von nun ab zwei menschliche Seins bzw. Existenzen: eine natürliche und eine digitale – neben-, über- und/oder miteinander stehend? Hat sich unsere vom Kopf getragene Intelligenz verselbständigt? Schafft sie sich ihre ei-gene, neue Welt?

Bei der Entwicklung digitaler Konstrukte stehen wir erst am Anfang. Wir werden noch so manche angenehme wie un-angenehme Überraschung erleben, was den menschlichen Umgang mit Technik angeht. Alles spricht zunehmend dafür, dass der Mensch dabei ist, mit der Digitalisierung der Gesellschaft, die inzwischen bis in das Persönliche hinein-reicht, auch seine persönliche Lebensgeschichte neu, zweigeteilt – analog und digital – zu erfinden. Die Internet-plattformen für Single-Börsen machen es uns schon heute vor: *ein* Mensch in zwei von ihm geschaffenen Welten.

Das würde auch bedeuten, dass wir unser Gedächtnis neu erfinden, indem wir es außerhalb von uns auf den Server tragen, dass wir unseren Körper und unsere Gefühle neu erfinden, indem wir regelmäßig im Fitness-Studio Body-Building betreiben oder uns Schönheitsoperationen erlauben statt uns auf emotionale Selbstreflexionen einzulassen.

Wir wollen unser *Ich* – körperlich, kognitiv, emotional – spüren, weil uns die Wahrnehmung unseres Wertes guttut. Wir brauchen das Gefühl vom eigenen Wert. Was ist das für ein Wert, der als Selbstwertgefühl auftritt? Welchen Sinn macht es, ein derartiges Gefühl zu haben? Und wie können wir es erlangen?

Das Selbstwertgefühl. Wenn Sie bei „google" das Wort „Selbstwertgefühl" eingeben, werden Sie einiges darüber lesen können. Wir haben es hier mit einem psychologischen Begriff zu tun. Er ist philosophisch insofern interessant, weil der Begriff des Selbstwertgefühls in Verbindung mit dem des „Selbst" gebracht werden kann und sein Wert das menschliche Verhalten trägt und beeinflusst. *Werte* sind Einstellungen, Haltungen, Sinngebungen, aus denen das Leben in unserem Stil, in unserer Art zu leben, erwächst. Das „Selbstwertge-

131

fühl" ist eine Kategorie, die unser Interesse sowohl aus psychologischer als auch philosophischer Sicht hat.

Vorauszuschicken ist, dass der Begriff des Selbstwertgefühls im Deutschen Irritation auslösen kann. Es liegt die Annahme nahe, dass es sich um das Gefühl zum eigenen Wert handelt. Vielmehr würde es Sinn machen, in diesem Zusammenhang von einer wertbezogenen Selbstdarstellung oder persönlichkeitsbezogenen oder subjektiven Selbstwirksamkeitserwartung zu sprechen.

Das Selbstwertgefühl ist eine Bewertung über sein *Selbst*. Es entsteht als Denkresultat in der Auseinandersetzung mit der selbst erfahrenen Lebenswelt. Es bildet sich mit den alltäglichen Lebensanforderungen heraus, die vom einzelnen Subjekt zu bewältigen sind. Insofern ist der Mensch – bewusst oder unbewusst – permanent dabei, einen be- und verwertbaren Abgleich zwischen seiner Persönlichkeit und den Wirklichkeitsanforderungen herzustellen. Wie gut er dies realisieren kann, hängt u. a. davon ab, mit welchen Voraus-setzungen der Mensch für ein gutes Selbstwertgefühl ausgestattet ist. Dazu gehört, inwieweit schon der junge, heranwachsende Mensch, beginnend im ersten Lebensjahr, seine „Lebensaufgaben" erfüllt hat. Die Herausbildung eines Urvertrauens im ersten Lebensjahr ist *eine* Aufgaben-bewältigung, von denen in den weiteren Lebensjahren neue hinzukommen. Das Urvertrauen bestimmt neben anderen Eigenschaften über die Qualitätsentwicklung des Selbstwert-gefühls.

Die Qualität des Selbstwertgefühls ist in vieler Hinsicht erfahr- und quantitativ messbar. So ist eine wichtige Komponente, die auf die Qualität des Selbstwertgefühls einwirkt, die Selbstwirksamkeit. Sie gehört zu den Säulen der Resilienz (psychische Widerstandsfähigkeit), die ebenfalls messbar ist. Unter *Selbstwirksamkeit* soll jene persönliche Kompetenz verstanden werden, aktiv die eigenen Lebensumstände zu beeinflussen, mitzugestalten bzw. zu verändern. Urvertrauen, Selbstwirksamkeit, Resilienz sind unter weiteren Bedingungen Voraussetzung für ein gelingendes Selbstwertgefühl.

Getragen wird das Selbstwertgefühl durch die Faktoren Anerkennung, Wertschätzung, Attraktivität, Normenbild und das Maß an Übereinstimmung zwischen Selbst- und Fremdbild. Sie sind entscheidende Einflussgrößen, die die Qualität des Selbstwertes charakterisieren, während Urvertrauen, Selbstwirksamkeit und Resilienz in ihrer Ausprägung Gradmesser für die Qualität des Selbstwert-gefühls sind.

Nach Nathaniel Branden (vgl. Die 6 Säulen des Selbstwertgefühls: Erfolgreich und zufrieden durch ein starkes Selbst, Piper Verlag, München 2003) sind die wichtigsten Säulen für ein gesundes Selbstwertgefühl ein bewusstes und zielgerichtetes Leben, die Selbstakzeptanz, das Leben in Eigenverantwortlichkeit, Selbstvertrauen, Selbst-sicherheit und die persönliche Integrität. Ich möchte diese Werte ergänzen durch Souveränität und Fähigkeit zur Selbst-sorge.

Wenn ich davon ausgehe, dass das *Selbst* als Persönlichkeit erscheint, in permanenter Interaktion mit seiner Umwelt auftritt bzw. auftreten muss, macht es Sinn, von einem sich entwickelnden Selbst zu sprechen. Das schließt ein, dass dessen Werte und das Gefühl über das Selbst einer Entwicklung unterliegen. Der Selbstwert ist im Leben des Menschen ein individuell bestimmtes Entwicklungsprodukt.

Selbstwert ist ein Resultat von Erfahrung und Lernen. Dieses Lernen wird getragen durch die Werte Freiheit und Verantwortung, Dialog und Vertrauen. Meine These ist: Die vier lerntragenden Werte Vertrauen, Dialog, Freiheit und Verantwortung sind die entscheidenden Quellen eines lernbestimmten und in Folge entwicklungsfähigen Selbstwertes. Selbstwert-Quellen und die o. g. Selbstwert-Einflussfaktoren sind jene Komponenten für ein selbstwert-bestimmtes Leben.

Die auf Lernen orientierten Merkmale eines sich entwickelnden Selbst stehen in einer wechselseitigen Beziehung zueinander: So ist Freiheit nur in Verantwortung wahrnehmbar. Wer persönliche Freiheit als Ausdruck seines Selbst will, muss bereit sein, Verantwortung für sich zu übernehmen. Wer Letzteres für sich verbucht, dem sei eine entsprechende Freiheit zugestanden. Dialog als Kommunikation unterschiedlicher Meinungen bedarf des Selbstvertrauens. Und nur dieses Selbstvertrauen meines Ichs bzw. zu meinem Selbst erlaubt auch einen offenen Dialog. Dialogisieren bedarf eines freiheitlichen, selbstbewussten Gedankenaustausches – und dies bitte zugleich verant-wortungsvoll.

Dieser Diskurs bringt eine Frage mit sich, die nicht auf einen Nebenschauplatz abgestellt werden darf und Beachtung finden sollte: Ist der Selbstwert erst dann von Wert, wenn er vom Menschen bewusst als solcher reflektiert und erkannt wird? Oder wirkt er auch bei dessen Vorhandensein und fehlender Wahrnehmung. Wie oft stellen Menschen ihr „Licht unter den Scheffel", was zum Ausdruck bringt, dass sie über ein positives, starkes Selbstbild für den Außenbetrachter verfügen, jedoch in der Selbstbewertung sich weit unter jenes Niveau stellen. Es sind vor allem Menschen, die zu wenig Selbstvertrauen ausstrahlen. Vertrauen hat etwas mit Zutrauen zu tun, den Mut zu haben, sich zu trauen, etwas zu tun, was der Mensch sich bisher nicht zutraute. Selbstwert ist nicht. Selbstwert *wird*. Der Schritt aus der Komfort-Zone kann jener sein, der den Einstieg in ein wachsendes Selbstwertgefühl gibt.

Ich muss zu meiner eigenen „Schande" gestehen, dass ich mich so manches Mal dabei erwische, ein schwaches Selbstwertgefühl zu haben. So gibt es Situationen, in denen ich nicht souverän mit Kritik umgehe, obwohl ich weiß, dass der Kritiker mir gegenüber Erwartungen hegt, die ich nicht erfüllt habe, obwohl ich weiß, dass seine Kritik Ausdruck *seines* Problems ist.

Die bewusste Wahrnehmung dieser Situation und die kritische Selbstreflexion sind ein wichtiger Schritt im Umgang mit den eigenen Schwächen eines selbst erfahrenen Selbstwertgefühls. Wir sind schon gut beraten, wenn eine derartige Situation erkannt und reflektiert wird, ohne etwas an der Qualität des Selbstwertgefühls verändern zu können. Das Bewusstsein über eine mögliche unzureichende Heraus-bildung des Urvertrauens kann da schon sehr hilfreich sein.

Mit den Überlegungen zum Selbstwertgefühl rücken wir ins Zentrum des philosophischen Diskurses. Es sind die Fragen: Was ist das Selbst? Was ist das Ich? Was ist ein Individuum? Was ist eine Person? Was ist eine Persönlichkeit? Die Beantwortung dieser Fragen, deren Umfänglichkeit hier kaum zu leisten ist, führt uns wieder zurück zum Selbstwertgefühl.

Zum Verständnis sei hier ein verkürztes Definitionsangebot offeriert: Das *Selbst* ist das bewusste und unbewusste, das erkennende, emotional wahrnehmbare und wahrgenommene (reflektierte) im Ich steckende *Ich*. Das Selbst erscheint und tritt in dem *Ich* auf. Es findet in dem *Ich* seine Ausdrucksform.

Das *Ich* ist das in Raum und Zeit, in einem gesellschaftlichen und sozialen Kontext befindliche menschliche (Körper, Geist und Seele) Individuum.

Das *Individuum* ist die Charakterisierung für die per se gegebene Einzigartigkeit des *Ichs*. Das *Ich* ist für sich alleinstehend.

Die *Person* ist die – oder besser *eine* der Rollen des *Ichs*, in der dieses *Ich* gegenüber einem anderen *Ich* auftritt, die auch als Rolle „funktioniert". Die Rollen sind die gelebten, nicht die potenziell verfügbaren *Ichs*.

Die *Persönlichkeit* ist die nach außen getragene Qualität des *Ichs* in ihrer Bestimmtheit und inneren Zusammensetzung aus Temperament, dem natürlichen Habitus, und Charakter, der sich aus Erziehung und Erfahrung zusammensetzt. (sh. oben) Sie die konkrete Gestaltungsform mit ihren Ichs und dem in ihr innewohnenden Selbst.

So sagt Richard David Precht: „Zweitausend Jahre lang schien die Sache klar. Jeder Mensch hat ein "Ich". Wie ein roter Faden bestimmt der Gegensatz zwischen Ich und Welt, Subjekt und Objekt das abendländische Denken. Nur wenige wagten, daran zu zweifeln, wie der jüdische Philosoph Baruch Spinoza, der Schotte David Hume oder der Physiker Ernst Mach. Geht es nach ihnen, so ist es falsch, das Ich als etwas anzusehen, was von der Außenwelt getrennt existiert. Es gebe gar kein Ich im Oberstübchen, sondern das Ich sei eine Illusion. Ende des 19. Jahrhunderts unterschied der US-amerikanische Psychologe und Philosoph William James das Ich vom Selbst. Unser Ich ist der dunkle Bewusstseinsstrom, der die Welt erlebt. Und unser Selbst ist die Beurteilungszentrale, die diesen Bewusstseinsstrom inter-pretiert. Sigmund Freud griff diesen Ball auf. Aus dem Ich wurde der dunkle Trieb des Es und aus dem Selbst das Über-Ich. Und Freuds Ich war ein Spielball zwischen diesen beiden Mächten. Die Hirnforschung geht heute noch viel weiter und zerlegt unser Ich in acht bis neun verschiedene Teile. Ob wir unseren Körper als unseren eigenen begreifen oder ob wir wissen, an welchem Tag wir geboren sind, spielt sich in ganz verschiedenen Hirnregionen ab. Aber ergibt die Melodie dieser verschiedenen Instrumente am Ende nicht doch ein Konzert - mithin ein "gefühltes" Ich? Können sieben Milliarden Menschen irren, die zu sich "Ich" sagen?" (vgl.: Wer bin ich - und wenn ja, wie viele", Goldmann, München 2012, S. 62 ff.)

Dass das Selbst bzw. das Ich seit der Aufklärung und der aufkommenden Moderne ins Zentrum gerückt ist, ist nachvollziehbar. Der Slogan von Descartes (1596 – 1650) „Ich denke, also bin ich" mag ein wichtiger Anstoß für diesen Diskurs gewesen sein, den es über Jahrhunderte zuvor nicht oder nur am Rande des Philosophierens gab. Die Aufklärung, die vielfältigen lebensphilosophischen Ansichten des 19. und der Existenzialismus des 20. Jahrhunderts haben die Rollen und das Wirken des menschlichen Subjektes und seine Individualität hervorgehoben.

Sei es wie es sei: Das Verständnis des Ich und dessen Bestimmung wird ein natur-, neurowissenschaftliches und philosophisches Rätsel bleiben, so dass nicht wenige Philosophen das *Ich* von der Diskurs-Liste strichen. Doch eins ist nicht wegzudenken: Körper und Geist, Körper und Empfindungen sind eins; sie sind es zumindest zeitweise.

Heute stellt sich die Frage nach dem Ich, seinem Sein und dessen Wirken mehr denn je über die Werte Selbstbestimmtheit, Eigenverantwortlichkeit, Selbstbewusstsein oder Selbstwertgefühl. Sie sind in unserem persönlichen, arbeitsbezogenen und politischen Alltag präsent. Insofern ist es verständlich, dass das philosophieMagazin Nr. 4/2014, 2/2017 oder HOHE LUFT, H. 2/2015 in ihren Beiträgen verdeutlichen, welchem Platz der philosophische Diskurs über das *Ich* einnimmt und die Diskussion darüber nicht totzukriegen ist.

Das Gewohnte und das Fremde

Der Wecker klingelt. Es ist der Ruf des morgendlichen Auf-
stehens. Die Lebensdinge nehmen ihren gewohnten Lauf.
Eingespielte Handlungen sind zur Routine geworden: Der
Rundgang zum Munterwerden, ein kontrollierender Blick in
das Aquarium und die Wetterschau aus dem Fenster zur Ta-
geseinstimmung, bevor es ins Bad geht und der Weg in die
Küche führt.

Wir haben die Vorliebe für einen festen Stammplatz am
Esstisch oder in der Kantine. Wir essen die Bratwurst am gleichen Stand. Wir gehen zielstrebig auf den gleichen Spind im
Fitness-Studio zu und sind enttäuscht, wenn dieser schon belegt ist. – „Täglich grüßt das Murmeltier"… So haben wir alles
im Griff und unter Kontrolle. Nichts hält uns davon ab, unser
Verhalten zu verändern. Wir optimieren Handlungen und
Wege. Plätze werden vorsortiert. Keiner darf diese Ordnung
in Zeit und Raum durcheinanderbringen, weil wir Gefahr laufen würden, erneut Kraft und Zeit zu investieren, um die
Ordnung wieder herzustellen, sondern auch noch das emotionale Gleichgewicht zu verlieren. Lange genug haben wir dafür gebraucht, bis sich unser Handeln in Gewohnheit und Perfektion einstellte.

Wir tragen die in uns gewachsene Innensicht gewohnter, selbst organisierter Abläufe in die Außenwelt. Das Gewohnte gewinnt Raum über das bisher Kontrollierbare. Es wird ein Teil von ihm und geht schließlich in ihm auf.

Der Tag soll uns das bescheren, was wir von ihm erwarten. Nur keine Überraschungen, die oft als unangenehm wahrgenommen werden, weil sie das Gewohnte aus der Bahn des Regelmäßigen werfen. Wir sind verstört und machen einen befremdlichen *Aus*-Druck.

Das Fremde will uns so gar nicht gefallen. Es ist weder das Eigene noch das Gewohnte. Es wirkt wie ein Fremdkörper in uns, den wir schnellstens beseitigen wollen, weil wir lieber in unserer Komfort-Zone leben, in der das Gewohnte und Vertraute zu Hause ist. In ihr fühlen wir uns gut. Wir sorgen dafür, dass keiner uns dieses Zuhause streitig macht.

Die Wirklichkeit ist, dass das Gewohnte *und* das Fremde unstrittig zu unserem Lebensalltag gehören. Sie sind in und mit uns. Doch die Akzeptanz *beider* Lebensphänomene fällt uns schwer, weil wir uns schwer tun, sie zu akzeptieren und in unser Leben einzubinden.

Das Gewohnte ist uns wohlgesonnen, das Fremde weniger. Dennoch erahnen wir, dass wir dem Fremden nicht ausweichen können, weil es uns täglich auf unterschiedliche Art und Weise begegnet. Es zeigt sich in dem Ungewohnten, Unzugänglichen, in dem, was uns Angst machen könnte.

Bei allem gefühlten Dissens zwischen dem Gewohnten und dem Fremden besteht der Reiz, sich ihnen zu nähern und philosophisch herauszufinden, was sie miteinander verbindet, und ob wir in ihnen einen Lebenssinn erfahren können. Auf diesem Wege möchte ich folgende Fragen ins Zentrum der Betrachtung rücken: Was ist das Gewohnte? Was ist das Fremde? In welcher Beziehung stehen sie zueinander? Welchen Platz nehmen sie in unserem Leben ein? Wie begegnen wir ihnen und wie gehen wir mit ihnen um? Was macht sie für unseren Alltag so wertvoll? Wie können wir uns ihnen gleichermaßen nähern, ohne das Gewohnte und das Fremde in unserem Leben gegenseitig auszuschließen?

Die These, die ich als Einstieg für die Betrachtung des Gewohnten und des Fremden in den Raum stelle, heißt: Das Gewohnte und das Fremde sind Eigenschaften unseres Lebens, die sich einander brauchen, um ein gutes Leben führen zu können. Das Gewohnte ist ebenso gewöhnungsbedürftig und befremdlich wie das Fremde selbst. Das Gewohnte macht fremd, während man sich an das Fremde gewöhnen kann.

Das Gewohnte. Wir sagen oft: „Das bin ich gewohnt" oder „Das habe ich mir angewöhnt" oder „Daran wirst du dich gewöhnen müssen". Doch was heißt das? Was ist Gewohnheit und was verbinden wir mit „gewöhnlich"? Nicht selten sprechen wir von der Macht der Gewohnheit. Sich rechtfertigend, verteidigend und entschuldigend bekommen wir von unserem Gegenüber zu hören: „Ich habe das immer schon so gemacht. Aus welchem Grunde sollte ich jetzt mein Verhalten verändern?"

Es spricht vieles dafür, das Gewohnte zu verteidigen, vor

allem dann, wenn wir den Imperativ verinnerlicht haben: „Verändere das Verhalten nicht, solange es nicht in Deinem Leben stört und Dir nicht zum Nachteil gereicht."

Das Gewohnte ist das mehrfach Erfahrene, das in das eigene Leben passt. Es ist das Regelmäßige, Wiederkehrende. Es ist das Vorausschaubare und das, worauf wir uns verlassen können. Es ist ebenso das Liebgewonnene und das Überschaubare, an dem wir uns in unserer Alltäglichkeit orientieren. Mit dem Gewohnten bewegen wir uns auf sicherem Terrain und halten an ihm fest. Es ist das Ergebnis einer Gewöhnung.

Die *Gewöhnung* ist der Vorgang in uns, über eine veränderte Denkhaltung und Einstellung ein Verhalten zu entwickeln, das uns hilft, unser Leben auf die jeweiligen Erfordernisse einzustellen, anzupassen bzw. zu optimieren. Im Ergebnis einer Gewöhnung ist das Gewohnte als wieder-kehrendes Verhalten entstanden. Das durch Gewöhnung entstandene Gewohnte kann zur *Gewohnheit* werden.

Die Wirtschaft in ihren Abläufen, der Aufbau und die Bestückung der Supermärkte mit ihren Waren, der zwischenmenschliche Umgang oder das Festhalten an die Regeln im Straßenverkehr – alles trägt und zeigt sich im Gewohnten und *wird* zur Gewohnheit. Die Supermärkte z. B. machen sich dies zunutze bzw. achten darauf, dass alles seinen gewohnten Platz hat. Sobald die Waren nicht mehr dort liegen, wo wir es gewohnt sind, beginnt das Suchen, oder wir ärgern uns, weil wir mit der Neuordnung nicht klarkommen.

Mit Hochachtung sei denen begegnet, die wider jedes Wissens darüber, dass Gewohnheiten nicht einfach zu ignorieren sind, sich dennoch auf den Weg machen, das Gewohnheitsmuster in Form einer Radikalkur im Gehirn zu „überschreiben". Durch ein komplettes Abweichen von der bisherigen Lebenswelt oder gewohnten Verhaltensweisen kann man sich entweder von dem Gewohnten lossagen oder sich neu erfinden.

Es macht nach meinem Verständnis Sinn, von Gewohnheit in doppelter Bedeutung zu sprechen: Sie ist *positiv* und damit bewahrend, wenn das Gewohnte in Einstellung und Haltung, in unserem Bewusstsein „angekommen" ist. Gewohnheit ist das Produkt des Gewohnt-Werdens (der Gewöhnung) Oder anders formuliert: Das Gewohnte ist *zur Gewohnheit geworden* und damit eine Haltung unseres Denkens bzw. Eigenschaft unseres Verhaltens.

Das Zur-Gewohnheit-Werden hat zugleich eine Schattenseite. Sie zeigt sich, wenn das Gewohnte *selbstverständlich geworden* ist und nicht (mehr) die gebührende Beachtung findet. Tritt dieser Moment ein, keimt das Fremde auf, das im Gewohnten steckt. Hier sei von der *negativen* Gewohnheit die Rede.

Wenn wir von *gewöhnungsbedürftig* sprechen, bringen wir zum Ausdruck, dass ein Bedarf an Gewöhnung besteht, der jedoch nicht erfüllt ist. Das Gewöhnungsbedürftige befindet sich außerhalb des Gewohnten bzw. der Gewohnheit. Wir signalisieren mit einer Gewöhnungsbedürftigkeit einen Dissens zur Gewohnheit. Wir machen deutlich, dass wir diesen

Dissens zwischen ihnen erkannt haben und sprechen ihn als möglichen oder realen Bedarf aus. Es ist das erkannte Ungewohnte.

Das äußert sich darin, dass wir das Gewöhnungsbedürftige meiden wollen bzw. versuchen, „diplomatisch" unsere Ablehnung anzuzeigen. Es kann auch heißen, dass wir uns mit dem Ungewohnten anfreunden könnten, doch es uns viel Überwindung kosten würde, aus ihm Gewohntes zu machen. Dazu braucht es Zeit und den nötigen Willen an (Ein-)Gewöhnung. Damit dieser Prozess in Gang kommt, muss er mit einer persönlichen Sinnstiftung gekoppelt sein. Der Gewöhnungsbedarf braucht einen praktischen Nutzen, ein Motiv als Beweggrund, um sich auf den Weg des Wandels vom Gewöhnungsbedarf zum Gewöhnen zu machen, an dessen Ende das Gewohnte steht, das zur Gewohnheit werden *kann*.

Mit *gewöhnlich* verbinden wir zwei Intensionen: Zum einen zeigen wir damit das Normale oder das Übliche, das Wiederkehrende. Hier knüpfen wir an das Gewohnte an. Zum anderen bilden wir damit das Einfache, Profane, Niedere, weniger Wertvolle ab. Wir meinen: „Es ist nichts Besonderes".

Diese verschiedenen Sprachbilder führen uns zu dem, was sie für uns sein sollen und wie wir sie bewerten. Letztlich tun wir alles dafür, dass Gewohntes entsteht oder bleibt. Wir finden es dann als Gewohnheit bzw. als das Gewöhnliche wieder, in denen der Keim des Fremden schlummert. (Im weiteren Text wird im Sinne der vereinfachten Schreibweise zwischen Gewohntem und Gewohnheit nicht unterschieden. Sie werden als Synonyme behandelt.)

Das Gewohnte im Bild von Sicherheit und Geborgenheit verbreitet Überschaubarkeit, Berechenbarkeit und Kontrollierbarkeit. Es ist das leicht Machbare. Dieses Gewohnte ist zudem das von und in uns geschaffene Eigene, das fest in unserem Besitz ist.

Es ist zugleich das Gute, nach dem wir streben und an ihm festhalten. Das Gute offenbart sich in Gestalt *von Gütern*: Es sind *die* Gewohnheiten, wiederholenden Handlungen, die uns wichtig – „lieb und teuer" – geworden sind, weil sie uns Halt und Beständigkeit geben.

Es ist auch das Gute im Gewohnten als Ausdruck *von Güte*. Sie gibt uns in der Gewohnheit *die* Lebensqualität an Zufriedenheit. Wir vermeiden ungewohnte (unliebsame) Herausforderungen, die nur „Stress" nach sich ziehen.

Es ist weiterhin das Gute im Sinne *des Gütig-Seins* zu sich selbst. Wir geben uns die Zuwendung, die uns das Gefühl von Sicherheit und Geborgenheit vermitteln. Wir wollen uns nicht in Missstimmung bringen oder gar innerlich verfremden.

Und schließlich wollen wir das Gewohnte *im Guten* erleben, was heißt, die Spielregeln des Regelmäßigen im Umgang mit anderen einzuhalten, weil Veränderung an Abmachungen oder Verhaltensregeln Unsicherheit streuen und in Gewohnheit bisher gepflegter Bedürfnisse den Missmut anderer nach sich ziehen könnte. Das Bleiben beim Alten ist das Bewahren des Vertrauten. (vgl. H.-J. Stöhr, Scheitern im Grenzgang, Romeon Verlag, Kaarst 2017, S. 12 ff.)

Das Streben nach Gewohntem ist für den Menschen ungebrochen. Wir brauchen es, um erfolgreich durchs Leben gehen
zu können. Wir haben uns eine *gewohnte Welt* geschaffen. Dass
Handlungen zu Gewohntem und damit zu Gewohnheiten
werden und in sozialen Gruppen sich zu Ritualen, Sitten und
Gebräuchen entwickeln, ist zutiefst menschlich und existenziell.

Das Gewohnte hat seine Quelle im Bestehen ungeregelter
oder auch existenziell bedrohender Lebenssituationen. Sie
sind ungeordnet, zufällig, chaotisch, zerstörerisch. Sie zeigen
sich unwissend, unbestimmt, nicht händelbar. Das in „geord-
nete Verhältnisse" umzuwandeln, kostet Kraft und Zeit. Sie
sind es, die das Leben wie das Handeln und Gestalten ineffi-
zient machen. Sich dem entgegenzustellen ist die Herausforderung, wenn es darum geht, Leben und Lebensqualität zu
sichern.

Der Mensch würde aufgrund seiner kognitiven und prag-
matischen Ausstattung kein Mensch sein, wenn er nicht danach strebte, das zu tun und das Leben in gewohnte „Bahnen"
zu führen. Es ist tägliche Lebensoptimierung, das Ungeordne-
te als das Fremde auszumachen und in Gewohntes zu wandeln.

Das Sparen von Kraft (Energie) und Zeit ist für den Menschen lebensnotwendig. Es liegt offensichtlich in dessen Biologie, dass sowohl Gehirn als auch körperliche Physiologie
darauf aus sind, Leistungsfähigkeit durch Minimalanstren-
gung zu optimieren. Gewohnheiten haben das Ziel, unseren

Energiehaushalt auf das Notwendige zu regulieren. Was für eine Verschwendung an Energie und Zeit entstünde, wenn wir außerhalb von Gewohnheiten leben müssten!

Wir Menschen haben verinnerlicht, angemessen mit unseren Lebensressourcen umzugehen. Unsere Aufgabe ist es, die natürliche Ressourcenoptimierung in Gewohnheiten, Lebensregeln, Rituale zu transformieren. Die Natur hat ihren Anteil eingebracht, die Spezies Mensch zu sichern. Der Mensch sorgt mit der Schaffung von Gewohnheiten für sein eigenes soziales und psychisches Wohlbefinden.

Das Fremde im Gewohnten. Vielleicht haben auch Sie wie ich nach einem Wohnungsumzug die Erfahrung gemacht, dass eine neu eingeräumte Küche für das Arbeiten fremd ist, obwohl wir die Küchendinge kennen und Küchenarbeit gewohnt sind. Die Gerätschaften befinden sich an neu geordneten und damit ungewohnten Plätzen. Die Handhabung ist holprig. Die Schrittfolge geht nicht flüssig von der Hand. Bei einem neuen Auto oder vielen ähnlichen Situationen ist es nicht anders. Alles wirkt fremd, obwohl uns die Dinge bekannt und in der Nutzung gewohnt sind.

Dieses Fremde im Gewohnten wird sich in ihm früher oder später auflösen. Das passiert umso mehr, wenn wir im Zugzwang sind, unser Leben meistern zu *müssen*. Sich stets wiederholende Handlungen werden zu einem Algorithmus praktischer Lebensbewältigung. Er verfestigt sich im Gehirn, indem wir ihn in unser Gedächtnis einspeichern. Das Gehirn wird auf diese Handlungsschritte und -folge geprägt. Wir haben unsere „Festplatte" mit einer neuen „Software" beschrieben. Ist sie brauchbar und alltagstauglich, werden wir sie nutzen: ausgiebig, zeit- und kostensparend. Es gibt keinen Grund, es anders zu machen, weil das herausgebildete Gewohnte in jeder Hinsicht für uns gut ist. Es macht keinen Sinn, irgendetwas daran zu verändern. Der gutgemeinte Rat eines Systemtheoretikers heißt: Verändere kein System, solange es funktioniert! Ich schließe das Gewohnte mit ein, in diesem Sinne den wohlgemeinten Hinweis zu beherzigen.

Lebensoptimierung läuft auf die Bildung positiver Gewohnheiten hinaus. Sie sind das Resultat menschlich gewandelter Naturregeln. Die Eigenart des Gewohnten in unserem Denken und Handeln brauchen und nutzen wir. Beständigkeit, Kontinuität, Sicherheit, die im Gewohnten zu finden sind, sind für den Menschen lebensnotwendig.

Sind wir bei unserem liebgewordenen Gewohnten angekommen, sollten wir wissen, dass sein Bestand gar nicht so sicher und selbstverständlich ist, wie wir es glauben. Wenn wir davon ausgehen, dass jedes Gewohnte im Laufe unseres Lebens für uns ursprünglich nicht gewohnt, also ungewohnt war, so haben wir es zuvor als Fremdes wahrgenommen und uns mittels Gewöhnung zu Eigen gemacht. Das Fremde ist Gewohntes geworden.

Doch dieses Gewohnte – vormals Fremde – löst das Fremde keineswegs vollständig auf. Es bleibt Fremdes im Gewohnten. Das zeigt sich insbesondere dann, wenn das Gewohnte sich nicht vollendet. Das geschieht, wenn ein Gewöhnungsbedarf vorliegt, das Gewohnte zur Gewohnheit wird bzw. sich in Gewöhnliches wandelt. Alles an Positivem, Nützlichem, Konservativem menschlicher Werte hat sich entweder nicht eingestellt oder ist mit der Zeit verloren gegangen.

Jedes Gewohnte, das zur (negativen) Gewohnheit wurde bzw. den Charakter des Gewöhnlichen angenommen hat, ist fremdgewordenes Gewohntes. Es *ist* verfremdet. Mit der entstandenen o. g. Gewohnheit und dem Gewöhnlichen *hat* der Mensch das Gewohnte entfremdet. Der positive Wert des Gewohnten ist verblasst.

Das Fremde offenbart sich auch dann, wenn wir bei veränderten Rahmenbedingungen am Gewohnten festhalten. Sie signalisieren dem Gewohnten, sich zu überprüfen und ggf. sich von ihm zu verabschieden. Die Kunst besteht darin, die richtige Entscheidung zu treffen: Entweder am Bestehenden festzuhalten oder es aufzulösen.

Diese Bilder des Fremden im Gewohnten finden wir im Werden des Gewohnten aus dem Fremden, in der oben erwähnten Gewöhnungsbedürftigkeit, im Schatten der Gewohnheit und im Gewöhnlichen. Sie zeugen vom Entstehen hin zum Gewohnten und vom Wandel weg von ihm.

Das Fremde. Allein wenn wir dieses Wort aussprechen und es verinnerlichen, spüren wir, wie wir uns gegen das Fremde wehren. Es ist tief in uns verwurzelt, alles dafür zu tun, diesem Fremden nicht zu begegnen. Doch je mehr wir uns diesem Fremden entgegenstellen, desto fremder wird das Fremde. Mehr noch: Es wird Teil von uns. Wir können es weder abwehren noch wegdenken. Es lebt in uns, so absurd es klingen mag.

Das Fremde steht in verschiedenen Kontexten. Wir finden es beschrieben in der Psychologie, Soziologie und auch in der Ethnologie. In der Philosophie hat das Fremde vor allem seinen Denkraum in der Lebensphilosophie des 19. Jahrhunderts und in Fortsetzung im Existenzialismus gefunden.

Unser Alltag gibt uns für das Fremde eine zugängliche Beschreibung. Es ist das Nicht-Vertraute, das Nicht-zu-mir-Gehörige, was wir als das Unangenehme wahrnehmen. Das Fremde ist das Unbekannte, das in uns Verunsicherung verbreitet. Es ist das, dem wir in unserem Leben begegnen, es jedoch nicht in unser Leben hineinlassen wollen. Wir lehnen es ab oder halten es uns auf Abstand und tragen es dennoch mit uns.

Als Fremde bezeichnen wird eine uns weniger oder gar unbekannte Region. Sie ist uns aufgrund fehlender Erfahrung nicht vertraut. So stellen wir ein fremdes Land dem eigenen gegenüber, das wir Heimat nennen. Fremde ist, was nicht Heimat ist.

Wir fahren in ein fremdes Land und wollen es kennen lernen, damit es uns nicht mehr fremd erscheint. Wir fordern das Fremde heraus, um es als Bekanntes aufzulösen, in Vertrautes, Eigenes zu verwandeln. Wir verleiben es uns ein.

Das Fremde ist das wahrgenommene Unbekannte, das in uns Verunsicherung, Unentschlossenheit oder gar Angst hervorbringt. Das Fremde ist ein in uns erzeugtes Gefühl. Es ist die Bezeichnung für Situationen, Umstände, Gegebenheiten, denen wir das Fremde zuordnen, weil sie auf uns fremd wirken, sich fremd anfühlen, obwohl es eine menschlich-subjektive Projektion auf sie ist.

Die Gegebenheiten *sind* nicht fremd; wir *machen* sie zu Fremdem. Das Fremde ist ein Produkt unseres Denkens und unserer Haltung. Es zeigt sich von uns außerhalb stehend, abgespalten.

Als *befremdlich* bezeichnen wir etwas, was uns nicht in unserer Moralvorstellung passt, außerhalb unseres Wertekanons liegt oder sich nicht gut anfühlt. Das heißt, wenn z. B. jemand eine Verhaltensweise zeigt, die sich außerhalb normaler Gepflogenheiten bewegt, wird es mit Zweifel oder Ablehnung honoriert. Wir betrachten Umstände bzw. Situationen als befremdlich und bringen ihnen gegenüber unser Missfallen zum Ausdruck oder gehen auf Distanz.

Fremdheit steht für eine Eigenschaft, die wir einem Gefühl (Fremdheitsgefühl) oder dem Verhalten selbst zuordnen.

Wir kennen zudem die Begriffe der *Verfremdung und Entfremdung*. Mit ihnen machen wir deutlich, dass sich Bekanntes, Normales, Gewohntes weg und hin zum Fremden wandelte. Es ist eine Entstellung des Gewohnten. Das Gewohnte hat sich verfremdet und mit dieser Verfremdung wird es für uns zum Ungewohnten. Beide Vorgänge sind in uns Menschen begründet. Doch währt zwischen ihnen ein Unterschied. Als Entfremdung haben wir es in ihrer Grundbestimmung mit einem sozioökonomischen Prozess zu tun, so wie Karl Marx

(1818 – 1883) ihn u. a. in den ökonomisch-philosophischen Manuskripten (1844) beschreibt. Hier stand die Philosophie Hegels (1770 – 1832) Pate. Den Begriff der Entfremdung verwende ich auch im Sinne des Ergebnisses einer Verfremdung. Das heißt, die Entfremdung ist der vollendete Akt der der Verfremdung. Die Verfremdung steht für eine Anbahnung einer Entfremdung. Sie ist auch ein erzeugter, gewandelter Zustand, der sich vom Normalen, Bekannten, Gewohnten wegbewegt.

Angesichts der Flüchtlingsproblematik, mit der wir uns seit 2015 immer wieder von neuem beschäftigen, steht das Fremde in einem aktuellen politischen wie zugleich ethisch-moralischen Kontext. Sie sei hier deshalb aufgenommen, weil das Fremde immer wieder der Heimat (als das Bekannte, Vertraute) gegenübergestellt wird. Ich greife das Verhältnis von Fremde und Heimat auf und stelle die Frage: Verfremden Flüchtlinge und Migranten unsere Heimat?

Der Flüchtlingsstrom 2015 brachte ca. 800.000 Menschen nach Deutschland. Die Einwanderung von über 200.000 Menschen in den beiden Folgejahren hat eine alte und doch so neue Frage nach dem Umgang mit jenen entfacht, die in Deutschland nicht ihr Zuhause haben. Sie verließen ihre Heimat und wanderten oder flüchteten gar in unsere hinein.

Wie wollen wir mit Menschen umgehen, die geflüchtet sind, vertrieben wurden und bei uns, in unserer Heimat, wenn auch zwischenzeitlich, eine Bleibe suchen und erhoffen? Für die einen von uns sind sie willkommen; andere dagegen sehen sie lieber wieder gehen. Die Motive für dieses Ansinnen sind unterschiedlich.

Diese Menschen werden als Fremde kategorisiert, weil sie aus der Fremde kommen. Sie bringen Lebensumstände, Gewohnheiten, Sprache usw. mit, die als fremd, weil nicht zur deutschen Lebenskultur zugehörig, eingeordnet werden. Wir fahren mit unserem Gewohnten nicht in die Fremde. Umgekehrt: Das Fremde kommt zu uns in das Gewohnte. Das führt zur Frage: Werden wir von Menschen, die aus der Fremde kommen, in unserer Lebenswelt be- oder verdrängt, über- und letztlich verfremdet? *Ver*fremdet heißt, in einer Situation zu sein, das Leben am Heimatort nicht wie gewohnt führen können, sich im Gewohnten beeinträchtigt zu fühlen. Menschen aus der Fremde prägen nunmehr als gewohnt unser Stadtbild. Menschen fühlen sich verfremdet, weil in das bisher bekannte und vertraute Stadtbild Artefakte hineingetragen werden, die nicht zu unserem gewohnten Stadtbild gehören. Es ist ein subjektives Bild der Verstörung, das nicht wegzudiskutieren ist. Es erscheint als unwirklich, obwohl es von eben dieser Wirkung ist. Da helfen die besten Argumente nicht, wenn sich das Gefühl der Verfremdung tief im Menschen festgesetzt hat und alles Bestreben darauf ausgerichtet ist, sich von diesem Befremdlichen zu befreien, indem das Fremde (die Menschen) wieder in die Fremde (in dessen Heimat) schnellstmöglich zurückzuführen ist.

Wer durch die Innenstadt von Rostock geht, dem fällt auf, dass sich das Bild der Menschen verändert hat. Der Anteil der kopftuchtragenden Frauen, von Menschen mit dunklerem Teint oder der jungen Familien mit mehreren Kleinkindern, hat auffällig zugenommen. Da kann es für den einen oder anderen Deutschen unangenehm (befremdlich) wirken, wenn Menschen aus dem Orient das Straßenbild mit einem anderen Kleidungs- und Hauttyp optisch aufhübschen.

Wollen wir uns nichts vormachen: Diese sogenannten unwirklichen Auffälligkeiten erzeugen Wirkung in und mit uns. Wir werden durch diese Gegebenheit berührt. Es zeigt sich eine ungewohnte Befindlichkeit, nicht weil die Fremden aus der Fremde, sondern das Fremde in unser Gewohntes gekommen ist. Gedanken und Fragen entstehen. Um Antworten wird gerungen, die Selbstklärung und Zufriedenheit bringen sollen.

Auch das sei angemerkt: Der Deutsche gibt den Anschein eines Stubenhockers. Er pflegt seine vier Wohnwände. Von innen dringt kaum etwas nach außen; und es kommt so wenig wie möglich herein. Deutschland ist vergleichbar mit diesen vier Wänden. Das mag vereinfacht sein und deshalb auch nicht im allem gerechtfertigt. Dennoch trifft es m. E. den Kern deutscher Lebenskultur. Der Deutsche nennt dieses Zuhause seine Heimat; und diese Heimat gehöre ihm, nur ihm. Sie wird gehegt und gepflegt – und wehe, einer erlaubt sich, dieses „Haus" zu beschmutzen oder sich in ihm daneben zu bewegen (benehmen). Seit Jahren stehen - mehr als je zuvor - Menschen vor der Tür, die in diese „gute Stube" wollen. Es sind Menschen an der Türschwelle, die Hilfe und Schutz brauchen. Doch sie alle hineinzulassen, da tun wir uns schwer. Warum, weil sich alles irgendwie unangenehm, unbequem, befremdlich anfühlt. Kurzum, der (insbesondere politisch konservative!) Deutsche sieht sich in seiner Ruhe und Bequemlichkeit gestört. Er fühlt sich in seinen persönlichen Rechten eingeschränkt. Die liebgewonnene Komfort-Zone zu verlassen, sich auf Neues, Fremdes einzulassen, ist nicht das, was zur Stärke alltäglicher Lebensbewältigung gehört.

Ausgangspunkt der Betrachtung ist die Wahrnehmung einer Störung. Sie ist emotionaler Natur im Sinne des sich in Gegenwart anderer Nicht-Wohlfühlens. Sie ist sozialkommunikativ, weil die fremde Sprache nicht verstanden wird, nicht mitgehört, nicht uneingeschränkt miteinander geredet werden kann. Es wird die Störung ökonomisch im Sinne des Erhalts von Steuergeld oder finanzieller Mittel wahrgenommen, die so mancher Deutscher für sich selbst in Anspruch nehmen würde, weil er meint, dass dieses Geld ihm statt einem Syrer oder Afghanen zustünde.

Jede Störung trägt gefühlt das Merkmal des Unangenehmen in sich. Und dieses Unangenehme zeigt sich als befremdlich, weil der eigene Lebensraum als überfremdet reflektiert wird. Die Wahrnehmung einer Befremdung ist immer ein Herausrücken aus dem Normalen und Gewohnten. Insofern zeigt sich dieses Befremdliche als eine *Ver*fremdung.

Eine *Ver*fremdung ist immer ein *Ent*rücken vom Normalen bzw. Gewohnten. Und dieses *Ent*rücken ist von besonderer Qualität, weil es von außen in uns hineingetragen wurde. Das heißt: Das Kommen von Fremden in unsere Heimat ist insofern befremdet (befremdlich), weil es von der Politik initiiert wurde und sich Bürger in der Situation sahen, ohnmächtig dieser Entscheidung ausgesetzt zu sein. Diese äußere Befremdung ist der Beginn einer inneren menschlichen Verfremdung. Gewohnte Lebensräume sind nicht mehr so wie früher. Nicht wenige Menschen haben den Eindruck, man könne sich auf der Straße nicht mehr so bewegen und verhalten wie vor der Flüchtlings-Präsenz.

Diese Befremdung passiert nicht auf der Grundlage des Sich-Selbst-auf-Weg-Machens in eine fremde Welt, sondern die fremde Lebenswelt kommt in Gestalt von Menschen mit ihrem anderen Aussehen, der anderen Sprache und Kultur zu uns. Viele Menschen sind in dem Glauben, dass diese Entfremdung von außen erzeugt ist und in sie eindringt. Das bedeutet, dass das Herausrücken aus dem Normalen und Gewohnten für sie kein aktiver, selbst erzeugter Vorgang ist, sondern als einer wahrgenommen wird, der von außen oder von „oben" hineingetragen wurde.

Zu der bisherigen Machtlosigkeit, dem Staat ohnehin ausgeliefert zu sein, kam nun durch die Flüchtlingswelle noch eine weitere hinzu, die unmittelbar auf das Leben Wirkung zeigte und als Bedrohung wahrgenommen wurde. Die viel beschwörte Angst, die einerseits als Gefühl ernst zu nehmen ist, bleibt beim konkreten Nachfragen diffus. Es ist eben *nur* das Gefühl.

Die Tragik, die sich mit dem anfänglichen, befremdlichen

Gefühl verbindet, ist, dass es im praktischen Leben zu einer Lebensverfremdung permutiert. Ungewohntes wird dem Gewohnten auferlegt. Befremdliches mischt sich unter Vertrautes. Das als Zwang wahrgenommene Anpassungserfordernis, sich vom Gewohnten lösen zu müssen, führt zu inneren Widerständen. Wird dieser innere Widerstand nach außen getragen, offenbart sich diese Verfremdung in Gestalt einer *Ent*fremdung.

Entfremdung ist das Ergebnis des entstandenen Identitäts- und Selbstwertverlustes, das sich in einem mehr oder weniger aktiven Widerstand in Gestalt von Demonstration oder Protestwahl äußert.

Dieser Prozess als Akt des Fremden ist keineswegs zu unterschätzen, vor allem dann nicht, wenn er bestimmend wird, wie es die Wahlen zum Deutschen Bundestag im September 2017 zeigten. Jedes Ansprechen der und Appellieren an die Vernunft gehen ins Leere, weil nun mal emotionale Impulse den Verstand verzerren. Der Dialog greift nicht. Die AfD ist im Bundestag. Es wird sich zeigen, ob die letzte Chance der demokratischen Auseinandersetzung, was nur bedingt mit der AfD zu tun hat, genutzt wird.

Es geht um das Befremden, Verfremden und Entfremden in Deutschland. Die AfD ist der gesellschaftliche Prügelknabe in Deutschland, wie es früher der Dorftrottel war. Der Sack wird geschlagen, obwohl die Schelte eher woanders zu platzieren wäre: Es ist die verfehlte Innen- und europäische Außenpolitik. Es ist das Defizit in der parlamentarischen Demokratie.

Und es ist das Nicht-Erkennen-Wollen der wahren Ursachen für das Entfremdungs-Dilemma. Der Stimmenverlust der großen Parteien, das Erstarken der AfD und des europäischen Rechtspopulismus, die fehlgeschlagenen Sondierungsgespräche zur Regierungs-bildung nach den letzten Bundestagswahlen sind alles nur Symptomträger eines grundlegenden Wandels in Deutschland und Europa. Alle 500 Jahre scheint die (europäische) Welt „Kopf-über" zu sein. Die 500 Jahre sind schon lange vorüber.

Zum Heimatbegriff und zur Frage zurück: *Wird* unsere Heimat durch Flüchtlinge *ver*fremdet? Meine These lautet: Sie war es schon, bevor sie kamen. Jetzt soll die Neuauflage des Heimatbegriffs alles wieder richten.

Online war zu lesen: „Falls Sie es nicht mitbekommen haben: Zwei politische Führungsfiguren der linken Mitte haben kürzlich "Heimat" gesagt und es nett gemeint. „Wir lieben dieses Land. Es ist unsere Heimat. Diese Heimat spaltet man nicht", sagte die Spitzenkandidatin der Grünen, Katrin Göring-Eckardt, bei deren kleinem Parteitag nach der Wahl in Richtung von AfD- und sonstigen Demagogen. "Ich bin überzeugt, wer sich nach Heimat sehnt, der ist nicht von gestern", sagte Bundespräsident Frank-Walter Steinmeier am Einheitsfeiertag in Richtung der AfD-Wähler. Die Botschaft ist klar: Wenn sich Alexander Gauland Land und Volk zurückholen will, holt sich die Mitte eben ein Stück Deutungshoheit darüber zurück, was diese beiden eigentlich ausmacht. Ebenso klar: dass die Links der beiden nicht alle so nett fanden, wie lässig da ein Sozialdemokrat und vor allem eine Grüne mit diesem mutmaßlichen Naziwort operierten." (Johannes Schneider, Hilfe, Es heimatet sehr, Zeit online, v. 9. Oktober 2017)

Der Heimatbegriff ist heute mehr denn je in unserem Munde. Alle politischen Richtungen erheben Anspruch auf den Heimatbegriff. Doch was ist Heimat? Jeder von uns wird hierzu seine Vorstellung formulieren können. Ist Heimat ein Ort, ein Gefühl oder dort, wo man stets ist? Als heimatlos wird jener angesehen, der nicht weiß, wo er hingehört. Heimat als ein gefühlter, räumlicher Anker, der Sicherheit und Geborgenheit gibt? Ist Heimat etwas Persönliches, Soziales, Psychologisches? Lassen sich Heimat und Zuhause gleichbedeutend verstehen? Ist meine Heimat, mein zu Hause, Rostock, Mecklenburg-Vorpommern, Deutschland, Europa oder gar diese Erde? Interessant wird, dass das Nachdenken oder gar der Aufschrei darüber dann beginnt, wenn ein persönlicher Flecken Erde als bedroht wahrgenommen wird. Das macht erkennbar, wie eng Heimat und Zuhause mit räumlicher Begrenzung und Begrenztheit verbunden wird.

Heimat hat auch etwas mit Geschichte, Erinnerung, Tradition, Kultur und Herkunft zu tun; zumindest bringen wir sie damit in Verbindung. Es sind die Felder, die, soweit sie selbst gelebt, von Vertrautem zeugen.

In einer anderen Online-Dokumentation unter dem Titel „Ist Heimat ausgrenzend?" ist zu lesen: „Wie kürzlich der *taz* zu entnehmen war, kann auch Anatol Stefanowitsch, Berliner

Linguistik-Professor und der wahrscheinlich klügste Mensch im deutschsprachigen Twitter, mit dem Begriff Heimat nicht so viel anfangen. Mehr noch: "Wird Heimat zu einem politischen Begriff, wird es gefährlich, denn dann wird Heimat etwas, das durch die bedroht ist, die ein Zuhause suchen. Wenn der politische Heimatbegriff von einem konkreten Ort auf ein ganzes Land ausgedehnt wird, entsteht eine Nation, deren Mitgliedschaft durch Abstammung bestimmt ist. Die für niemanden ein Zuhause sein kann, für den sie nicht Heimat ist und die für niemanden Heimat werden kann, für den sie es nicht schon immer war." Dass etwas dran sein muss, kann man daran erkennen, dass ihm die ebenfalls sehr kluge Katja Bauer in der *Stuttgarter Zeitung* in diesem Punkt beisprang: Als Kampfbegriff sei das Wort Heimat "gefährlich". "Eine nicht kleine Gruppe hat das schmerzliche Gefühl, die Deutungshoheit darüber einzubüßen, was in diesem Land zu bleiben habe, wie es war." Die Quintessenz: Den Begriff nun ausgerechnet von jenen zu übernehmen, die Newcomer ausgrenzen und Wandel verteufeln, ist keine gute Idee!" (ebenda)

Meine Quintessenz für die Diskussion ist: Nicht die Flüchtlinge und Migranten befremden oder entfremden unsere Heimat, sondern unsere jahrhundertealte Deutschtümelei, die bis heute in einem föderalen Staatsgebilde mehr oder weniger weiterlebt. Dieses föderale Staatsgebilde hat bei trotz mancher Vorzüge bedauerlicherweise in der Frage der Flüchtlingspolitik nichts Konstruktives aufzubieten. Im Gegenteil. Es befeuert noch das Befremden im eigenen Lande – und das auch unter den Deutschen.

Das Fremde als das Nicht-Eigene in Gegenüberstellung zum Gewohnten zu sehen, scheint wenig hilfreich zu sein. Der Grund dafür ist, dass ein derartiger Gegensatz zwar formal den Unterschied verdeutlicht, jedoch das Wesen des Gewohnten und Fremden in seinem dynamischen und konstruktiven Dasein nicht erfasst. Wir bekommen den Zugang zum Gewohnten und Fremden nur, wenn wir sie in ihrer Dialektik erfassen.

Das Gewohnte im Fremden. Gewohntes im Fremden zu finden mag schwer nachvollziehbar zu sein, weil unser Alltagsverständnis dazu neigt, in Gegenüberstellungen zu denken, in denen Gegensätze sich grundsätzlich ausschließen. Das heißt hier: Das Fremde ist fremd – das Gewohnte gewohnt. Wie kann im Fremden Gewohntes stecken, wenn es doch fremd ist?

Gewohntes im Fremden heißt, das Fremde als Normales in unserem Leben anzuerkennen. Es gibt das Fremde nur als beständig Existierendes, dem wir nicht ausweichen können.

Gewohntes im Fremden bedeutet, dass wir uns schwer tun, uns das Fremde so anzueignen, damit es zu Gewohntem *wird*. Tagtäglich werden wir mit neuen Situationen, Aufgaben konfrontiert, die wir als neuartige, fremdanmutende Herausforderungen zu meistern haben. Gerne meiden wir sie. Oder wir stellen uns ihnen aktiv entgegen, statt das Fremde als Neues, Interessantes anzunehmen, was zur Persönlichkeitserweiterung beitragen würde.

Gewohntes im Fremden heißt auch, dass in jedem Fremden Vertrautes steckt. Dazu zähle ich das Menschliche im fremden Menschen, das Bekannte in fremden Dingen oder eine fremde Umgebung, die gewohntes Verhalten zulässt, wenn wir nur bereit sind, anzuerkennen, dass in jedem Fremden auch Bekanntes, Vertrautes und damit auch Gewohntes zu finden ist. Hier bedarf es des Aufschließens des Gewohnten im Fremden.

Das Gewohnte im Fremden zeigt sich als Gewöhnung an das Fremde. Damit verbinde ich den Gedanken, dass nicht alles Fremde in Gewohntes auflösbar ist. Wir stecken in Lebenssituationen, haben es mit Menschen zu tun oder es sind Ereignisse anzuerkennen, die uns für immer fremd bleiben, weil sie sich nicht erschließen lassen. Sie sind dann für uns nicht erklärbar, verstehbar, verständlich, annehmbar; sie sind für uns vielleicht auch nicht veränderbar. Es hat den Charakter einer unerwünschten, notgedrungenen Anpassung.

Das Fremde zeigt sein Gewohntes in Gestalt von Gewöhnung oder Gewöhnungsbedürftigkeit. Der Weg der Gewöhnung ist das Mittel, das Fremde aufzulösen. Jedes Fremde bedarf der Gewöhnung, wenn das Fremde zur Gewohnheit werden soll. Der Wandel des Fremden zum Gewohnten kann als Kontinuum zwischen beiden beschrieben werden. Die Gewöhnungsbedürftigkeit macht das Defizit an Gewöhnung im Fremden deutlich. Das Fremde ist das Gewöhnungsbedürftige. In allen Bildern des Gewohnten steckt das gewohnt werdende Fremde.

Jedes Bestehen und jeder Wandel des Fremden vollzieht sich nicht außerhalb des Gewohnten. Insofern ist das Fremde gar nicht so fremd, wie es uns alltäglich erscheint, das uns zurückhaltend oder ängstlich macht. Wir überwinden das Fremde und decken in ihm das Gewohnte auf, indem wir neugierig sind und Mut zeigen. Wir bewegen uns aus dem Fremden in das Gewohnte, wenn wir uns unserer positiven Erlebnisse erinnern und unsere Erfahrungen einbringen. In allem gilt die Prämisse: Alles Fremde ist als Gewohntes erschließbar.

Dialektik zwischen Gewohntem und Fremdem. In den beiden vorangestellten Abschnitten über das Fremde im Gewohnten und das Gewohnte im Fremden werden ihr wechselseitiges Spiel und ihre Dynamik offenkundig. Das Gewohnte und das Fremde sind nicht nur in Hinblick auf sich selbst bestimmt, sondern auch zueinander. Das Gewohnte ist gewohnt und ist es auch wieder nicht, weil in ihm zugleich das Ungewohnte in Gestalt des Gewöhnlichen, der Gewohnheit oder Gewöhnungsbedürftigkeit schlummert. Das Fremde ist nicht nur fremd, sondern es ist gewöhnungs-bedürftig und braucht Gewöhnung, damit es sich als Gewohntes zeigt. Diese Anwandlung ist der menschlichen Fähigkeit geschuldet, eine derartige Anwandlung vollziehen zu können.

Wie oben im Abschnitt dieses Kapitels „Das Fremde im Gewohnten" wird die Dynamik und Gegensätzlichkeit in ihrer ganzen Dialektik deutlich. Fremdes und Gewohntes schließen sich nicht formal aus, sondern ein. Sie bedingen sich in ihrer Ein- und Ausschließlichkeit. Was heißt das?

Das Gewohnte und das Fremde schließen sich bedingend ein, weil in jedem von ihnen das Andere zu finden ist. Wer das Fremde als das Ungewohnte, Ungewöhnliche, Gewöhnungsbedürftige zum Leben dazugehörig akzeptiert, für den ist das Fremde nicht fremd, sondern er ordnet es in den Bestand des eigenen Lebens ein.

Wer das Gewohnte als Fremdes sieht, so tut er das nur deshalb, weil das Gewohnte wie oben beschrieben sich in Gewöhnlichem und als Gewohnheit zeigt, was unserem Lebensanspruch zuwiderläuft und uns unzufrieden macht. Das Gewohnte ist nicht nur in seinem Wesen gewohnt, sondern mit sich auch fremd, wenn es als Ungewohntes, Ungewöhnliches bzw. Gewöhnungsbedürftiges zutage tritt.

Das Fremde schließt das Gewohnte ein, wenn wir das Fremde als Gewohntes, zum Leben Dazugehöriges annehmen und verinnerlichen. So wie Fremdes im Gewohnten aufspürbar ist, finden wir ebenso Gewohntes im Fremden. Es trägt das andere mit bzw. in sich.

Ausschließlich sind das Gewohnte und das Fremde, weil sie jeweils zueinander Anderes sind. Diese Ausschließlichkeit des Fremden und Gewohnten zeigt sich nicht in einer wie bereits oben erwähnten formalen Gegenüberstellung, Gewohntes ist nicht Fremdes und Fremdes ist nicht Gewohntes, sondern nimmt das Andere mit auf. Sie sind in diesem Sinne ein dialektisches Gegensatzpaar des sich wechselseitigen Bedingens und Ausschließens der Seiten.

Aber sie sind mehr als nur das: Sie bedingen sich nicht nur in ihrer wechselseitigen Ein- und Ausschließlichkeit, sondern weil das Eine auch in dem Anderen ist, steckt in ihnen der Keim des Veränderlichen. Das Gewohnte *wird* fremd, wenn sich in ihm das Ungewohnte bzw. Ungewöhnliche zeigt. Es ist überfremdet. Das Fremde *wandelt* sich in Gewohntes, wenn wir das Fremde zulassen und in unsren Lebensalltag als Beständiges aufnehmen.

Mit der einhergehenden Wandlung des Gewohnten in Fremdes und des Fremden in Gewohntes sind sie beide zueinander nicht nur dialektisch-gegensätzlich, sondern dialektisch-*widersprüchlich* verknüpft. Das Fremde und das Gewohnte befinden sich nicht nur in einer wechselseitig bedingten Ein- und Ausschließlichkeit, sondern durch ihre Wandelbarkeit mit dem und in das Andere in einem dialektischen Widerspruch. Fremdes und Gewohntes haben durch ihren Gegensatz eine Historie.

Das Gewohnte und das Fremde als Mächte konstruktiver Lebensgestaltung. Das Gewohnte und das Fremde sind, wie oben erläutert, keine statisch-gegenüberstellbare Lebenseigenschaften, die einerseits das Gewollte und andererseits das zu Vermeidende verkörpern. Aufeinander bezogen zeigen sie ihre dynamische Kraft. Sie bedingen und schließen sich aus; sie wandeln und verwandeln sich.

Der Wandel des Gewohnten zeigt sich entweder als Gewöhnung hin zum Gewohnt-Werden und oder als Fremd-Werdung, die über das Gewöhnliche, die Gewohnheiten, Gewohnheitsbedürftiges eingeleitet wird.

Diese Dynamik in und zwischen ihnen macht ihre *dialekti-sche Gegensätzlichkeit* aus. Gemeint ist, von der These auszuge-hen, dass selbst in dem Gewohnten die Macht des Fremden und umgekehrt steckt. Hier soll an weitere Überlegungen an-geknüpft werden.

Die Macht des Fremden auf das Gewohnte und dessen Wandlung beschreibt Christopher Schmidt in Hohe Luft, Heft 4/2012: „In dem Maße, wie wir Freiheit, Autonomie und Indi-vidualität für erstrebenswert erachten, denken wir bei Ge-wohnheiten nicht so sehr an positive Gepflogenheiten, son-dern zuerst an schlechte Angewohnheiten wie das Rauchen oder eine ungesunde Ernährungsweise, die wir uns, wenn wir entschuldigend sagen, „noch" nicht abgewöhnt haben. Sind es doch Rituale und selbst verschuldete Zwänge, die sich mit unserem Bild als frei, selbstbestimmte und individuelle Sub-jekte nur schwer vereinbaren lassen." (a.a.O., S. 81) Wir leben in Gewohnheiten; und sie scheinen Macht über uns zu haben. Die Macht des Gewohnten mag „der Stachel im Fleisch des Individualismus und eine ständige Kränkung unseres narziss-tischen Egos" zu sein. (ebenda)

In der Gewohnheit steckt die Macht des doppelt Verfügba-ren. Es sind zum einen die gewollt gelebten Rituale von ge-wünschten, wiederkehrenden Verhaltensweisen, die das Le-ben angenehm, einfach und überschaubar machen. Es sind zum anderen die Angewohnheiten, die wir als unangenehme, ungewollte und doch stattfindende Gewohnheiten wahrnehmen und u. U. zelebrieren. Beide Gewohnheiten gehören zu unserem Leben.

Alles deutet darauf hin, dass die Macht der Gewohnheit dem Menschen sowohl Erfolg als auch Misserfolg bescheren kann. Das heißt, die Macht der Gewohnheit zu verlassen, bedeutet das Risiko des Misserfolgs ebenso einzugehen wie in der Macht der Gewohnheit zu bleiben. Das Risiko besteht darin, dass entweder eine bestehende, gewollte Gewohnheit in Gewöhnliches (Belangloses, Profanes) verfällt. Das Gewohnte wird uns fremd. Oder es ist eine unangenehme Gewohnheit, von der wir uns gerne wie z. B. vom Rauchen verabschieden würden; doch es gelingt uns nicht. Wer oder was bestimmt darüber, in der Macht der Gewohnheit unseres Denkens und Verhaltens zu bleiben oder sie zu verlassen? Das Zusammenfallen von Ratio und Emotio machen diesbezüg-liche Entscheidungen nicht einfacher. Gefühlt ist es der kurzfristige Gewinn, den wir antizipieren und uns zunutze machen.

Es macht also Sinn, sowohl in der Macht des Gewohnten als auch außerhalb von ihr das Leben zu leben. Doch worin besteht der tiefe Sinn, es so oder so zu tun?

Den Januskopf mit seinem Doppelgesicht – das Positive wie das Negative in *einer* Gewohnheit zu sehen, hat schon Friedrich Nietzsche (1844 – 1900) als Aphorismus in „Die fröhliche Wissenschaft" beschrieben: „Alle Gewohnheit macht unsere Hand witziger und unseren Witz unbehender", was so viel bedeutet mag, dass Gewohnheiten uns unnötige Anstrengungen im Schweiße unseres Angesichts ersparen, diese uns gleichermaßen unserer Intuition, Kreativität und Inspiration berauben". (a.a.O., Drittes Buch, 247. Gewohnheit)

Deutlicher wird F. Nietzsche in seinem 4. Buch, 295, Kurze Gewohnheiten, wenn er zu Papier bringt: „Ich liebe die kurzen Gewohnheiten und halte sie für das unschätzbare Mittel, *viele* Sachen und Zustände kennenzulernen, und hinab bis auf den Grund ihrer Süßen und Bitterkeiten; meine Natur ist ganz für kurze Gewohnheiten eingerichtet, selbst in den Bedürfnissen ihrer leiblichen Gesundheit und überhaupt, *soweit* ich nur sehen kann: vom Niedrigen bis zum Höchsten. Immer glaube ich, *dies* werde mich nun dauernd befriedigen – auch die kurze Gewohnheit hat jenen Glauben der Leidenschaft, den Glauben an die Ewigkeit – und ich sei zu beneiden, es gefunden und erkannt zu haben: und nun nährt es mich am Mittage und am Abende und verbreitet eine tiefe Genügsamkeit um sich und in mich hinein, so dass mich nach anderem nicht verlangt, ohne dass ich zu vergleichen oder zu verachten oder zu hassen hätte. Und eines Tages hat es seine Zeit gehabt: die gute Sache scheidet von mir, nicht als etwas, das mir nun Ekel einflößte – sondern friedlich und an mir gesättigt, wie ich an ihm, und wie als ob wir einander dankbar sein müssten und uns *so* die Hände zum Abschied reichten. Und schon wartet das Neue an der Türe, und ebenso mein Glaube – der unverwüstliche Tor und Weise! – dies Neue werde das Rechte, das letzte Rechte sein. So geht es mir mit Speisen, Gedanken, Menschen, Städten, Gedichten, Musiken, Lehren, Tagesordnungen, Lebensweisen. – Dagegen hasse ich die *dauernden*

Gewohnheiten und meine, dass ein Tyrann in meine Nähe kommt und dass meine Lebensluft sich *verdickt*, wo die Ereignisse sich so gestalten, dass dauernde Gewohnheiten daraus mit Notwendigkeit zu wachsen scheinen: zum Beispiel durch ein Amt, durch ein beständiges Zusammensein mit denselben Menschen, durch einen festen Wohnsitz, durch eine einmalige Art Gesundheit... – Das Unerträglichste freilich, das eigentlich Fürchterliche, wäre mir ein Leben ganz ohne Gewohnheiten, ein Leben, das fortwährend die Improvisation verlangt – dies wäre meine Verbannung und mein Sibirien." (ebenda)

Das ganze Dilemma der Macht des Gewohnten offenbart sich in Nietzsches Gedanken. Wir brauchen sie und wollen sie wieder nicht. Wir fühlen uns in ihr wohl und zugleich wieder nicht. Die Lösung kann dann nur heißen, wenn das Gewohnte in Gewöhnliches abgleitet, wenn wir der Gewohnheit überdrüssig sind und nicht in ihr gefangen sein wollen, dem Fremden Raum zu geben. Indem wir uns das Fremde zu Eigen machen, kann aus ihm heraus das Gewohnte wieder lebendig werden. Wir gewöhnen uns an das Fremde, bis es nicht mehr fremd ist, weil wir uns an es gewöhnt haben. Das Fremde ist das aus ihm gewordene Gewohnte, und das so lange, bis wir der Gewohnheit wieder überdrüssig sind. Das Gewohnte spielt mit dem Fremden, damit es Gewohntes bleibt.

Dem Fremden geht es nicht anders. Seine Macht wirkt nur über das Gewohnte und die Gewohnheit. Das zeigt sich in verschiedener Hinsicht.

Erstens. Konfuzius verweist darauf, dass auf der Grundlage naturgebundener Gleichheit der Menschen sich diese über die Gewohnheiten voneinander entfernen. Das heißt, dass die Menschen sich unterschiedliche Gewohnheiten aneignen, die wir dann als Eigenarten im Verhalten kennen. Diese entstandenen Gewohnheiten sind es, die den Menschen besonders und einzigartig werden lassen. Gewohnheiten machen den Menschen zur individuellen Persönlichkeit. Diese unterschiedlichen Gewohnheiten unter ihnen lassen sie untereinander fremd werden. Dieses Fremde entsteht, weil wir Menschen dazu neigen, uns mit Gleichgesinnten, also mit Menschen zusammentun, die uns in den Gewohnheiten (Interessen, Bedürfnisse, Vorlieben etc.) ähnlich oder gar gleich sind. Übereinstimmungen zwischen zwei Menschen tragen deren Beziehung und lassen sie gefährlich gewöhnlich werden, was wiederum die Beziehung uninteressant macht und dadurch ihre Auflösung droht. Nichtübereinstimmungen betrachten wir als nicht zu uns gehörig. Das Entstehen von Gewohnheit erzeugt letztlich Fremdheit.

Zweitens. Das Fremde erscheint in Gestalt des Ungewöhnlichen. Wir verstehen darunter das Nicht-Alltägliche, das Besondere, das, was sich außerhalb des Normalen und Gewohnten bewegt. Dieses Ungewöhnliche zeigt sich in dem Unerwarteten. Es ist etwas eingetreten, von dem wir glaubten, dass das nicht eintreten würde. Unsere Erwartung war eine andere. Sie erscheint uns nicht als eine konstruktive Macht für zu entstehendes Gewohntes. Sie wirkt uns gegenüber als Fremdes, solange es unsererseits eine Erwartung bleibt. Erst bei einer Erwartungserfüllung baut sich die Chance für Gewohntes auf, indem wir sie über eine Gewöhnung initiieren.

Als „Schwester" des Ungewöhnlichen betrachte ich *drittens* das Außergewöhnliche. Hier zeigt sich das Besondere als eine positive unerwartete Überraschung. Wir haben es hier mit einem positiven Fremden zu tun. Wir sind von ihm angetan. Wir unternehmen alles, um dieses positiv erscheinende Fremde für uns zu gewinnen und ggf. in ein Gewohntes zu verwandeln.

Und *viertens*. Die Macht des Gewohnten ist so stark, dass sie, wie bereits angemerkt, das Fremde begründet und hervorbringt. Das Gewohnte wandelt sich in Fremdes. Das geschieht, wie Nietzsche es beschrieb: Das Gewohnte verliere zu einer Zeit selbst die Macht und werde sich seiner überdrüssig; es verliere sich im Fremden. Das ist nur deshalb möglich, weil das Gewohnte das Fremde in sich trägt. Dieses Fremde im Gewohnten, das das Gewohnte in Fremdes umwandelt, ist die Gewöhnung, das Langweilige, Profane, was das Menschlich-Kreative ersticken lässt. Wir werden dieser Gewöhnung überdrüssig und stoßen sie wie einen Fremdkörper von uns ab. Indem wir das Gewöhnliche aus uns verbannen, machen wir es uns gewollt fremd. Diese Abspaltung, die das Fremde erzeugt, ist aber genau die Grundlage, die wir benötigen, um aus dem Fundus des Fremden wieder Gewohntes gebären zu können.

So wie die Macht des Fremden das Gewohnte für ein gewollt sicheres, kontinuierliches, in Regeln abzulaufendes Leben schafft, so bringt die Macht des Gewohnten das Fremde hervor. Beide sind jeweils im anderen angelegt. Sie bedingen sich gegenseitig und setzen sich damit einander voraus.

Der Wert des Gewohnten liegt im Fremden und umgekehrt begründet. Haben wir sie in unserem Denken und Verhalten als sinnstiftende Werte für unser Leben verinnerlicht? Sind wir uns der Bedeutung und von Gewohntem und Fremdem bewusst?

Beide sind sie für sich in der Beziehung zueinanderstehend *und* für uns selbst sinnstiftend. Wir brauchen sie für ein gutes Leben. Das Gewohnte verbreitet Beständigkeit und Sicherheit, die uns zur Ruhe kommen lassen. Das Fremde erzeugt Aufmerksamkeit und Wachheit, die uns offen, kreativ, schöpferisch durch unser Leben gehen lassen. Sie machen unser Leben gefällig und sensibel.

Sie sind jeweils in dem anderen sinnstiftend. Das Fremde im Gewohnten macht das Gewohnte in Fremdes wandelbar. Es ist das Fremde, das wieder für neues Gewohntes gebraucht wird. Das Gewohnte im Fremden ist, dass wir uns dieses Fremde aneignen können. Das Fremde wird durch Aneignung des Fremden *ent*fremdet und wandelt es sich in Gewohntes um.

Das mag absurd klingen. Das ist es auch, so absurd wie die Dialektik des Wirklichen selbst ist. Das Gewohnte und das Fremde zeigen sich absurd in ihrer Gegenüberstellung. Sie sind entzweit mit sich und in sich selbst. „Das Absurde liegt

… in der gemeinsamen Präsenz." (Albert Camus: Der Mythos des Sisyphos, Rowohlt Taschenbuch Verlag, Reinbeck bei Hamburg, 2014, S. 43) „Das Absurde ist im Wesentlichen eine Entzweiung. Es ist weder in dem einen noch in dem anderen der verglichenen Elemente enthalten." (ebenda) Anders formuliert: Es ist sowohl in dem einen als auch in dem anderen des jeweiligen anderen enthalten.

Aristoteles (384 – 322 v. Chr.) äußert sich in seiner Nikomachischen Ethik über die Gewöhnung. Er bringt im Kapitel 2 Gewöhnung und Erziehung des 1. Teils über die sittliche Anforderung zum Ausdruck, dass unsere Sitte durch Gewöhnung begründet sei, die nicht naturgegeben, sondern im Menschen selbst zu finden und über die Erziehung zu gewinnen sei. Aristoteles schreibt: „Also werden uns die sittlichen Beschaffenheiten ebenso wenig durch die Natur wie wider der Natur zuteil; wir haben von Natur nur die Fähigkeit sie zu gewinnen, und durch Gewöhnung kommen sie zu uns zur Entwicklung." (vgl. a.a.O.)

Ergänzt werden diese Gedanken im Kapitel 10 des 10. Teils seiner Ethik über die Tugend, Gewöhnung, Gesetze und die Kunst der Gesetzgebung. Für ihn sind die Gesetze und die mit ihnen einhergehende Erziehung mit einer Portion Vernunft die Bedingungen, die eine Gewöhnung begründen, was zur Herausbildung der menschlichen Tugenden und Sitte führe. Das Gute einer Tugend sei nur über das Gewöhnen zu erreichen. (vgl. a.a.O.)

Das, was über die Gewöhnung zur Tugend wird, ist hier

von Interesse, wenn es um das Abgewöhnen geht. Der Wunsch oder das Begehren, sich etwas abzugewöhnen, setzt voraus, sich etwas angewöhnt zu haben. Dieses Angewöhnen vollzieht sich weder über Erziehung noch von außen bestimmter Sitte. Es ist von innen gewachsen und muss auch von innen aufgelöst werden.

Wir sprechen vom *Abgewöhnen*, weil uns das Gewohnte lästig geworden ist und wir uns von ihm trennen wollen. Das Abzugewöhnende ist i. d. R. dem zu Gewöhnenden entgegenzusetzen. Das heißt, unser Verhalten müssen wir durch Training umprogrammieren.

Die Gewohnheit wird in dem Moment zur *Angewohnheit*, wenn der Wille fehlt, das Gewohnte als positiven Wert des eigenen Lebens zu sichern. Die Gewohnheit des Guten verfällt. Wir gewöhnen sie uns derart ab, dass es zur Angewohnheit wird, die wir als unangenehm, schlecht oder lästig empfinden. Wir haben uns die gute Gewohnheit abgewöhnt und uns eine *Angewohnheit an*geeignet, die wir selbst als eine schlechte Sitte beurteilen und nicht loswerden (wollen) oder es mangels eigenen Willens nicht schaffen. Das persönliche Ritual hat seine Bahn des Normalen, Gewohnten verlassen und sich in ein Extrem verwandelt.

Unser Sprachgebrauch verbindet mit „Angewohnheit" eine negative Bedeutung in unserem Handeln. Dieses Gewohnte hat den Charakter einer unliebsam gewordenen Angewohnheit angenommen und soll, wenn der Wille zur Veränderung da ist, in die Fremde verbannt werden.

Als wahrgenommene Angewohnheit ist diese Gewohnheit bereits fremd Gewordenes; doch ist sie weiterhin Teil, eine Spielart der Gewohnheit. Der endgültige Ausschluss einer Angewohnheit aus dem Pool der Gewohnheiten ist erst dann vollzogen, wenn sie keine Angewohnheit mehr ist. Das ist dann gegeben, wenn sie aus dem menschlichen Verhalten verbannt wurde.

Wie kann man sich derartiger Angewohnheiten entledigen, z. B. des nicht mehr gewollten Rauchens oder ungesunden Essens und Trinkens? Wie verhält es sich mit Angewohnheiten als lästig gewordene Gewohnheiten, von denen man sich – aus welchen Gründen auch immer – nicht verabschieden kann oder will?

Eine Angewohnheit sich abzugewöhnen, sehe ich nur über den Weg einer vernunftbegründeten neu zu schaffenden Angewohnheit. Sich einer negativen Angewohnheit zu entledigen geht nur, indem wir sie durch eine neue, positive (An)-Gewohnheit ersetzen. Es ist das oben angezeigte Umprogrammieren.

Gewohnheiten, positiv wie negativ bewertet, sind als immer wiederkehrende Verhaltensweisen – meistens in einem bestimmten Kontext stehend – in unserem Gehirn programmiert. Sie fungieren als neuronale Datenbahnen, auf denen das Verhaltensprogramm „abgefahren" wird. Dieses Programm hat seinen Halt in vernunftbestimmten Werten und Nützlichkeiten. Wir entscheiden und machen es, weil wir in ihm einen Vorteil bzw. Nutzen sehen. Es gehört also dazu, wenn wir uns umprogrammieren wollen, diesen vermeintlichen Gewinn zu entdecken und in Vorteile umzuwandeln.

Viele Raucher wissen, dass das Rauchen gesundheitsschädigend ist. Sie tun es dennoch. Sie begründen ihr Tun mit Entspannung, Ablenkung, Entlastung. Das heißt, dem Vorteil des Rauchens wird mehr Bedeutung geschenkt als den bekannten Nachteilen und Gesundheitsrisiken. Der Nachteil des Rauchens ist zwar als Wissen, doch nicht im Verstand angekommen. Vernunft und Verhalten graben sich gegenseitig das Wasser ab.

Der *erste* Schritt des Abgewöhnens ist die Annahme, der Gang zur Selbsterziehung. Es geht um Akzeptanz und die Herbeiführung des Willens zur Veränderung. Der *zweite* Schritt ist das Machen. Das Umprogrammieren im Gehirn funktioniert nur über das regelmäßige, immer wiederkehrende neue Verhalten. Das heißt, unsere neuronale Datenbahnen angewohnter Verhaltensweisen müssen überschrieben werden wie eine CD-Re-Writable. Eine Auslassung bedarf der Zulassung. Leichter ist es, wenn man sich etwas angewöhnen möchte wie etwa das regelmäßige Fitness-Training, das man zuvor nicht gemacht hat. Hier wird ein neues Verhaltensprogramm aufgelegt. Deshalb braucht das *Ab*gewöhnen wie das Rauchen ein neues *An*gewöhnen, damit das Abzugewöhnende durch ein neues Angewöhnen ersetzt werden kann.

Ist dieser zweite Schritt erreicht, bedarf es des *dritten*. Es ist der schwierigste, woran bedauerlicherweise die meisten scheitern: Es ist das Vermögen zum Durchhalten, das Verhaltensprogramm solange anzuwenden, bis es zum neu Angewöhnten geworden ist. Das Angewöhnte hat sich zum Gewohnten profiliert. Es geht darum, den „inneren Schweinehund" zu überwinden. Dafür sind i. d. R. drei bis sechs Wochen, je nach Häufigkeit der Anwendungen, einzuplanen, bis das neue Verhalten in den persönlichen Pool der guten, gewollten Gewohnheiten aufgenommen ist.

Gewohntes (Rauchen) zum Ungewohnten zu machen, die Angewohnheit aus dem bisherigen Leben zu entlassen, bedeutet, das bisher Gewohnte selbst zu verfremden. Hier wird die Verfremdung zum persönlichen Akt des Positiven einer in Gang gesetzten Abgewöhnung. Diese Zeit und über sie hinaus bedarf es der bewussten Selbstkontrolle. Das, was hier passiert, ist selbst auferlegte und mit Verstand ausgestattete Erziehung.

Sollte alles an dem nicht „funktionieren" oder fehlt der bewusste Wille und Glaube, eine Angewohnheit aus seinem Verhaltenspool zu entlassen, dann bleibt nur, diese Angewohnheit als eine liebgewonnene Gewohnheit zu bewerten. Das heißt, ich schließe die Angewohnheit in meine Arme und betrachte sie nicht als etwas Fremdes, sondern als Gewolltes. Ich verleibe mir die (An-)Gewohnheit als Gutes in Gestalt von Gutem und mit Güte für das eigene Leben ein. So wird sich auch dieses Leben als Gutes erfüllen, selbst wenn es bedingt und zwischenzeitliche ausfällt (vgl. H.-Jürgen Stöhr, Scheitern im Grenzgang, Romeon Verlag, Kaarst 2017, S. 36 ff.)

Gutes Benehmen ist die Kunst,
Menschen unseren Umgang angenehm
zu machen.

Jonathan Swift (1667 – 1745)

Freundlichkeit und Höflichkeit im Grenzgang zur Respektlosigkeit

Meine Kinderjahre habe ich freizügig erlebt. Das Spielen, vor allem draußen, hatte keine Grenzen. Doch diese spielerische Freiheit gab es nicht ohne die zu befolgenden Alltagstugenden. Meine Eltern haben Wert auf Sauberkeit und Pünktlichkeit, Ordnung und Zuverlässigkeit im häuslichen „Innenleben" gelegt. Nach außen hin waren sie darauf bedacht, dass wir Kinder vor allem Erwachsenen mit Freundlichkeit und Höflichkeit begegnen. Heute wird man vielleicht diese elterliche Strenge als kleinbürgerliche Erziehung und uncoole Kinderstube abtun. Geschadet hat sie uns jedenfalls nicht.

Als kleiner Junge wurde ich so „erzogen", dass ich, wenn ein älterer Mensch in den Bus oder in die Straßenbahn einstieg und alle Sitze belegt waren, ihm meinen Platz anzubieten hatte. Ich tat das, weil das sich so „gehörte". Es war eine Geste der Höflichkeit und des Respektes vor dem Alter. Da passierte es schon, dass ich mit meinen kindlichen Gedanken schwanger ging, wie schön es doch sein wird, dass andere für mich aufstehen würden, wenn ich dieses Alter erreicht habe.

Inzwischen habe ich mich als 70-jähriger von dieser Wunschvorstellung ebenso verabschiedet wie dem Sagen von „Bitte" und „Danke" von Kindern und Jugendlichen. Blickkontakte und freundliches Lächeln sind bei Begrüßungen und vielerorts im Alltag abhandengekommen.

Wo sind diese „alten" Tugenden des alltäglichen Lebens geblieben? Sind sie der unzureichenden oder gar fehlenden elterlichen Erziehung geschuldet? Sind Freundlichkeit und Höflichkeit, Aufmerksamkeit und Respekt der digitalisierten Lebensbeschleunigung zum Opfer gefallen? Brauchen wir in unserer heutigen Lebenswelt noch derartig althergekommene Werte, um ein gutes Miteinander zu ermöglichen?

Unsere Welt ist zweifelsohne sachlicher, technokratischer und selbstgefälliger geworden. Das Zwischenmenschliche ist in vieler Hinsicht ins Hintertreffen geraten. Die digitale Kommunikation hat im starken Maße die analoge verdrängt.

Die angestiegenen psychosomatischen Erkrankungen, der Zuwachs an Depressionen, der vergleichsweise wichtigere Blick auf Gegen- bzw. Umstände als auf zwischenmenschliche Beziehungen sehe ich als Symptomträger für eine gewachsene Verdinglichung unserer Lebenswelt an.

Wir müssen uns fragen: Sind Höflichkeit und Freundlichkeit heute zu Scheintugenden permutiert? Oder ist davon auszugehen, dass sie sich mit den veränderten Lebensumständen im Wert gewandelt haben, was hieße, dass wir es heute mit einer anderen Qualität von Höflichkeit und Freundlichkeit als von 50 Jahren zu tun haben?

Das führt uns dahin, über das Verhältnis zwischen Tradiertheit und Veränderlichkeit alltäglicher Werte nachzudenken. Es scheint gar nicht so abwegig zu sein, bei den Werten

unseres alltäglichen Lebens von einer Historizität auszugehen, wenn man bedenkt, wie Vieles in der Gesellschaft einer
Veränderung unterliegt. Aus welchem Grund sollten Höflichkeit und Freundlichkeit von diesem Wertewandel ausgeschlossen sein?

Dieser Wandel bedeutet nicht zwangsläufig einen Werte-
verfall, nur weil diese Werte nicht mehr das sind, was und
wie sie früher einmal waren, sondern es ist von einer Veränderung auszugehen, die durchaus positiv besetzt sein kann.

Wenn sich herausstellt, dass Freundlichkeit und Höflichkeit
in ihrem Wesen nach wie vor präsent sind und deren Inhalte
sich veränderten, dann lohnt es sich, über ein neues Verständnis jener Tugenden nachzudenken.

Ungeachtet dessen wird über unzureichende Freundlichkeit und Höflichkeit geklagt. Es heißt, das sei ausschließlich
der Digitalisierung und Beschleunigung unserer Lebenswelt
geschuldet. Wer meint, für derartige Gesten des guten Miteinanders fehle die Zeit, der ist in meinen Augen unglaubwür-
dig und nicht ernst zu nehmen. Es waren schon Generationen
zu- vor, die das Klagelied der Unhöflichkeit anstimmten und
der Jugend unsittliches Verhalten vorwarfen.

Sokrates (469 v. Chr. – 399 v. Chr.) beklagte sich über die
Jugend seiner Zeit mit der Feststellung, dass sie jeglichen Anstand vermissen ließe. So ist sein Vorwurf: Die Jugend liebt
heutzutage den Luxus. Sie hat schlechte Manieren, verachtet
die Autorität, hat keinen Respekt vor den älteren Leuten und
schwatzt, wo sie arbeiten sollte. Die jungen Leute stehen nicht

mehr auf, wenn Ältere das Zimmer betreten. Sie widersprechen ihren Eltern, schwadronieren in der Gesellschaft, verschlingen bei Tisch die Süßspeisen, legen die Beine übereinander und tyrannisieren ihre Lehrer. Ich bin mir sicher, dass Sokrates dies alles erneut sagen würde, wenn er unser Zeitgenosse wäre.

Diesbezüglich hat sich im jugendlichen Verhalten nichts geändert. Derartige „Unsittlichkeiten" scheinen über alle Gesellschaften und Generationen hinweg jugendgemäß zu sein. Insofern sehe ich keinen Grund, sich über diese Unsitten beschweren zu wollen. Und doch ist es immer wieder ein Thema, ob den heutigen Kindern und Jugendlichen die „gute Stube" abhandengekommen sei oder sie gar nicht erst anerzogen wurde.

Ich bin der Auffassung, dass es viel weniger den jungen Menschen anzulasten ist. Stattdessen sehe ich eher den Grund in dem bestehenden Erziehungsumfeld und vor allem bei den Eltern, die es nicht hinreichend schaffen, ihren Kindern diese und weitere Werte für ein gutes Zusammenleben zu vermitteln. Die Ursachen dafür sind vielfältig. Ich werde sie hier nicht weiter verfolgen.

Gehen wir den philosophischen Fragen nach: Was ist unter Freundlichkeit und Höflichkeit zu verstehen? Sind sie Schein menschlicher Tugenden oder haben wir es mit Tugenden des Scheins zu tun? Dürfen wir unhöflich bzw. unfreundlich sein, wenn es der Wahrheit dient, oder sind wir bedingungslos zur Freundlichkeit und Höflichkeit verpflichtet? Brauchen

Freundlichkeit und Höflichkeit den guten Willen des Menschen, damit sie zum Tragen kommen?

Freundlichkeit und Höflichkeit sind Eigenschaften menschlichen Verhaltens, die einen Bezug zum anderen Menschen haben. Das heißt, sie sind Verhaltensweisen, die auf den anderen gerichtet sind. Dieses bezügliche Verhalten ist (sollte!) an keine Bedingungen geknüpft (sein). Es repräsentiert das zutiefst Menschliche. Freundlichkeit und Höflichkeit unterliegen zwar als Werte der menschlichen Sitte, doch wir sollten ihnen frei begegnen und keine Absichten unterstellen.

Freundlichkeit und Höflichkeit sind über Generationen als Werte eines guten Miteinander gewachsen. Sie erfüllen die Funktion einer Orientierung im zwischenmenschlichen Umgang. Als Eigenschaften des guten (sittlichen) Anstandes haben sie den Charakter einer gemeinschaftlichen Norm angenommen. Nach Immanuel Kant (1724 – 1804 ist es ein kategorischer Imperativ. Er liegt vor, wenn eine Handlung im Grunde gut und von Allgemeinheit und Notwendigkeit bestimmt ist.

Der kategorische Imperativ wird von Kant in seiner Grundform wie folgt beschrieben: „Handle so, dass die Maxime deines Willens jederzeit zugleich als Prinzip einer allgemeinen Gesetzgebung gelten könnte." (vgl. in: Kritik der praktischen Vernunft, 1788) In der Grundlegung zur Metaphysik der Sitten (1785) hatte Kant seinen Imperativ so formuliert: „Handle so, als ob die Maxime deiner Handlung durch deinen Willen zum allgemeinen Naturgesetz werden sollte." Und weiter heißt es: „Handle so, dass du die Menschheit sowohl in deiner Person als in der Person eines jeden andern jederzeit zugleich als Zweck, niemals bloß als Mittel brauchst."

Als Maxime wird in Kant's Ethik ein Prinzip des Willens bzw. des Wollens verstanden. Sie sind beabsichtigte Handlungsweisen mit dem Anspruch, über einzelnes Handeln bzw. persönliches Wirken hinauszugehen. Der Wille bzw. das Wollen ist bei Kant an sich schon gut. Er ist das „summum bonum", das höchste Gut unserer Gesinnung, während alle anderen Tugenden gut sein können, es aber ausschließlich nicht sind. Das scheint für die Freundlichkeit und Höflichkeit gleichermaßen zuzutreffen. Sie folgen dem guten Willen des Einzelnen, weil wir Sitte und Anstand „erwarten". Und zugleich steht jeder Einzelne vor der Entscheidung: Folge ich einer allgemeinen Pflicht, weil es eine gesellschaftliche Tugend des guten Miteinander ist, oder ist es mein Wille, das Handeln auf Höflichkeit und Freundlichkeit auszurichten, weil es mir menschlich guttun, anderen Menschen in diesen Tugenden zu begegnen? Ersteres ist von außen fremd bestimmt. Kein Wunder, wenn die Jugend dagegen rebelliert, diesen Werten aus gesellschaftlichem Anstand erwartungsgemäß zu folgen, statt sich von sich aus frei für ein Höflich- und Freundlichsein zu entscheiden.

Selbstredend bedarf es der Erziehung und des Vorbildes für ein derartiges „sittliches" Verhalten. Auch das gehört zum guten gesellschaftlichen Miteinander, Kindern Werte des alltäglichen Lebens anzuerziehen, auch wenn sie in den späteren

Jahren selbst entscheiden, ob sie der elterlichen Erziehung folgen oder sich selbst „umprogrammieren". Sind Freundlichkeit und Höflichkeit „gelernt" und als Imperative verinnerlicht, so heißt das noch lange nicht, dass nach diesen Werten uneingeschränkt gelebt wird. Wir sind höflich und taktlos; wir sind freundlich und abweisend. Wir sind in der Freundlichkeit und Höflichkeit scheinheilig und utilitaristisch. Wir sind dem äußeren Eindruck nach freundlich bzw. höflich zu anderen Menschen – doch innerlich sind wir es nicht. Wir geben diesen Werten die Aura der Scheinheiligkeit. Wir zeigen uns in Freundlichkeit und Höflichkeit, nur um einem persönlichen Interesse zu folgen oder wir trotzen uns jene Tugenden nur um des „lieben Friedens willen" ab. Freundlichkeit und Höflichkeit werden instrumentalisiert, missbraucht für einen persönlichen Vorteil. Sie verlieren so ihren wahren Wert, eine Tugend zu sein. Sie fallen utilitaristischem Denken und Handeln zum Opfer.

Wir erkennen Derartiges und nennen es „Speichelleckerei". Speichellecker sind Menschen, die sich der Tugend annehmen und sich den Anschein der Sitte und des Anstandes geben. Sie sind darauf bedacht, aus diesem Verhalten heraus das Wohlwollen des anderen zu gewinnen, um daraus einen persönlichen Nutzen zu ziehen.

Ist das auch „Speichelleckerei", wenn z. B. in einer Mail zu lesen ist: „Sehr verehrte Frau ...", „Lieber Herr ...", „Hochachtungsvoll" oder „Mit freundlichen Grüßen"? Wir begrüßen einen Menschen und wünschen ihm einen schönen (guten) Tag, obwohl wir ihn lieber „verwünschen" würden. Verkäufer(innen) hofieren mich, indem sie mich 70jährig als jungen Mann bezeichnen.

Was ist das: *höfisch, höflich oder unhöflich*? Als *höfisch* möchte ich jene Freundlichkeit und Höflichkeit bezeichnen, die den gesellschaftlichen Regeln des Anstandes und des allgemeinen Umgangs folgen. Es heißt dann, wenn sie nicht eingehalten werden oder nicht den Erwartungen entsprechen: „Es gehört sich (nicht) so …" oder „Man macht das (nicht) so …". Man könnte sie als zwischenmenschliche Hygienefaktoren beschreiben, wie sie aus der extrinsischen Motivationsbeschreibung bekannt sind. Gemeint ist, dass diese Werte als selbstverständlich erwartet werden. Bleiben sie aus, folgt Kritik über einen fehlenden Anstand. Die Form der Sitte – sei sie noch so förmlich – wurde verletzt und verdient eine Missachtung. Alle wissen, dass es sich um Formalien handelt. Deshalb wird ein derartiges Verhalten kaum als anstößig empfunden oder es wird als unbemerkenswert abgetan.

Schauen wir auf die japanische Umgangskultur, die vergleichsweise zu unserer als übertrieben höflich und vielleicht auch als schwer aushaltbar erscheint, urteilen wir, dass uns diese wahrgenommene Übertriebenheit an Freundlichkeit und Höflichkeit als falsch, verlogen begegnet. Sie ist wahrlich *höfisch* und doch zugleich Ausdruck von zwischenmenschlicher Höflichkeit.

Als *höflich* betrachte ich jenes Verhalten, wenn Freundlichkeit und Höflichkeit im Umgang miteinander authentisch, aus einem inneren wahrhaftigen Gefühl heraus gelebt werden. Alle Förmlichkeit ist diesen Eigenschaften untergeordnet oder ist irrelevant. Kommen sie von Herzen, so wird der eine oder andere Formfehler verziehen. Die Natürlichkeit jener Verhaltenseigenschaften steht über jedem geforderten Anstand, ohne sich außerhalb von ihm zu bewegen.

Unhöfliches Verhalten ist schnell beschrieben. Es ist offenkundig, wenn es neben dem Höfischen und Höflichen steht. Sowohl die Regeln des Anstandes als auch die Authentizität von Freundlichkeit und Höflichkeit werden als verletzt angesehen.

Wer sich unhöflich benimmt, ist nicht zwangsläufig in seinem Verhalten höfisch oder unhöfisch. Unhöflichkeiten sind zwischenmenschliche Taktlosigkeiten, in denen die Formalien der Höflichkeit eingehalten werden. So ist es sicherlich unhöflich, beim Tanzen der Partnerin auf den Schuh zu treten. Höfisch ist, hierfür eine Entschuldigung auszusprechen, Mitgefühl zu zeigen oder ggf. für entschädigenden Ausgleich zu sorgen.

Es ist auch unhöfisches Verhalten möglich, in der Höflichkeit geboten ist. Nach Knigge geht der Mann zum Schutz der Frau zuerst durch die Lokaltür. Macht er es nicht, zeigt er sich unhöfisch. Dennoch kann er im unhöfischen Verhalten höflich sein, indem er der Dame die Tür öffnet, um ihr als Erste Einlass zu gewähren.

Für den Aufklärer und Philosophen Immanuel Kant war die Höflichkeit eine so genannte unverzichtbare Währung für ein gutes zwischenmenschliches Miteinander. Dennoch war ihm bewusst, dass die Höflichkeit auch ihre Schatten- und Scheinseite trägt. Er schreibt: *„Höflichkeit (Politesse) ist ein Schein der Herablassung, der Liebe einflößt. Die Verbeugungen (Complimente) und die ganze höfische Galanterie samt den heißesten Freundschaftsversicherungen mit Worten sind zwar nicht eben immer Wahrheit …, aber sie betrügen darum doch auch nicht, weil ein jeder weiß, wofür er sie nehmen soll, und dann vornehmlich darum, weil diese anfänglich leeren Zeichen des Wohlwollens und der Achtung nach und nach zu wirklichen Gesinnungen dieser Art hinleiten. Alle menschliche Tugend im Verkehr ist Scheidemünze; ein Kind ist der, welcher sie für echtes Gold nimmt. - Es ist doch aber besser, Scheidemünze, als gar kein solches Mittel im Umlauf zu haben, …*

Selbst der Schein des Guten an Anderen muss uns wert sein, weil aus diesem Spiel mit Verstellungen, welche Achtung erwerben, ohne sie vielleicht zu verdienen, endlich wohl Ernst werden kann. - Nur der Schein des Guten in uns selbst muss ohne Verschonen weggewischt und der Schleier, womit die Eigenliebe unsere moralischen Gebrechen verdeckt, abgerissen werden: weil der Schein da betrügt, wo man durch das, was ohne allen moralischen Gehalt ist, die Tilgung seiner Schuld, oder gar in Wegwerfung desselben die Überredung nichts schuldig zu sein sich vorspiegelt z. B. wenn die Bereuung der Übeltaten am Ende des Lebens für wirkliche Besserung, oder vorsätzliche Übertretung als menschliche Schwachheit vorgemalt wird.“ (Der Streit der Fakultäten, 1798, S. 152 f.)

Immanuel Kant plädiert dafür: Lieber eine höfische Höflichkeit, die an Herzlichkeit und Authentizität vermissen lässt, als gar keine. Sie trage die Möglichkeit, sich in eine menschlich anmutende Höflichkeit zu wandeln.

Kein Wert unterliegt einem derartigen ausgeprägten zwischenmenschlichen Schaulaufen wie der der Höflichkeit. Sie gibt sich als Respekt vor dem Schein, ohne den ein zwischenmenschliches Miteinander nicht möglich ist. Insofern steht sie der Aufrichtigkeit gegenüber, die als eine Offenheit oder Aufrichtigkeit des Herzens anzusehen ist. Insofern spricht alles dafür, Höflichkeit als jenes zwischenmenschliche Verhalten anzuerkennen, das auf Kosten von Aufrichtigkeit und Wahrhaftigkeit geht. Die Höflichkeit scheint ihren Gegensatz in sich selbst zu tragen. Ohne Höflichkeit ist der zwischenmenschliche Umgang nicht auszuhalten. Doch welche Höflichkeit ist im Miteinander sinnvoll und hilfreich? Mit welcher Höflichkeit wollen wir uns begegnen? Wir kommen nicht umhin, in die Begrifflichkeit von Höflichkeit ein wenig Ordnung zu bringen, die uns hilft, den Blick auf den höflichen Umgang zu schärfen, um so den moralischen Wert für unseren Alltag besser bestimmen zu können.

Wenn wir davon ausgehen, dass die Höflichkeit eine Tugend des Scheins ist, so möchte ich sie in drei Scheinbildern festhalten:

Sie ist zum einen die Tugend des Wahrens eines wahren Scheins. Das unterstellt, dass wir in unseren zwischenmenschlichen Begegnungen die Scheinwelt des Höflichen brauchen. Dieser wahre oder auch offene Schein des Höflichen ist an Spielregeln gebunden. Mit ihnen wird das Höfliche zu einer höfischen Tugend. Es ist eine *höfische Höflichkeit*. Sie erfüllt ihre Funktion im höfischen (diplomatischen) Regularium. In dieser Eigenschaft ist sie scheinheilig im Sinne des o. g. Höflichen. Sie ist es auch wieder nicht, sondern wahrhaftig, weil alle wissen, dass eine derartige Begegnung eher von höfischem und weniger von höflichem Verhalten bestimmt ist. Das mag in den Augen des einen nicht höflich, keineswegs unhöflich sein, weil sich das Höfliche im Höfischen zeigt. Respekt, Anstand im Sinne des Beherrschens derartiger Umgangsregeln an den jeweiligen Orten der Öffentlichkeit sind maßgeblich. Wenn zusätzlich Freundlichkeit durch Blickkontakt und ein Lächeln hinzukommen, dann hat das Höfische an Höflichkeit sein volles Maß erreicht.

Als Tugend des Höflichen stößt sie jedoch an ihre Grenzen. Die einen werden sagen: Das hat mit Höflichkeit nichts zu tun. Das ist schlechthin ein Einhalten von Regeln des fairen Umgangs. Wir können es auch als Diplomatie bezeichnen. Dieses regulierte Miteinander lasse jegliche Mitmenschlichkeit und Glaubwürdigkeit an Höflichkeit missen. Die anderen sehen die Höflichkeit als dermaßen „dick aufgetragen", dass das Normale an Natürlichkeit im zwischenmenschlichen Umgang verlassen wird. Die höfische Höflichkeit verlasse den Pfad der Tugend. Mehr noch: Eine derartige überzogene Höflichkeit, oft als Speichelleckerei benannt, reguliere nicht, sondern dereguliere bzw. zerstöre das gute Miteinander.

Dem ist entgegenzuhalten: Wenn Höflichkeit der zu wahrende Schein des Höfischen selbst ist, dann ist diese Art von Höflichkeit in ihrer Wahrhaftigkeit anzuerkennen. Wir können in der Höflichkeit drei Seiten ausmachen: Es ist zum einen der Schein der Höflichkeit und die Wahrhaftigkeit des Höfischen. Anders formuliert: Höflichkeit ist das höfische Sein und bewegt sich in einem offenen Schein.

Höflichkeit ist zum anderen auch die Tugend des Wahrens eines scheinbaren Scheins. Es ist die aufgesetzte Höflichkeit, wenn wir uns im Alltag begegnen. Wer sich im alltäglichen Leben eher als ein egoistischer Rüpel zeigt, dem wird es schwerfallen, auf einmal in seinem Verhalten glaubhaft zu sein. Es werden Scheinbilder mit dem Zweck aufgebaut, sich in ein Licht der Höflichkeit und Freundlichkeit zu rücken, um dadurch einen Vorteil zu erlangen. Diese Höflichkeit ist keine regulierte Abmachung als Codex für ein gutes Miteinander. Sie ist einseitig, aufgetragen, um jemand für sich zu gewinnen. Sie auf Dauer abzufordern ist anstrengend. Ihr fehlt jegliche Authentizität und Natürlichkeit. Sie trägt ihr Sein im Schein und wird zum Schein des Seins.

Höflichkeit ist drittens die Tugend des Wahrens eines unwahren Scheins. Es ist jene, die auf Harmonie und Streitvermeidung setzt. Es ist eine Höflichkeit der Wirklichkeitsverzerrung im Zwischenmenschlichen. Es werden Wirklichkeitsbilder erzeugt, die dem Kern der Lebens-situation fremd sind. Diese Art von Höflichkeit, noch dazu mit einer aufgesetzten Freundlichkeit, ist der Boden einer gepflegten Entfremdung. Es wird zwischen den Subjekten eine Höflichkeit verwaltet, obwohl das Wirklichkeitsbild eine ganz andere Sprache, die der Offenheit und Aufklärung spricht. Stattdessen wird über dieses Bild der Mantel des Schweigens oder der Beschönigung gelegt. Wir können hier von einer *unhöflichen Höflichkeit* bzw. von einer Wahrung des verdeckten Scheins sprechen.

Das wirf neue Fragen auf: Ist ein derartiges Verhalten höfisch oder unhöflich? Ist diese Art von Höflichkeit gerechtfertigt, wenn es der „Sache dient" oder „um des lieben Friedens willen"?

Dieser Höflichkeit fehlt es an Wahrhaftigkeit und Freundlichkeit. Sie wahrt den Schein des Guten im Schlechten. Wir wissen, dass das vermeintlich höfliche Verhalten unpassend, falsch, ja verlogen ist. Und trotzdem wird dieses Spiel gespielt. Scheinheiliger kann das Bild vom Schein an Höflichkeit nicht sein. Dieses Zusammenspiel an gegenseitiger Höflichkeit ist der oben erstgenannten ähnlich, nicht gleich. Es ist ein auf Regeln begründetes Spiel, das einem überordneten Wert folgt. Was beide Arten von Höflichkeiten des Scheins trennt, ist das offene Spiel bei der Wahrung des wahren Scheins auf der einen und das verdeckte, falsche Spiel auf der anderen Seite. Während die höfische Höflichkeit aufgrund des offenen Codex sich moralisch rechtfertigen lässt, erscheint mir eine derartige falsche Höflichkeit, die ausschließlich dem Zweck der Streitvermeidung und Wahrung des zwischenmenschlichen Friedens dient, als eher unmoralisch.

Die Überlegung führt uns im Weiteren zur Frage: Ist ein

derartiges zwischenmenschliches Verhalten per se als unmoralisch, falsch zu verurteilen? Wir sollten uns fragen, aus welchem Grunde machen wir das? Es lässt sich m. E. nur erklären mit Werten, die wichtiger scheinen als die Wahrung der Höflichkeit.

Wir haben alle die Erfahrung gemacht, dass wir uns aus Höflichkeit in ein Gespräch nicht einmischen, um nicht als Störfaktor wahrgenommen zu werden. Wir geben in Streitigkeiten nicht selten klein bei, um eine Eskalation zu vermeiden. Wir folgen unserem Gewissen, das uns sagt, dass der Wert des Menschen uns wichtiger ist als einen Streit auszufechten, um Recht bekommen. Wir wollen aus einer Auseinandersetzung nicht als „Sieger" herausgehen, um die Beziehung zum Menschen nicht in Gefahr zu bringen. Dieses Klein-Beigeben ist nicht selten der Tatsache geschuldet, dass in einer konfliktgeschwängerten Situation die Sach- und Beziehungs- bzw. Gefühlsebene kommunikativ nicht getrennt werden. Es ist auch schwierig, das konsequent umzusetzen. Jene, die es können, haben nicht selten ein Training für eine gelingende (konfliktfreie) Kommunikation absolviert. Die Erfolgsregeln einer gelingenden Kommunikation hat Mutter Natur uns nicht mitgegeben, sondern sie müssen gelernt werden. Dann weichen wir auf das uns wichtige Menschliche aus. Der Preis ist jene falsche Höflichkeit.

Angesicht der dargestellten Situation, dass es uns an gelingender Kommunikation fehlt, ist es wiederum höflich, sich im Miteinander auf das Menschliche zu besinnen. Der Respekt vor dem Menschlichen, den anderen nicht verletzen zu wollen, wird über eine bestehende strittige Situation gestellt.

Nachhaltig im Sinne der Klärung ist es nicht. Dem kann auch entgegengehalten werden, dass eine derartige Scheinhöflichkeit respektlos ist. Es werden Scheinwelten oder gar Lügenwelten konstruiert, die zwar kurzfristig, jedoch nicht auf Dauer von Bestand sind. Sie halten nicht, sie zerstören letztlich menschliches Begegnen. Sie erzeugen zwischenmenschliche Verfremdung, die zur Entfremdung führt und damit das Aus einer jeden Begegnung einläutet. Diese Dynamik, einmal in die Gänge gekommen, ist nicht mehr aufhaltbar. Das schein-moralische Schaulaufen kippt in eine mangelhafte zwischenmenschliche Umgangsform um, wenn sie in ihrer Übertriebenheit noch an Lächerlichkeit oder gar Respekt- bzw. Würdelosigkeit gewinnt.

Beschreiben wir die Sein-Schein-Welt der Höflichkeit sowohl in der Struktur als auch in deren Dynamik, so möchte ich gleichermaßen behaupten, dass dieses moralische Schaulaufen als Tugend des Scheins auftritt und das Potenzial in sich trägt, sich zu einer Tugend der wahren Aufrichtigkeit zu entwickeln. Höflichkeit *und* Aufrichtigkeit gehen dann als Paar gemeinsame Wege. Das Schaulaufen der Höflichkeit hört auf. Die Höflichkeit wird zur wahren Tugend (ohne den Schein!), die sich in Achtung und Würde gegenüber dem Menschen zeigt und in ihrem (Entwicklungs-)Höhepunkt, in ihrer höchsten Form in Gestalt von Liebe wiederzufinden ist.

Dieser Entwicklungsweg der Höflichkeit ist gebunden an

Offenheit und Ehrlichkeit im zwischenmenschlichen Miteinander, u. a. verbunden mit der Gegebenheit, aus Höflichkeit dem anderen die Wahrheit zu sagen (oder aus Respekt zu schweigen?). Diese Höflichkeit schließt die Aufrichtigkeit mit ein, was heißt, zu seiner Meinung, zur eigenen inneren Überzeugung zu stehen und ohne Verstellung sie zum Ausdruck zu bringen. Hier sehe ich Höflichkeit in einer neuen Qualität, die die Tugend des Scheins auflöst und die Höflichkeit zur „wahren" Tugend macht, während die Höflichkeit in Gestalt des moralischen Schaulaufens, als Tugend des Scheins, als eine Vorstufe dieser Tugend anzusehen wäre.

Bei aller bisherigen Betrachtung ist die *Freundlichkeit* gegenüber der Höflichkeit ein wenig ins Hintertreffen geraten. Anzumerken ist, dass das, was über die Höflichkeit gesagt wurde, im Großen und Ganzen auch auf die Freundlichkeit zutrifft. Jeder kennt die so genannte Schein-Freundlichkeit, die sich als unhöfliche Freundlichkeit gebärdet. Es ist die gute Miene zum bösen Spiel, wie wir sie bei der Höflichkeit als Tugend des Wahrens eines unwahren Scheins kennengelernt haben.

Wir kennen die unfreundliche Höflichkeit, die zwar dem Codex des wahren Scheins folgt, doch keines Blickes füreinander oder eines Lächelns würdig ist.

Unsere Verantwortung für die Höflichkeit und Freundlichkeit ist ungeteilt. Wir tragen sie allein. Sobald wir im zwischenmenschlichen Kontakt sind und eine Beziehung eingehen, ist sie geteilt. Beide Seiten tragen Verantwortung für die

Beziehung und deren Gestaltung. Sie ist letztlich über die zwischenmenschliche Kommunikation wahrzunehmen. Höflichkeit und Freundlichkeit bilden hierfür den Resonanzboden. Trägt er die Kommunikation, so wirkt dies wieder auf den Resonanzboden zurück. Das bedeutet, dass die gelingende zwischenmenschliche Kommunikation als Resonanzboden für die Höflichkeit und Freundlichkeit wirkt.

Was ist ergänzend zur Freundlichkeit zu sagen? Sie ist wie die Höflichkeit eine Werteigenschaft des zwischenmenschlichen Umgangs. Sie drückt Anerkennung, Respekt, Wohlwollen zu einem anderen Menschen aus. In dieser Beschreibung ist es allzu verständlich, dass sie nicht zwangsläufig mit der Höflichkeit einhergeht. Sie können, müssen aber nicht zusammengehen. Der Zusammenschluss beider fehlt, wenn die Höflichkeit das Bild des Anscheins trägt. Dann liegt es nahe, dass die Freundlichkeit in ein Schein-Bild verfällt. Es fehlen Empathie, Herzlichkeit, emotionale Nähe. Höflichkeit und Freundlichkeit zeigen sich zweckgebunden. Entweder sie folgen einem Regularium oder einer persönlichen Absicht. In beiden Fällen heißt fehlende Freundlichkeit bei gewährter Höflichkeit nicht, dass Ärgernis, Feindseligkeit oder Missgunst im Spiel ist.

Aristoteles (384 – 322 v. Chr.) hat sich über die Freundlichkeit geäußert. Er schreibt in seiner Nikomachischen Ethik, Kap. 7, Abschnitt b über Freundlichkeit: *„Im gesellschaftlichen Verkehr, im Umgang und in der Vereinigung zu Unterhaltung und Geschäft gelten die einen als Allerweltsfreunde; das sind die, die* anderen zuliebe alles für gut befinden, in keinem Punkte Einsprache erheben, sondern meinen, sie müssten denjenigen, mit denen sie zusammentreffen, jede peinliche Empfindung ersparen. Diejenigen, die im geraden Gegensätze zu ihnen in jedem Punkte Widerspruch erheben und sich nicht im mindesten darum kümmern, ob sie anderen auch keinen Verdruss bereiten, nennt man **übellaunig** und **bärbeißig**. Dass nun beide bezeichneten Verhaltungsweisen tadelnswert sind, darüber ist kein Zweifel, und ebenso wenig darüber, dass die Mitte dazwischen das Gebotene wäre, wonach man dasjenige billigt, was zu billigen Pflicht ist, und in der Weise wie es Pflicht ist, und in gleichem Sinne verfährt, wo man etwas missbilligt. Einen besonderen Ausdruck hat man für diese Mitte nicht; nächstverwandt ist sie der **Freundlichkeit**. Denn wer diese mittlere Linie einzuhalten die Fertigkeit besitzt, das ist der, den wir als den ehrlich gesinnten Freund bezeichnen, indem wir nur noch hinzunehmen, dass er uns in seinem Innern freundlich gesinnt ist. Von der Freundes-gesinnung unterscheidet sich seine Art darin, dass bei ihm der Gefühlsaufwand und die liebevolle Zuneigung für die Genossen keine Rolle spielt. Denn nicht aus Zuneigung oder Abneigung verhält er sich zu allen Einzelheiten in der gebührenden Weise, sondern auf Grund seiner Charakterbestimmtheit. Er wird ganz das gleiche Verfahren Unbekannten wie Bekannten, Vertrauten wie Fremden gegenüber innehalten, und nur in jedem einzelnen Falle sich danach richten, wie es sachlich angemessen ist. Denn allerdings ist die Verpflichtung, Rücksichten zu nehmen und niemand Verdruss zu bereiten, fremden Menschen gegenüber nicht ganz dieselbe wie eng vertrauten Menschen gegenüber.

Wir haben im allgemeinen bemerkt, dass ein so gesinnter Mann im Umgang sich benehmen wird wie man sich benehmen soll, und dass er, indem er immer das sittlich Gebotene und das Ersprießliche im Auge behält, darauf abzielen wird, keine peinlichen, sondern vielmehr erfreuliche Empfindungen wachzurufen. Denn im Grunde handelt es sich dabei immer um die angenehmen und verdrießlichen Empfindungen, wie sie im geselligen Umgang sich ergeben. Wenn sich ihm das Streben, einen angenehmen Eindruck hervorzurufen, als unsittlich oder schädlich erweist, so wird er es unterdrücken und sich nicht scheuen, auch unangenehme Empfindungen ausdrücklich zu erregen. Und so wird er die Handlung eines anderen, die Bedenken, und nicht geringes Bedenken, erregt oder gar Schaden einträgt, während der eingelegte Widerspruch doch nur eine geringe Verdrießlichkeit hervorruft, nicht billigen, sondern seiner Missbilligung offenen Ausdruck verleihen. Im Umgang wird er zwischen hochgestellten und gewöhnlichen Leuten, zwischen näheren und entfernteren Bekannten wohl zu unterscheiden wissen und ebenso die sonstigen Verschiedenheiten beachten. Er wird jeder Klasse von Menschen das erweisen, was ihr gebührt, und während er es an sich vorziehen möchte, mit den anderen sich mitzufreuen, und sich lieber davor hüten möchte Verdruss zu erregen, wird er doch die Folgen, wenn sie irgend schwerer ins Gewicht fallen, ins Auge fassen, / ich denke dabei an das sittlich Gebotene und das Ersprießliche, / und um einer erfreulichen Folge willen, die sich weiterhin als eine beträchtliche erweisen möchte, wird er eine kleine Verdrießlichkeit zu erregen kein Bedenken tragen.

So benimmt sich der, der die rechte Mitte innehält; einen Ausdruck *um ihn zu bezeichnen gibt es nicht. Von denen, die sich nur immer beliebt machen wollen, heißt derjenige, der nur darauf zielt sich angenehm zu erweisen, ohne dass ihn ein fremdartiges Motiv triebe, ein **gefälliger** Mensch; wer es tut um einen Vorteil zu erlangen wie Geld und Geldeswert, ein **Schmeichler**; dagegen wem nichts recht zu machen ist und wer alles übel nimmt, den haben wir schon als den übellaunigen und bärbeißigen Menschen bezeichnet. Da es aber für das mittlere Verhalten keinen eigenen Ausdruck gibt, so stellt sich der Gegensatz als der zwischen den beiden Extremen dar."* (www.zeno.org/Philosophie/M/Aristoteles/Nikomachische Ethik/ Freundlichkeit)

Das aristotelische Konzept seiner Wertbestimmungen in der Nikomachischen Ethik ist, das Maß und die Mitte zu suchen und sie auch im Wert der Freundlichkeit zu finden. Freundlichkeit in der Mitte heißt, den Extremen auszuweichen – weder ein gefälliger, selbstloser Mensch noch ein Schmeichler zu sein. Es gibt Menschen, die, wie oben von Aristoteles erwähnt, sich in der Rolle als „Allerweltsfreund" sehen und andere „übellaunig und bärbeißig" daherkommen. Weder das eine noch das andere sei gewollt, doch die begriffliche Mitte findet Aristoteles nicht und „erfindet" hierfür den Begriff der Freundlichkeit, den er zwischen die o. g. Extreme setzt.

Der, wer es in die Mitte schafft, wem es gelingt, weg von den beiden Polen zu bleiben, ist ein ehrlich gesinnter Freund. Aristoteles bindet die Freundlichkeit an die menschliche Gesinnung, die von innen, also von Herzen kommt. Das unterscheidet die Freundlichkeit von der Höflichkeit. Während Höflichkeit sich frei von der Gesinnung zeigen kann, d. h. eine Frage der selbst gesetzten Einstellung ist, der man folgt, und sich als ein „Handwerkszeug" des Umgangs zeigt, so ist Freundlichkeit eine Frage des Charakters eines Menschen.

Aristoteles macht zugleich darauf aufmerksam, dass Freundlichkeit unterschiedlich an die Frau bzw. an den Mann gebracht wird, obwohl er zwischen Unbekannten und Bekannten, Freunden und Vertrauten hinsichtlich der Freundlichkeit keinen Unterschied macht. Als Ausnahme lässt er zu, eng Vertrauten mehr Freundlichkeit zu zeigen: „Denn allerdings ist die Verpflichtung, Rücksichten zu nehmen und niemand Verdruss zu bereiten, fremden Menschen gegenüber nicht ganz dieselbe wie eng vertrauten Menschen gegenüber." (ebenda)

Ziel aller Freundlichkeit ist, ganz im Sinne von Jonathan Swift, Freundlichkeit zu verbreiten. Es geht darum, den zwischenmenschlichen Begegnungen eine freundliche Umgebung durch Freundlichkeit zu schenken. Mit Blickkontakt und einem Lächeln ist der Anfang gemacht. Sie sind der Resonanzboden einer mit Freundlichkeit geschwängerten zwischenmenschlichen Beziehung. Ein Lächeln kommt zurück. Ist es ehrlich gemeint, spricht es mit eigener Stimme. Ist das Lächeln getäuscht und künstlich, wirkt es befremdlich zurück. Die Beziehungssituation ist in dieser Begegnung gestört.

Kein Wert zwischenmenschlicher Beziehung unterliegt derart einer theatralischen Inszenierung wie der der Freundlichkeit und Höflichkeit. Das hat sich seit Aristoteles nicht verändert. Dennoch können wir davon ausgehen, dass Höflichkeit und Freundlichkeit im Wesenskern nach wie vor ihren Bestand haben, auch wenn sie sich gewandelt haben. Und das Bild an Höflichkeit und Freundlichkeit hat sich verändert.

Ist es ein Wandel zum Besseren im Sinne von menschlicher Solidarität und wachsender Vertrautheit? Sind es andere Verhaltensweisen, die den Alltag an Höflichkeiten und Freundlichkeiten bestimmen?

Es gibt überkommene, verstaubte Höflichkeiten, die ich noch aus meiner Kinderzeit kenne: Mädchen machten einen „Knicks", Jungs einen „Diener". Wer macht das heute schon? Wenn uns derartiges Verhalten begegnet, dann sind es eher die Royals, die von ihren „Untertanen" diese Form der Begrüßung erwarten. Dass ein junger Mensch für einen älteren Platz macht, ist eher die Ausnahme. Stattdessen werden Beziehungen per SMS oder WatsApp beendet. Die Begrüßungen untereinander haben sich gewandelt. Der förmliche Händedruck wurde vielfach durch Umarmung und Bussi abgelöst. Es gibt gewandelte Gesten des Händedrucks, den wir bei Sportlern sehen, wie wir ihn bei einem Armdrücken kennen. Jungs begegnen sich als Ausdruck des gegenseitigen Respektes einer erbrachten Leistung mit einander stoßenden Fäusten. Die Beispiele ließen sich fortsetzen.

Am besten zentriert sich Höflichkeit und Freundlichkeit über den *Respekt*. Er bildet so etwas wie eine Klammer. Wer höflich und freundlich einem anderen Menschen gegenübertritt, zeigt sich ihm mit Respekt. Respekt (lat. respectus) steht für Rücksichtnahme, Berücksichtigung oder auch als Anerkennung, Wertschätzung, Aufmerksamkeit, Ehrerbietung bis hin zu Demut oder Ehrfurcht vor etwas. Der Respekt-Begriff ist ein Beziehungsbegriff, der die Qualität (Eigenschaft) einer menschlichen Beziehung (zwischen zwei Personen oder Personengruppen) charakterisiert. (Ich schließe nicht aus, dass es auch Sinn macht, sich selbst mit Respekt zu begegnen. Auch dann hat der Begriff des Respektes eine Bezogenheit, die zu sich selbst. Für die weiterführende Betrachtung hat diese Herausstellung jedoch keine Bedeutung und kann vernachlässigt werden.)

Werden dem Respektbegriff auch die Merkmale der Achtsamkeit i. S. einer Vorsicht, der Achtung i. S. der Wahrung der Unversehrtheit unterstellt, dann ist dieser durchaus ausweitbar auf die Beziehung zwischen Mensch und Tier bzw. Mensch und Gegenständen. Bei den beiden letzten Beziehungen geht die Wertbestimmung vom Menschen und nicht vom Tier oder von einem Gegenstand aus. Vom Menschen allein wird ein respektvoller Umgang erwartet. In diesem Kontext wäre durchaus die Frage diskutierbar, ob Tiere ebenso wie Menschen sich gegenseitig Respekt zollen können. Bei einer positiven Antwort schließt sich die Frage an, ob Tiere auch über eine Moral wie die Menschen verfügen. Diese Frage wurde bereits oben andiskutiert. Sie erweitert sich, sofern unterstellt wird, dass „Respekt" ein Begriff der Ethik ist, und mit ihm ein Zugang zur Tierethik verfolgt werden kann. Diesem

Gedanken nachzugehen möchte ich dem Leser und der Leserin überlassen. Der Focus ist hier auf den menschlichen Wertewandel von Höflichkeit und Freundlichkeit mit Blick auf Respekt gelegt.

Bis in die 60er Jahre des vergangenen Jahrhunderts waren Gesellschaft, Familie und Partnerschaften stark patriarchalisch und paternalistisch ausgerichtet. Der Respekt war darin involviert. Er war von „unten" nach „oben" und weniger umgekehrt ausgerichtet. Mit den 68ern sollte sich das verändern. Eine Lebenskultur zog ein, die das Patriarchat und Paternat hinter sich ließ. Es war die Zeit der Befreiung. Freizügigkeit, Laizzes fair, Selbstbestimmung zogen ein. Die Persönlichkeit des Einzelnen und deren Wert erhielten zunehmend an Gewicht. Das ICH war das Zentrum, um das sich alles bewegte. Damit war das „Gegengewicht" hergestellt. Das Ego ist es, die persönlichen Interessen und Bedürfnisse wurden zum Lebensmittelpunkt. Die Achtung der Eltern und der älteren Menschen – nicht selten auch die der Vorgesetzten – gerieten ins Hintertreffen.

Doch wie so oft löst eine Gegenbewegung die althergekommene ab, indem sie in die Gegenrichtung auspendelt. In den 90er Jahren erhielt sie noch einmal mit dem Aufkommen der Handys und Smartphones einen weiteren Drall. Das Ego der Eltern (Helikopter-Eltern) blockiert die Entwicklung der Kinder. Selfies werden ohne Ende gepostet. Eitelkeit und Selbstbezogenheit, Selbst-gefälligkeit und Rücksichtslosigkeit stehen auf der Tages-ordnung zwischenmenschlicher Begegnungen.

Der Respekt vor der „Staatsmacht" ist vollends verlorengegangen. Schüler beschimpfen sich und die Lehrer. Demonstranten pöbeln Polizisten an. Polizisten gehen gegen Demonstranten nicht selten mit unverhältnismäßiger Härte vor.

Respekt ist mehr denn je in unserer heutigen modernen Welt abhandengekommen. Ist das ein Ausdruck des Verfalls tradierter Werte an Höflichkeit und Freundlichkeit? Gemeint ist nicht, den patriarchalisch und paternalistisch geprägten Respekt wiederzubeleben, sondern ihm neue, menschenachtende, wertschätzende Akzente zu geben. Die Würde des Menschen zeigt sich auch im gegenseitigen Respektieren durch Freundlichkeit und Höflichkeit.

Respektlosigkeit steht für Missachtung von Interessen, Bedürfnissen oder Wünschen des anderen. Sie steht für Verachtung i. S. eines unwürdigen Verhaltens gegenüber einem Menschen. Menschenverachtende Respektlosigkeit zeigt sich heute im Rechtspopulismus und in Fremdenfeindlichkeit. Haben wir es zunehmend mit einer „Verrohung" der Gesellschaft zu tun, in der Respekt, einschließlich Höflichkeit und Freundlichkeit, keinen Platz mehr finden?

Der Sinn, das Prinzip der Anerkennung und menschlichen Wertschätzung in unserem Leben wirksam werden zu lassen, ist Anspruch und sollte zur gewollten Lebenswirklichkeit gehören.

Stellen wir uns vor, unser Umgang im Miteinander ist von

gegenseitiger Anerkennung und Wertschätzung getragen. Ist unter diesen Bedingungen unser zwischenmenschliches Dasein besser, erträglicher, menschenfreundlicher? Es gibt Zweifel, das anzunehmen. Axel Honneth, ein Sozialphilosoph unserer Gegenwart meint, sich auf Hegel beziehend, „dass solche Akte der wechselseitigen Anerkennung immer dann den sozialen Zündstoff zu sozialen Konflikten liefern, wenn die beteiligten Subjekte (Menschen oder Menschgruppen – der Verf.) aufgrund der gesellschaftlichen Wertordnung normativ unterschiedlich gewichtete Eigenschaften zugewiesen werden." (vgl. Kampf um Anerkennung, Suhrkamp 2010; sh. auch Anerkennung – Eine europäische Ideengeschichte, Suhrkamp, 2018) Anders formuliert: Menschen, die einen unterschiedlicher Platz in der Gesellschaft haben, tun sich schwer, sich wechselseitig Respekt zu zollen. Die Pegida-Bewegung oder der menschenverachtende Umgang mit Flüchtlingen macht dies deutlich. Menschen gleicher Statusgruppen bringen untereinander eher Respekt zum Ausdruck als jene unterschiedlicher sozialer Gruppen.

Heißt das: Je weiter diese Gruppen in ihren Werten auseinanderstehen, desto weniger Respekt, Freundlichkeit und Höflichkeit ist bei ihnen angesagt? Gibt es derartige Werte nur unter sozial Gleichgesinnten? Tun sie das, um dem anderen etwas Gutes zu schenken; oder machen sie das, um sich selbst etwas Gutes zu tun? Wenn das Respektzollen einen primären Selbstbezug hat, dann ist das gegenseitige Respektieren ein Mittel zum Zweck und nicht der Zweck selbst. Das bedeutet:

Ich gebe Anerkennung und Wertschätzung, um genau auch das von anderen zum eigenen Wohlsein zu erhalten.

Wenn das stimmt – aus welchem Grunde gibt es dennoch den „Rüpel", der sich über Freundlichkeit und Höflichkeit hinwegsetzt? Braucht ein derartiger Mensch keinen Respekt?

Mir scheint eher die Erklärung nachvollziehbar zu sein, den anderen in seiner Würde zu verletzen, ihm respektlos zu begegnen, weil es in der eigenen Selbst-Respektlosigkeit begründet ist. Das heißt: Ich verachte mich – also verachte ich mit mir auch die anderen.

Das digitale Netz ist hierfür ein idealer Nährboden, in der Anonymität über Menschen verachtend herzuziehen und dabei selbst verschont zu bleiben, weil „Gegenangriffe" vielfach ins Nichts verlaufen. Jene, die das machen, wissen nicht, dass sie sich selbst geringschätzen. Sie übertragen ihre eigene Verachtung auf andere, um sich von der Selbstverachtung zu befreien. Stattdessen nähren sie sie nur. Fehlt diesen Menschen der Instinkt für das Menschliche, für das Gute im Miteinander?

Martin Hecht meint: „Der respektvolle Umgang ist ... allgemein auf dem Rückzug." (sh. Psychologie heute, H. 7/2015, S. 64 ff.) Der Freiheitsgewinn sei ein Respektkiller (a.a.O., S. 67) und der behutsame Umgang mit unserer Lebenszeit – privat wie am Arbeitsplatz –, der Trend zur Lebensbeschleunigung und Digitalisierung unserer Lebenswelt, mache uns in dieser verloren, weil die echten, menschlichen Begegnungen immer mehr ausbleiben. (a.a.O., S. 66)

Respekt, mit ihm Freundlichkeit und Höflichkeit laufen Gefahr, zukünftig zu den aussterbenden Tugenden zu gehören. Sie wandeln sich zu überlebten Tugenden, die nicht mehr in diese moderne Welt der Schnelllebigkeit, Digitalisierung und gewachsenen Komplexität hineinpassen. Richard Sennett plädiert dafür, dass man anerkennen sollte, „dass man nicht alles am anderen verstehen kann" und die zwischenmenschliche Beziehung auf diese Weise einen Moment der Achtung und Gleichheit erhält. (vgl. Psychologie heute 9/2008, S. 24)

Brauchen wir in der heutigen Lebenswelt einen neu zu entwickelnden Respekt, um uns in der gegenwärtigen Lebenswelt vor der Respektlosigkeit im zwischen-menschlichen Umgang zu schützen? Die Tugend des Respektes, der Achtsamkeit gegenüber anderen und zu sich selbst wird nur dann ihre Wirkung erzielen, wenn wir der Respektlosigkeit mit Respektlosigkeit begegnen. Sie heißt Intoleranz gegenüber jenen, die vergessen haben, dass die Würde des Menschen unantastbar ist. In diese Würde des Menschen schließe ich die diskutierten Werte mit ein.

Zum Menschen gehören Irrtum und
Schuld und dass sein Leben gleichsam
einer Pyramide verläuft, aufsteigend
und sich stetig verengend: Sichtbar
bleiben vergangener Irrtum und
vergangene Schuld. Neuem Irrtum und
neuer Schuld kommen immer weniger
Raum und immer weniger Schwere zu.

Georg Christoph Lichtenberg (1742 – 1799)

Begegnung mit der Schuld · Entschuldigen, Verzeihen, Versöhnen, Vergeben

Unser Alltag ist gefüllt mit Entscheidungen und Handlungen. Die gewachsene Komplexität unserer Lebenswirklichkeit macht es uns nicht leicht, immer die richtigen zu treffen und sie fehlerfrei umzusetzen. Nicht selten wird unser Denken und Handeln von Versuch und Irrtum, richtig und falsch, begleitet. Dabei entstehen Entscheidungen und mit ihr Handlungen, von denen wir oft erst hinterher wissen, ob sie unseren Absichten entsprachen. Solange sie zum eigenen Nachteil sind, haben wir die Folgen selbst zu tragen. Wir bestrafen uns mit dem Zuspruch: Selbst schuld! Treffen wir Entscheidungen mit negativer Wirkung für andere – seien es materielle Nachteile oder zugefügte seelische Verletzungen –, dann geraten wir schnell in eine gefühlte und selbst zugewiesene *Schuld* gegenüber anderen.

Wir sehen uns in einer *Schuld-Beziehung.* Sie ist Ausdruck einer Selbst- oder zwischenmenschlichen *Be*fremdung.

Eine Begegnung mit der Schuld kann emotionsgeladener

nicht sein. Sie trifft das Menschliche in voller Tiefe. Sie begleitet den Menschen immer wieder neu und das ein Leben lang: Sie offenbart? und beschämt uns. Die Wirkung kann nicht unangenehmer sein.

Die Schuld-Begegnung zeigt einen Moment der Verstummung und hat zugleich die Kraft, sich selbst über das Entschuldigen, Verzeihen, Versöhnen oder Vergeben aufzulösen. Sie drängt nach *Ent*fremdung.

Doch was heißt Schuld? Was bedeutet es, in einer Schuld-Beziehung zu sein? Kaum ein anderer Begriff wie der der Schuld ist so emotional präsent. „Schulden machen" und „Schulden begleichen", „Schuld haben" und „sich von Schuld befreien", „bei jemandem in der Schuld stehen" und „jemandem einen Dank schulden" sind Worte, wie wir sie aus unseren alltäglichen Begegnungen kennen. Wir hören und sagen: „Du bist schuld daran, dass …" oder „Das Wetter ist in allem schuld, dass wir …". Schuld steht für materielle bzw. monetäre Verbindlichkeit. Der Vorwurf einer Schuld ist bei einer Fehlentscheidung bzw. einem Fehlverhalten schnell ausgesprochen.

Eine Schuld *wird* durch Selbst- oder Fremdzuweisung. Mit ihr baut sich Spannungsgeladenes auf. Sie drückt Defizitäres aus, das nach einem Ausgleich, dem *Ent*schulden, drängt.

Der moralische Mensch. Wir Menschen leben mit unserem Denken und Verhalten mit Werten. Sie sind ständig, wenn auch uns nicht immer bewusst, präsent. Die Tugenden bestimmen unsere Haltung und unser Verhalten. Sie begleiten uns das ganze Leben, geprägt durch Elternhaus und Schule, Politik und Gesellschaft. Sie sind die Leitgeber für den zwischenmenschlichen Umgang und die Begegnungen in unserer Lebenswelt. Dazu gehören Pünktlichkeit und Zuverlässigkeit, Freundschaft und Liebe ebenso wie Solidarität, Freiheit, Verantwortung, Würde und Selbstbestimmtheit.

Die Moral-, einschließlich die Rechtsphilosophie greift den Schuldbegriff dezidiert auf. Immanuel Kant (1724 – 1804) hat hierzu ideengeschichtlich einen wichtigen Beitrag geleistet. In seiner Kritik der praktischen Vernunft, Kapital 7, § 7, formuliert er einen seiner grundlegenden Leitsätze in Form eines kategorischen Imperativs, der da lautet: „Handle so, dass die Maxime deines Willens jederzeit als Prinzip einer allgemeinen Gesetzgebung gelten könne."

Es sind keine rechtsstaatlichen, straf- oder zivilrechtlichen Gesetze, die hier angesprochen werden, sondern Gesetze der Moral und Sitte, Regeln, die sich außerhalb derartiger Gesetzlichkeit bewegen und das zwischenmenschliche Miteinander tragen. Für I. Kant ist der gute Wille, die Absicht, Gutes zu tun, von menschlichem Wert: „Der gute Wille ist allein durch das Wollen gut." Doch gibt es eine Plicht zum guten Willen? Für „Pflicht" möchte ich hier „Verantwortung" setzen, auf die ich nachfolgend eingehe.

Einen moralphilosophischen Diskurs über Schuld anzuzetteln, liegt mit fern. Vielmehr ist mein Anliegen, das Entschuldigen, Verzeihen, Versöhnen und Vergeben differenziert zu beschreiben. Es lohnt sich, dem Verständnis jener *„Entfrem-*

dungen" näher zu kommen und einem alltagssprachlichen Phänomen nachzugehen, das sich darin äußert, dass Menschen *sich* entschuldigen, wenn sie aufgrund von Verletzung anderer Schuld auf sich geladen haben.

Das führt mich dazu, sich die Struktur einer Schuld-Beziehung etwas genauer anzusehen, um herauszufinden, wer Schuld trägt und wer ein Recht auf eine *Ent*schuldigung hat.

Zur Anatomie von Schuld. Wie schnell findet in unserem Alltag das Wort „Schuld" seine Verwendung. Wie schnell wird eigene Schuld-Last auf andere oder auf anderes abgelegt, um sich von eigener (tatsächlicher wie geglaubter) Schuld zu befreien, weil sie menschlich gesehen schwer auszuhalten ist. Wir müssen akzeptieren, dass das auch den Menschen in seinem Wesen und Verhalten ausmacht. Der Mensch ist im Kern zutiefst moralisch geprägt: Er lebt mit und in Schuld, selbst- und fremdbezogen. Zugleich ist sein Bemühen, sich von dieser Schuld durch Anerkennung, Klärung, Verdrängung, Zuweisung zu lösen.

Schuld scheint das menschliche Harmoniebedürfnis zu (zer)stören. Sie zu vermeiden oder ihr aus dem Wege zu gehen, läuft jedoch oft fehl. Wir kommen in Lebenssituationen, die uns oft ungewollt zum Schuldner machen. Mit unseren zwischenmenschlichen Begegnungen, die für unser Sein lebensnotwendig sind, produzieren wir oft ungewollte Schuldsituationen. Doch die Ursache dafür sind nicht die Begegnungen. Es ist auch nicht das Treffen einer vermeintlich falschen

Entscheidung oder ein der Gegebenheit unangemessenes Handeln. Sie bilden den Nährboden für eine Schuldsituation; sie sind es aber selbst nicht.

Der Grund für ein Schuld-Entstehen ist meines Erachtens nicht im Akt des Denkens, Entscheidens und Handelns selbst zu suchen. Eine Schuld konfiguriert sich unter folgenden Bedingungen: *Erstens.* Es bedarf einer Handlung, etwas zu denken, zu entscheiden bzw. zu tun. Sie ist notwendig, jedoch nicht hinreichend für Schuld. *Zweitens.* Es braucht einen Bezug zum Menschen oder einem Sachverhalt. Es muss eine Beziehung im Sinne einer Begegnung stattfinden. *Drittens.* Dieses auf die Beziehung ausgerichtete Handeln und das daraus Folgende werden einer Bewertung unterzogen, woraus eine Umgangs*weise* zwischen den Beziehungspartnern entsteht. *Viertens.* Es braucht den moralischen Rahmen, den man im Sinne eines (ungeschriebenen) Gesetzes als Verhaltenskodex fixieren kann.

Und abschließend nachgefragt: Ist eine Anerkennung von Schuld notwendig, damit der Akt der *Ent*schuldigung stattfinden kann?

Schuldzuweisungen stehen in einem höchst moralischen Kontext. Das wird offenkundig, wenn Fehlverhalten mit Schuldverhalten gleichgesetzt wird. Dann heißt es: „Du bist schuld, weil du ..." oder „Das war mein Fehler, ich bin schuld...". Aus welchem Grunde werden Fehleinschätzungen, -entscheidungen und derartiges -verhalten mit Schuld unterlegt? Einen Fehler machen heißt hier: Schuld auf sich geladen zu haben. Oder: Wer einen Fehler macht, hat schuld. Dieses Denken ist derart stark in unserem alltäglichen Leben verankert, dass es zugleich angstbesetzt ist, und wir Menschen dazu neigen, uns von all` dem abzuwenden.

Ein eingestandener Fehler wird zwangsläufig zu einem Schuldeingeständnis. Ein Fehler-Vorwurf wird zu einem Schuld-Vorwurf. Kein Wunder, dass Menschen mit einem schwachen Selbstwert alles daran setzen, Fehler zu vermeiden, zu vertuschen, kleinzureden oder von sich zu weisen, um den verbliebenen Rest an Selbstwert zu schützen. (sh. Hans-Jürgen Stöhr, Scheitern im Grenzgang, Romeon Verlag, Kaarst 2017, S. 159 ff.)

Entscheidungen und Handlungen werden oft die gebührende Sachlichkeit und Neutralität als Ausdruck menschlichen Tuns genommen. Ihnen werden moralgetränkte Werte unterstellt, wo es fragwürdig ist und zugleich wenig Sinn macht, ihnen a priori einen Wert der Be- oder gar Verurteilung zu hinterlegen. Absichten und Ziele werden moralisiert. Das erachte ich als problematisch, weil so jedes Denken, Entscheiden und Handeln schnell zu einem moralischen Zeugnis wird, ohne dass von einer Schuldsituation gesprochen werden kann. Ein moralischer, schuldbezogener Kontext wird konstruiert, obwohl keiner gegeben ist.

Dennoch bleibt bestehen: Schuld ist etwas, was aus einer zwischenmenschlichen Beziehung hervortritt, und zwar immer dann, wenn Regeln der guten Sitten verletzt werden. Dieses moralische Schuldverständnis ist an Umgangsregeln gebunden, die über Generationen hinweg im Sinne eines gewollten und guten Miteinander entstanden und nicht eingehalten werden.

Diese Schuld ist das Verbindungsstück zwischen Schuld im Rahmen einer Rechtsverletzung, die zu einer Maßregelung bzw. Bestrafung führt, und zu einer Schuld, die das menschliche Gewissen anspricht. Die letztgenannte Schuld ist eine vom Menschen außerhalb von „Recht und Gesetz" nicht verordnete, sondern eine selbstauferlegte Schuld, die durch Sitte und Moral, Recht und Gesetz mit beeinflusst werden kann, aber nicht muss.

Schuld ist nicht, Schuld *wird*. Sie ist das Resultat einer „Beziehungstat" im Rahmen einer Handlung mit einem daraus tatsächlich entstandenen bzw. subjektiv wahrgenommenen Nachteil für den, der ihn zu *er*tragen hat. Gemeint sind materielle oder Zeitverluste, körperliche Verletzungen, Beschuldigungen, Anfeindungen, Kränkungen, Lügen usw. Insofern ist die *Schuld* ein Begriff, der die Beziehung zwischen Schuldner und Schuldigem zum Ausdruck bringt. Ist Schuld offenkundig, begegnen sich immer beide in einer mehr oder weniger befremdlichen Situation. Sie ist der Resonanzboden, auf dem die Subjekte in ihren unterschiedlichen, gar gegensätzlichen Rollen stehen und mit eigener Sprache sprechen.

Doch wer ist wer? Hinsichtlich einer Rechtsprechung vor einem Gericht ist die Beziehung eindeutig bestimmt. Der Rechtsverletzer ist per Gesetz der Beschuldigte und ggf. nach einem Urteil der Schuldige. Er hat Schuld auf sich geladen, die bei einer Verurteilung abzuleisten ist. Der anderen Seite ist Unrecht widerfahren, der mit einer Verurteilung zu ihrem Recht verholfen wird. Die Verurteilung ist der Einstieg in eine zu leistende Wiedergutmachung. Die Schuldsituation ist rechtlich, doch kaum menschlich aufzulösen. Das Geschehnis lebt im Menschen verinnerlicht in der Vergangenheit weiter. Begebenheit und Begegnung sind gedanklich stets abrufbar.

Worum es hier geht, ist, eine Schuld-Anatomie zu verdeutlichen, die keineswegs in unserem Alltagsverständnis geläufig zu sein scheint. Und das in dreierlei Hinsicht. *Zum einen* stellt sich die Frage, wer im Falle eines Schuldbekenntnisses eine *Ent*schuldigung wie und mit welcher Botschaft ausspricht. *Zum anderen* werden von Menschen Schuldbekenntnisse formuliert, die sich außerhalb jeglicher Schuld bewegen. Und *drittens* ist festzustellen, dass Schuldzuweisungen Gang und Gebe sind, die sich außerhalb jeglicher menschlicher Beziehung und Sitte bewegen. Mit Letzterem ist z. B. gemeint, dass Menschen auch Umständen (Situationen, Gegebenheiten) eine Schuld zuweisen bzw. in ihnen eine Schuld für eigenes unangemessenes oder gar fehlerhaftes Verhalten sehen. So war in einer Tageszeitung in Norddeutschland vom 16./17. 12. 2017 zu lesen: „Bäderkönig stirbt bei Flugzeugabsturz Unglück mit Kleinflugzeug forderte drei Tote – möglicherweise war das Wetter schuld". Oder es wird in Medien kommentiert, dass die geringen Ernten an Mais, Kartoffeln und Rüben den schlechten Witterungsbedingungen *geschuldet* sind. Oder ein Angestellter versucht sich gegenüber seinem Vorgesetzten damit herauszureden, dass die Baustellen auf den Straßen schuld daran seien, die Aufgabe nicht zeitnah erledigen zu können.

Viele weitere Beispiele ließen sich auflisten. Hier wird „Schuld" auch außerhalb des Menschen angesiedelt. Das macht keinen Sinn, solange „Schuld" in einem moralischen und damit menschlichen Kontext gebraucht wird und m. E. auch sinnvollerweise zu gebrauchen ist.

Schuld ist das Ergebnis einer *menschlichen* Beziehungstat, ein Modus zwischenmenschlicher Beziehung und Begegnung.

Sollen das schlechte Wetter oder die Straßenverhältnisse moralisch verurteilt werden? Ist dieses Wetter oder die Straße ein Tatbestand oder gar Subjekt moralischen Fehlverhaltens? Wohl kaum. Es ist eine Art des Sich-Freikaufens von Schuld, indem der Mensch sich von ihr befreien will, weil er seine Fehleinschätzung bzw. sein Fehlverhalten nicht ertragen kann (oder will) und einem außerhalb von ihm bestehenden Lebensumstand, hier dem Wetter (oder der Straße) die Schuld für seine eigene Unzulänglichkeit zuweist. Das ist menschlich und zugleich befreiend, so unkorrekt diese Schuldumstände auch selbst sind.

Eine Ursache-Wirkungs-Bedingung, die in Verbindung mit dem Menschen negative Folgen hat, wird von ihm als eine Schuldsituation konstituiert. Ursache (Wirkung) und Schuld werden auf eine gleiche Denk- und Beziehungsstufe gestellt. Eine Ursache-Wirkungsbeziehung wird auf das Niveau einer moralisch determinierten Schuldbeziehung gehoben.

Der moralische Wert Schuld findet m. E. im alltäglichen Leben eine missbräuchliche Verwendung. Es ist nichts anderes als die Feigheit des Eingestehens einer Handlung *aufgrund* eines unangemessenen Verhaltens, was der Mensch und nicht das Wetter oder die Straße oder ein anderes außermenschliches Ereignis *allein* zu verantworten hat.

Nicht anders stellt sich in diesem Punkt die so genannte Schuld-Frage, wenn zwei ein Treffen zu einer gemeinsam festgelegten Uhrzeit vereinbarten. Der eine muss auf den anderen warten, weil die vereinbarte Zeit für das Treffen überschritten ist. Der Wartende baut mit jeder weiteren Minute (s)eine negative emotionale Erregung auf. Der Zuspätkommende wird beim Treffen mit aufgestautem Ärger überschüttet. Der Frustrierte begegnet dem Spätankömmling mit Vorwürfen und beschuldigt ihn als Verursacher der nun bei ihm entstandenen schlechten Laune.

Wer trägt die „Schuld" für diese Missstimmung: jener, der zu spät gekommen ist oder vielleicht der Pünktliche? Wie schnell sind wir als Wartende im Urteil, dem anderen die Schuld für die durch diesen Umstand bei uns entstandene schlechte Laune zu geben, obwohl die Quelle und damit Ursache für dieses Stimmungstief grundsätzlich bei uns selbst und nicht bei dem anderen zu suchen ist.

Der Grund liegt einzig und allein in der in uns wohnenden Wertelandschaft, in der hier der Wert Pünktlichkeit seinen Platz hat. Immer dann, wenn unsere Werte durch Umstände oder Verhaltensweisen anderer angegriffen und damit in Frage gestellt werden, reagieren wir verstört, ärgerlich oder gar wütend. Statt die Quelle des Unmutes bei uns selbst zu lokalisieren, greifen wir in die Schuld-Kiste und machen andere für unser negatives Gefühl verantwortlich.

Schuldzuweisungen bestimmen unseren Alltag. Es sind vielfach zwischenmenschliche Be- bzw. Anschuldigungen. Doch sie vergiften unsere Beziehungen, machen menschliche Begegnungen schwierig oder gar unerträglich, weil Schuld nach außen auf andere transportiert wird statt sie bei sich zu verorten, wo sie ihren Ursprung und Grund hat. Das ist der Boden, in Selbstreflexion und Resonanz, mit eigener Stimme in sich selbst zu gehen, statt sie – die erhobene Stimme – als „Echo" auf andere zu übertragen.

Die Betrachtung einer stets menschen- und nicht sachlich-situativen, umstandsbezogenen Schuld hat menschlich gesehen auch eine Kehrseite. Es ist jenen Menschen positiv anzuerkennen, die für sich, für ihr Verhalten und ihre Gefühle – positive *wie* negative – einstehen. Problematisch wird es jedoch dann, wenn menschliches Verhalten von Vulnerabilität bestimmt ist.

Vulnerabilität ist eine menschliche Eigenschaft, die sich dadurch auszeichnet, für Vieles, für mehr als notwendig an Situationen, Umständen oder Handlungen sich selbst die Schuld zuzuschreiben. Jene Menschen versuchen, Schuld von sich zu weisen und sich von ihr freizusprechen, obwohl von der Sache her gar keine Schuldbeziehung besteht. Wenn jemand sagen würde: „Heute ist aber schlechtes Wetter..." und

der andere darauf antwortet: „Dafür kann ich aber nichts…".
Hier verbirgt sich ein zutiefst psychologisches Problem, was
die unzureichende Abgrenzung, das mangelnde Selbstwertgefühl und die niedrig ausgeprägte Resilienz (persönliche, psychische Widerstandsfähigkeit) berührt.

Schuld und Verantwortung. Wie bereits angedeutet, wird
der Schuld-Begriff vielfach überstrapaziert. Das zeigt sich darin, dass bei der Beurteilung von Situationen eher von Schuld
als von Verantwortung gesprochen wird. Ich sehe den über-
gebührlichen Gebrauch des Schuld-Begriffs kritisch. Schuld
und Verantwortung werden im Alltagsverständnis vermengt,
ja oftmals gleichwertig gebraucht, was in den meisten Fällen
bedeutet, dass Verantwortung als Schuld betrachtet wird. So
entsteht m. E. eine Begrifflichkeit, die zum Moralisieren führt
und Sachlichkeit vermissen lässt.

Jeder dieser Begriffe hat für sich seine Berechtigung und
macht Sinn. Wird Verantwortung als Schuld ausgewiesen,
geraten wir in ein unsachliches, moralisierendes Zerrbild. Der
Verantwortungsbegriff wird missbraucht, was zur Störung
zwischenmenschlicher Beziehungen führt.

Die FDP wurde   des Scheitern-Lassens der Jamaika-
Sondierung beschuldigt. Die Straßenbauingenieure tragen
„Schuld" am Autobahnabbruch der A 20 in der Nähe von
Tribsees. Was ist der Grund für derartige moralisch-emotional
untersetzte Schuldzuweisungen? Sollte nicht hier und für viele andere ähnliche Handlungssituationen besser von Verantworten bzw. Verantwortung als von Schuld gesprochen wer-

den?

Für mich hat die FDP den Abbruch (und schon gar nicht das Scheitern der Sondierung!) der Gespräche zu verantworten, die m. E. keinen Grund für Schuldzuweisungen zulassen. Das nächtliche Statement vor der Presse zeugte nach meinem Verständnis dafür, für diese Entscheidung Verantwortung übernehmen zu wollen. Bedauerlicherweise ist Parteienpolitik so gestrickt, stets andere zu beschuldigen. Wir sollten wissen: Beschuldigungen erzeugen Risse in Begegnungen. Verantwortungsübernahme schafft Vertrauen und ermöglicht Begegnungen.

Was heißt Verantwortung bzw. Verantworten im Kontext von Schuld? Verantwortung ist in der Ethik ein honoriger Begriff mit einer ausgedehnten und tragenden Ideengeschichte bis in die heutige Philosophie hinein. (Der Autor bleibt den Lesenden eine dezidierte philosophisch-ethische Betrachtung schuldig. Hinreichend Literatur ließe sich aufschlagen, mit der Bitte an den Leser, sich um diese, soweit von Interesse, selbst zu bemühen.)

Verantwortung steht für die Übernahme einer Verpflichtung. Es ist eine *getroffene* Entscheidung und eine damit einhergehende Handlung, für die selbst gebürgt wird. Verantwortung heißt auch, für *seine* Meinung, Haltung und Werte einzustehen, die die Entscheidungen und Handlungen beeinflussen. Verantwortung ist weiterhin die Zuschreibung einer Pflichtübernahme für das gewordene Handlungsergebnis (Folgen, Konsequenzen). Ist das Resultat des Handelns hinsichtlich der Verantwortungsübernahme unpassend, so wird der Verantwortungsträger für diese „Verfehlung" Rede und Antwort stehen (müssen) – nicht vordergründig moralisch, sondern erstrangig in der Sache.

*Ver*antworten ist das Antworten auf eine getroffene Entscheidung und vollzogene Handlung, die mit deren Ergebnis nicht konform geht. Rechenschaft wird gefordert, um sich zu verantworten oder sich vor Gericht als Angeklagte(r) zu verteidigen. Dieser Kontext ist nach wie vor in unserer Alltagssprache im Gebrauch. Das Moralisieren und die Verteidigung der Rechtschaffenheit durch Verantworten (Verantwortung) sind bis heute nicht vollständig aufgehoben.

Bei Verantwortung, so sehr dieser Begriff in der Praktischen Philosophie und Ethik verankert ist, möchte ich dennoch dafür plädieren, diesem Begriff den Charakter und die Funktion der überdimensionierten moralischen Keule zu entziehen. Zu einem kann das derart geschehen, Schuld und Verantwortung klar voneinander im Inhalt und Gebrauch zu unterscheiden und Verantwortung nicht der Schuld unterzuordnen und sie als eine Ausdrucksform von Schuld anzusehen.

Verhalten zu verantworten heißt nicht automatisch, dass es mit Schuld besetzt ist. Moralisch integer ist, das Verhalten und mit ihm Haltungen, Einstellungen, Gefühle zu verantworten, was so viel heißt, dafür einzustehen. Das menschliche Verhalten fragt nicht nach der Schuld. Sie ist nicht per se in ihm präsent. Sobald Verhalten kritisch betrachtet oder in Frage gestellt wird, schwingt sehr schnell der Gedanke von Schuld mit. Warum eigentlich? Es wird persönliches Entscheiden und Handelns kaum erklärt, stattdessen gerechtfertigt. Dieses Rechtfertigen i. S. von Schuldabweisung kommt meines Erachtens dann zustande, wenn das Konstrukt der Gläubiger-Schuldner-Beziehung grundsätzlich auf tönernen Füßen steht oder auch, wenn ein schwach ausgeprägtes Selbstwertgefühl einer Persönlichkeit auf ein funktionstragendes Machtgefälle trifft.

Ein erwachsener Mensch weiß zu differenzieren, wann ein selbst verursachtes Schuldverhalten vorliegt oder nicht. Er weiß um die Abgrenzung zwischen Verhalten und Schuld. Der Mensch weiß auch, dass er stets Verhalten zu verantworten hat und wann es (k)einen Grund gibt, sich schuldig zu fühlen. Der Erwachsene kann zwischen einem selbst- bzw. fremdbegründeten und -veranlassten Verhalten differenzieren, aus dem entweder eine Schuld, eine Mit-Schuld oder gar keine Schuld abzuleiten ist.

Schuldklärungen und -zuweisungen möchte ich in den Gerichten (rechtliche Schuld) und Kirchen (religiös-christliche Schuld) verorten. Zum anderen müssen wir zur Kenntnis nehmen, dass der Begriff der Verantwortung ein philosophisch-ethischer Begriff ist. Als solcher ist er im Kontext zu Freiheit, Entscheidungen und menschliches Handeln aufgehoben.

Aus dieser Perspektive wird, wenn überhaupt sinnvoll und gewollt, mit *Schuld* nur ein Teil des Begriffes *Verantwortung* abgedeckt. Unter dieser Maßgabe könnte man sich in einer Philosophie der oder in einem Prinzip *Verantwortung* auf ein anteiliges, innewohnendes Schuldverständnis einlassen, soweit es in einen rechtsphilosophischen Kontext zu bringen ist.

Menschliches Entscheiden und Handeln ist primär zu verantworten. Das Eingestehen von Schuld ist Ausdruck von Verantwortungsübernahme. Verantwortung tragen ist damit fern von jeder Schuld zu betrachten.

Der angebissene und der Apfel mit der Made. Im April 2018 fanden in Rostock die 2. Philosophischen Tage statt. Das Motto dieser Tage lautete: Gesundheit erleben! · Was ist gesund? Das Maskottchen dieses philosophischen Festivals, das auf allen Plakaten, Flyern und Programmheften abgebildet war, war der Apfel. Zu sehen gab es zwei Äpfel. In dem einen hatte ein Wurm sein Zuhause. Der andere war (von einem Menschen) angebissen. Zwei Äpfel mit zwei unterschiedlichen Herkunftsschäden. Der eine Defekt ist natur-, der andere menschengemacht. Das Resultat ist das gleiche: In beiden Fällen haben wir es mit einer Beschädigung zu tun. Die Äpfel sind „verletzt". Doch wer trägt die Schuld oder besser gesagt die Verantwortung für die jeweiligen Zustände der Äpfel? Die Antwort ist leicht auszumachen: Weder beim Wurm noch beim Menschen liegt ein Verschulden vor. Der Wurm kann nicht für seine „Missetat" zur Verantwortung gezogen werden, weil er sich seiner Handlung nicht bewusst ist und sich außerhalb jeglicher Moral bewegt.

Der Mensch hat den Biss in den Apfel sehr wohl zu verantworten; doch ihn dafür zur Verantwortung zu ziehen, weil er nicht erlaubt war, ist u. U. möglich; doch ihm deswegen eine Schuld zuzuweisen? Das halte ich für bedenklich, vor allem dann, wenn, wie oben erwähnt, Verantwortung als Schuld verstanden und benannt wird.

Das Bild der beiden Äpfel zu den Philosophischen Tagen trägt noch eine weitere Botschaft: Gesundheit gibt es nicht zum „Nulltarif". Sie ist kein kostenfreies Geschenk des Lebens, sondern wir haben für dieses frühzeitig – je früher, desto besser – Verantwortung zu übernehmen. Gesundheit verlangt Handeln. Wir stehen in der Pflicht, für sie Verantwortung zu übernehmen, sofern wir sie wollen und nach ihr streben.

Zum anderen müssen wir akzeptieren, dass es *die* Gesundheit nicht gibt, sondern dass sie sich in einem Spannungsfeld mit der Krankheit bewegt. Gesundsein muss sich auf Kranksein und umgekehrt einlassen können. Da nach meinem Verständnis mit dem Gesundsein auch das Kranksein mit zu denken ist, leitet sich daraus die Frage ab: Wer hat das Kranksein zu verantworten?

Da Krankheit wie Gesundheit Eigenschaften des Lebens und an das menschliche Individuum gebunden sind, liegt es nahe, jenem Menschen, der krank wird und ist, auch die Verantwortung für diesen Zustand zu geben – vielleicht nicht immer als Verursacher, so doch als Träger und „Beitragsleister" zum Gesundwerden.

Bei einem Erkältungsinfekt sind wir schnell dabei zu sagen:

„Du bist selbst schuld daran, dass du jetzt das Bett hüten musst." Oder etwas sachlicher formuliert: „Diesen Infekt hast du selbst zu verantworten." Doch wer sagt so etwas und verwendet eine derartige *Form*ulierung?

Bei einem durch Unachtsamkeit verursachten Bein- oder Armbruch werden wir mit großer Wahrscheinlichkeit zur gleichen Beurteilung der Situation kommen. Über einen starken Raucher, der infolgedessen Lungenkrebs bekommt, wird das Verantworten ebenso beim Patienten verortet und ihm zugleich Unvernunft im Umgang mit seiner Gesundheit vorgeworfen.

Fällt das Ergebnis der Betrachtung anders aus, wenn bei einem Nichtraucher Lungenkrebs diagnostiziert wird? Wer hat Krebserkrankungen, Demenz, Arthrose, Diabetes usw. zu verantworten? Trage ich eine *Schuld* und im günstigsten Fall nur eine *Mit*schuld an einer Erkrankung wie Krebs, Schlaganfall, Herzinfarkt, Adipositas? – Nein!

Habe ich den Krebs und die anderen genannten Krankheiten zu verantworten? Wenn nicht, wer dann? Sind derartige Erkrankungen außerhalb jeder Moral und Verantwortung zu verorten, obwohl der Betroffene sich die Freiheit genommen hat, sein Leben so zu leben, wie er es bisher gelebt hat? Hat dieser Mensch seine Erkrankung verursacht oder nur im Entstehen begünstigt und damit veranlasst?

Das Rauchen kann, muss aber nicht zwangsläufig zu einer Erkrankung führen. Wer sich die Freiheit nimmt, das zu essen, was er isst, der hat dieses Verhalten seinerseits zu verantworten. Trägt der Betroffene zugleich Verantwortung *und* Schuld für die Erkrankung? Wir bewegen uns hier im Bereich zwischen persönlicher Freiheit und Verantwortung im Umgang mit Krankheit und Gesundheit. Zugleich berühren wir das Verhältnis von selbstbegründeter und -veranlasster bzw. bedingter Verantwortlichkeit bei Erkrankungen.

Freiheit und Verantwortung liegen als Werte eng beieinander. Wer sich die Freiheit des Entscheidens und Handelns nimmt, sollte diese auch verantworten, was heißt, dafür einzustehen und die Konsequenzen zu tragen. Freiheit gibt es nur mit und nicht außerhalb von Verantwortung. Wer bereit ist, Verantwortung für sich zu übernehmen, dem sei die Freiheit seines Handelns gewährt. Die Folgen kann ich im Sinne eines moralischen Schuldeingeständnisses mit Verantwortung tragen. Doch diese wird bedingt ausfallen, weil das Solidarprinzip unserer Krankenkassen dafür Sorge trägt, Verantwortung gemeinschaftlich aufzufangen. Insofern ist jenen kritischen Stimmen beizupflichten, die meinen, wer mit einem höheren Gesundheitsrisiko leben will, der sollte auch stärker in die Beitragspflicht genommen werden. Doch wer sollte das gerecht beurteilen? Als kategorischer Imperativ möge gelten: Übernehme Verantwortung für deine Gesundheit und handle in diesem Sinne nach bestem Wissen und Gewissen. Sei dir im Falle einer Krankheit bewusst, auch wenn du sie nur begrenzt (bedingt) zu verantworten hast, dass du in der moralischen Pflicht stehst, alles für deine Gesundheit zu tun und für ein menschliches Maß an Vorsorge und Lebensqualität (Würde,

Selbstbestimmtheit) einzustehen.

Wieder zurück zu den beiden Äpfeln: wurmstichig der eine, angebissen der andere. Die Äpfel repräsentieren menschliche Lebenssituationen. Der Biss in den Apfel ist menschengemacht. Der angebissene Apfel macht deutlich, dass der Mensch für sich, für sein Leben und damit auch für seine Gesundheit Verantwortung zu übernehmen hat. Er steht in der Pflicht, für sich zu sorgen.

Doch wie ist der Zustand des Krankseins zu bewerten, auf dessen Verursachung (Ursächlichkeit) und Entstehung der Mensch keinen oder nur einen geringen, vermittelten Einfluss hat? Bin ich in der Rolle eines Apfels für die Made in mir verantwortlich? Vielleicht habe ich nicht hinreichend Gesundheitsschutz betrieben, so dass es der Made gelang, einen kulinarischen Platz in mir zu finden. Wenn ich aber hinreichend Vorsorge betrieben habe, bin ich dennoch für den gesundheitsschädigenden Wurm verantwortlich?

Sicherlich haben Bilder und Vergleiche den Nachteil, dass sie in ihrer Deutung nicht vollständig widerspruchsfrei sind. Erkennbar wird zumindest, dass es Krankheiten gibt, für die der Mensch in direkter Verantwortung steht. Wir müssen auch mit Krankheiten rechnen, die trotz gesundheitsvorsorglichen Bemühens unsere Zweifel nicht zerstreuen, und wir uns trotz alledem mit Selbstvorwürfen und -schuldzuweisungen überhäufen. Es fällt uns schwer, dies alles zu verstehen und anzunehmen, obwohl wir doch ein so gesundes Leben führen.

Die Grenzlinie zwischen der Selbst- und Fremdschuld bzw. der Eigenverantwortlichkeit einerseits und der Feststellung andererseits, dass es keinen gibt, der für derartige Lebensumstände verantwortlich gemacht werden kann, ist in solchen Fällen fragil und durchlässig. Weder eine Entschuldigung noch ein Entschulden macht hier Sinn.

Der einzige Sinn des Verantwortens besteht darin, gerade dann, wenn es sich um eine lebensbedrohliche Krankheit handelt, diese für sich anzunehmen bzw. mit ihr angemessen umzugehen, was uns die Tür zum Verzeihen, Versöhnen und Vergeben öffnet.

Wesen und Sinn einer *Entschuldigung*. Die Frage nach dem Schuldbekenntnis und dem Aussprechen einer Entschuldigung ist bisher unbeantwortet geblieben. Sie berührt den Kern meiner Überlegung. Er betrifft die Verortung von Schuld im Kontext des Schuldbekenntnisses *und* des Aktes der *Entschuldigung* selbst.

Im Sinne des Respektes, von Anstand und Höflichkeit sind Entschuldigungen aus menschlicher Sicht zu erwarten, wenn jemand einer anderen Person einen Schaden, eine körperliche Verletzung oder kognitiv-emotionale Kränkung zufügt. Dazu gehört – aus dem alltäglichen Leben gegriffen – nicht nur das Wegschupsen, Auf-den-Fuß-Treten, das Anlügen oder das Treffen von Entscheidungen ohne Zustimmung des anderen. Dazu zähle ich zudem seelische Kränkungen wie verbale, belästigende oder erniedrigende Angriffe. Doch oft fehlen die Entschuldigungen, weil eine Entschuldigung stets eine Einsicht in eigenes Fehlverhalten voraussetzt und Demut gezeigt werden müsste. Diese Größe des Anstandes lässt zu wünschen übrig.

Eine *Entschuldigung* ist nicht nur ein Akt der Demut. Sie ist in ihrem Wesen eine Haltung, eine Einstellung zu der Person, die verletzt (gekränkt) wurde. Sie ist gleichsam Haltung und Ausdruck von Stärke von demjenigen selbst, der die Verletzung (Kränkung) gegenüber der Person vollzog.

Eine Entschuldigung ist als Akt der inneren Haltung über dies hinaus ein Handeln, sie auszusprechen. Über diese Brücke zu gehen, bedeutet, sich davon zu lösen, Fehler mit Schuld gleichzusetzen, auch wenn Fehl- und Schuldverhalten nahe beieinander liegen. Die Kernbotschaft ist, den Fehler einzugestehen und ihn mit einer Entschuldigung offenkundig zu machen.

Das Entschuldigen ist – wie immer es ausfallen mag – Ausdruck von Demut *und* Stärke zugleich. Es ist der Schritt, über sich hinauszugehen. Es ist der Schritt, sich einerseits mit der Entschuldigung zu unterwerfen und andererseits Macht zu zeigen, sich selbst und die gekränkte Person nicht zu erniedrigen. Diese Macht ist eine Macht des Handelns, den Mut und die Kraft zu haben, eine Entschuldigung auszusprechen. Insofern ist das Entschuldigen eine zweiseitige moralische Pflicht, einmal gegenüber dem, der sich verletzt fühlt, und einmal gegenüber sich selbst. Der „Sich-schuldig-gemacht-Habende" steht in der Verantwortung, den Versuch zu unternehmen, zukünftige Begegnungen wieder gleichrangig zu stellen; und der, der seine emotionale Kränkung oder körperliche Verletzung schmerzlich erlebt, nimmt sich das Recht der Erwartung einer Entschuldigung.

Die Macht einer sich vollziehenden Entschuldigung liegt nicht allein bei dem, der die Entschuldigung ausspricht; denn seine Macht ist die des Aussprechens, des Herantragens einer Entschuldigung. Die wirkliche Macht dieses Aktes liegt bei dem, der die Entschuldigung erhalten soll. Das wird offensichtlich im alltäglichen Umgang miteinander nicht immer so gesehen. Unsere sprachliche *Form*ulierung ist m. E. weit entfernt davon, dieser Macht Rechnung zu tragen. Im Gegenteil. Der, der die Entschuldigung ausspricht, gibt diese Macht formulierungsgemäß nicht ab, sondern behält sie bei sich. Das ist allein aus psychologischer und zwischenmenschlicher Sicht interessant, weil unsere ausgesprochenen Entschuldigungen gar keine sind. Es sind *selbstbezogene*, das heißt auf sich gerichtete Entschuldigungen. Alles was wir sagen, sind *formale*, keine „wahren" Entschuldigungen. Diese Entschuldigungen entziehen uns den Resonanzboden für wirkungsvolle zwischenmenschliche Begegnungen.

Derartiges Entschuldigen verfehlt seine Botschaft, weil die mit ihm zu erwartende Wirkung ausbleibt. Selbstbezogene Entschuldigungen sind von sich aus verstimmte und damit misslich gelungene Entschuldigungen, weil sie ihrem Wesen nicht gerecht werden. Dieses Entschuldigen ist nicht die zwischenmenschliche Begegnung, die es braucht und zugleich verdient. Es entbehrt jeder Resonanz.

Wir haben es mit keiner *wirkenden* und wirklichen Entschuldigung zu tun, wenn sich Personen in der Öffentlichkeit hinstellen und sagen: „Ich entschuldige mich für ...". Auch wenn diese Entschuldigung nach außen getragen wird, bleibt sie selbstbezogenen und selbstbelassen für den, der sie ausspricht. Die Entschuldigung geht nicht an den Adressaten, für den die Entschuldigung gemacht und anzutragen ist.

Die Entschuldigung gehört wahrhaft dem, der sie zu erfahren und anzunehmen hat. Dem Empfänger steht der Akt des *Ent*schuldens zu. Dieser Akt ist ihm zuzuordnen, weil nur er die Entschuldigung durch ein *Ent*schulden vollendet kann. Andererseits gehört ihm dieser Akt nicht allein, weil er ihn nicht einleitet und ausspricht. Die Entschuldigung ist in der Machtgebung zwischen Sender und Empfänger geteilt.

In vielen Entschuldigungen wird m. E. die Beziehungskonstellation verkannt, dass die letztendliche Macht des Entschuldigens nicht bei dem liegt, der die Entschuldigung ausspricht, sondern bei dem, der die Entschuldigung zu empfangen hat. Die Entschuldigungen sind in der Beziehungsstruktur und in der Veranlassung auf den Kopf gestellt, weil unsere alltäglich geführten Entschuldigungen auf Selbstbezogenheit jener beruhen, die die Macht haben, sie aussprechen. Diese Entschuldigung verfehlt ihren wirklichen *und* wirkenden Sinn; sie bleibt unvollkommen. Sie verfehlt ihr wahres Ziel und ihre Funktion. Was damit gemeint ist, soll näher beschrieben werden.

Wenn wir wohlwollend unterstellen, dass beabsichtigte,

aber in den meisten Fällen ungewollte Verletzungen passieren, so ziehen sie i. d. R. Entschuldigungen nach sich. Doch wer *ent*schuldigt (sich)? Wer oder was *ent*schuldet wen oder was? Wer hat das Recht oder gar die moralische Pflicht, die Entschuldigung einzuleiten und auszusprechen? Wie ist eine Entschuldigung korrekt zu formulieren, wenn sie einem Entschulden gerecht werden will?

Als sicher gilt, dass *erstens* Entschuldigungen und das Entschulden ausschließlich ein menschlicher, ein zwischenmenschlicher Akt ist, dass es *zweitens* keinen Sinn macht, Schuldursachen außerhalb des Menschen zu suchen und es *drittens* inkorrekt ist, Ursache und ggf. Fehler mit Schuld gleichzusetzen. Ungeklärt ist dagegen, *wie* der Akt der Entschuldigung aussieht und *wer* die Entschuldung vornimmt.

Ich bin mir sicher, dass nicht wenige Lesende diese Überlegung für banal halten und meinen, dass hier „Eulen nach Athen" getragen werden. Wenn eine Entschuldigung ansteht, heißt es oft: „Ich möchte *mich* für … entschuldigen." Ist es korrekt, *sich selbst* für ein Fehlverhalten gegenüber einer Person zu *ent*schuldigen, um sich zu *ent*schulden? Wenn dem so ist, heißt das, dass ich es bin, der *sich selbst ent*schulden kann und darf. Wie einfach ist es dann, jene Worte in den Mund zu nehmen, sich zu entschuldigen und sich selbst von seiner Schuld freizusprechen. Ist diese Art der Entschuldung nicht auf den Kopf gestellt, sich in aller Öffentlichkeit und vor laufender Kamera hinzustellen und zu sagen: „Ich entschuldige mich"?

Nicht selten heißt es: „Ich möchte mich bei dir entschuldigen." Der das in diesem Moment sagt, geht davon aus, dass damit der Akt der Entschuldigung vollzogen ist. Das ist m. E. ein Trugschluss. Wenn jemand sagt, er *möchte* sich entschuldigen, dann soll er es tun, weil so formuliert die *Absicht* einer Entschuldigung zum Ausdruck gebracht wird, die nicht der Akt der Entschuldigung selbst ist und auch nicht sein kann.

Dass wir dem alltäglichen Gebrauch einer derartigen Entschuldigungsformulierung anhängen, hat eine Historie. Wenn sich Geldverleiher als Gläubiger und Geldempfänger als Geldleihende trafen, so war es vom Schuldner gerecht-fertigt zu sagen, dass er sich *entschulden* - nicht entschuldigen! – möchte. Der Schuldner hatte von sich aus die Leistungspflicht, die Schuld an geliehenem Geld mit Zins abzutragen.

Aus der Sicht der zwischenmenschlichen Beziehung bleibt es ein Akt des Einfachen und Absurden zugleich. Diese Art von Entschuldigung ist absurd, weil sie jeder wirklichen Grundstruktur der Schuld-Entstehung und der Schuld-Auflösung widerspricht.

So einfach soll es sein, ein unsittliches Verhalten mit einer *Selbst-Ent*schuldung in Sitte und Anstand umwandeln zu können? Ich frage mich, was für ein sprachlich-kommunikativer Kodex ist es, der eine Selbst-*Ent*schuldung rechtfertigt, wenn ein Mensch einem anderen körperlichen oder seelischen Schmerz zugefügt hat? Hat jener, der aufgrund zugefügter emotionaler Verletzung moralische Schuld auf sich gezogen hat, die Pflicht zur Entschuldigung? Ja, hat er, jedoch nicht im Sinne einer Selbst-*Ent*schuldung. Hat der Betroffene, dem Kränkungen widerfahren sind, das Recht auf eine *Ent*schuldung? Ja, hat er, weil er *erstens* eine Kränkung erlebt hat, die durch das Verhalten seines Gegenüber vielleicht nicht immer verursacht so doch ausgelöst wurde und es ein Akt des Menschlichen ist, eine Entschuldigung auszusprechen, vor allem dann, wenn die menschliche Beziehung für beide einen Wert hat. *Zweitens*, weil der Gekränkte die Entscheidungsmacht hat, sich dieser an ihn herangetragenen und ausgesprochenen *Ent*schuldigung anzunehmen und zu vollenden oder es nicht zu tun, was bedeutet, dass sie nicht vollzogen ist.

Ich bin dafür, unseren sprachlichen Duktus zu verändern, damit eine *Ent*schuldigung sprachlich und im Akt das wird, was sie in ihrem Wesen ist. Das heißt: *Erstens.* Jemand, der in der Schuld des anderen ist, kann sich *nicht entschulden*. Er hat auch zu keiner Zeit das Recht auf eine *Selbst-Ent*schuldigung. *Zweitens.* Eine Entschuldigung ist ein Akt des *Ent*schuldens, der aus Respekt und Anstand von dem ausgeht, der sich aufgrund seines Verhaltens an Verletzungen und Kränkungen schuldig gemacht hat. *Drittens.* Eine Entschuldigung bedarf der *Bitte* des Schuldners *um Ent*schuldung gegenüber jener Person, die eine emotionale Verletzung bzw. Kränkung erfahren hat. *Viertens.* Es obliegt stets dem Betroffenen, dem eine Kränkung bzw. Verletzung angetan wurde, ob er diese ausgesprochene Bitte um *Ent*schuldung annimmt oder nicht. Dieser ist *nicht* zur *Ent*schuldung verpflichtet, wenn es seinem Gefühl widerstrebt. *Fünftens.* Ist die Annahme der Bitte um Entschuldigung gegeben, wird und ist der Akt der *Ent*schuldung vollzogen. Der Machtausgleich ist wieder hergestellt, neuerliche Begegnungen sind als schuld(en)frei anzusehen. Beide Seiten zeigen sich in dem Verantworten für das Gewesene in den jeweiligen Rollen.

Dieser Akt des Entschuldigens kann dadurch unterstützt und in seinem In-Gang-Setzen befördert werden, wenn die betroffene Person die eigene emotional-psychische oder auch physische Verletzung zu erkennen gibt. Sie artikuliert ihre Betroffenheit gegenüber jenem, von dem sie sich betroffen gemacht fühlt.

Entschuldigen, verzeihen, versöhnen und vergeben. Vom Entschuldigen liegt das Verzeihen, Versöhnen und Vergeben nicht weit entfernt. Ich verstehe sie als Ausdrucksformen von Entschuldigungen. Der Begriff der Entschuldigung ist Gattungsbegriff für alle anderen Entschuldigungs-Modi, einschließlich der Entschuldigung. Zugleich steht der Begriff der Entschuldigung für sich selbst in Abgrenzung zu denen des Verzeihens, Versöhnens und Vergebens. In dieser Bedeutung steht die Entschuldigung auf der gleichen Ebene wie das Verzeihen, Versöhnen und Vergeben. Ich verwende die Begriff der Entschuldigung sowohl im engeren (als *einen* Entschuldigungsmodus im Vergleich mit den anderen) und im weiteren Sinne als Oberbegriff ihm untergeordneter Entschuldigungsmodi.

Zwischen den vier Entschuldigungs-Modi gibt es Verbindendes und Trennendes. Was ihnen gemeinsam ist und was sie voneinander unterscheidet, soll im Weiteren beschrieben werden. Begrifflich Übereinstimmendes und Unterscheidendes aufzuzeigen, ist insofern sinnvoll, weil uns ein differenziertes Verständnis dieser Entschuldigungsformen helfen kann, sie in der wohlgemeinten Bedeutung (Begrifflichkeit) und in ihren Werten hinreichend zu erkennen und angemessen anzuwenden. Es gibt menschlichen Begegnungen, die auf eine Entschuldigung warten, eine Orientierung. Da uns verschiedene Entschuldigungs-Modi zur Verfügung stehen, kann es m. E. durchaus sinnvoll sein, eine „gestörte" Begegnung mit begrifflicher Angemessenheit und Differenziertheit abzubilden. Es ist der Versuch einer Annäherung, den einzelnen Entschuldigungen einen sinn- und wertbringenden Platz zu geben.

Alle Ausdrucksformen der Entschuldigung – Entschuldigen, Verzeihen, Versöhnen und Vergeben – haben ihren Grund in den erfahrenen Verletzungen bzw. Kränkungen, Demütigungen und Verfeindungen, die ein Mensch einem anderen (oder eine Gruppe einer anderen) zufügte.

Welcher Akt der Entschuldigung ansteht, ist unterschiedlich zu verorten. Er ist in seinem Charakter und Verlauf durch Gegenstand, Entstehen, Personen, Umgang und Bewertung bestimmt.

Der Akt des Entschuldens ist das, was das Verzeihen, Versöhnen und Vergeben in ihren Wesenheiten ausmacht. Dieses

Entschulden hat ein gemeinsames Anliegen: Einerseits ist zwischen den jeweiligen Seiten eine Gleichwertigkeit herzustellen, damit wieder ein menschliches Begegnen mit Respekt möglich wird. Andererseits geht es darum, eine menschliche Erniedrigung aufzuheben, sie loszulassen, jenem Menschen seinen Wert zurückzugeben, menschliches Begegnen wieder zu ermöglichen und es auf das Niveau von Anstand und Achtung zu bringen.

Der Begriff der Entschuldigung. Wie oben erwähnt, tritt die Entschuldigung in zwei Bedeutungen (Begriffen) auf: Im engeren Sinne ist die Entschuldigung *eine* Variante der Entschuldigung, denen auch Verzeihung, Versöhnung und Vergebung zuzuordnen sind. Im weiteren Sinne subsumiert der Begriff der Entschuldigung alle seine Spielformen: das Entschulden, Verzeihen, Versöhnen und Vergeben. Wir können sagen: Jede Entschuldigung zeigt sich in einem besonderen Gewand.

Verzeihung, Versöhnung und Vergebung sind Entschuldigungen. Aber nicht jede Entschuldigung ist eine Entschuldigung, sondern sie zeigt sich als ein Verzeihen, Versöhnen oder Vergeben.

Zugleich soll deutlich gemacht werden, dass der Begriff der Entschuldigung nicht nur eine Formenvielfalt an Entschuldigungen zum Ausdruck bringt, sondern dass ihnen eine verbindende Dynamik immanent ist. Gemeint ist, davon auszugehen, dass die einzelnen Entschuldigungsformen zugleich als unterschiedliche Niveauformen betrachten werden können. Das betrifft insbesondere die Entschuldung und die Verzeihung einerseits und die Versöhnung und Vergebung andererseits. Jede für sich zeigt sich in ihrer Begründung, in eigener Geschichte, Dynamik und Auflösung. Das heißt, sie sind in ihrem Gegenstand, in der Tiefe (Ausprägung und Intensität), in der Zeit (Dauer) sowie in den Personen selbst bestimmt, die die einzelnen Entschul-digungsformen begründen. In der folgenden Betrachtung wird darauf eingegangen.

Entschuldigung heißt sowohl Schuld zu verantworten als auch sich zu dieser zu bekennen. Es bedeutet auch, Verantwortung zu übernehmen und im Falle des Misslingens eines Vorhabens für dieses einzustehen und anzuerkennen, wenn man in Schuld gegenüber einer Person (oder Personengruppe, Öffentlichkeit) geraten ist, der eine Verletzung, Kränkung oder Demütigung zugefügt wurde.

Die Auslösung dieser Schuld, die *nur* in Bezug auf den Menschen tragfähig ist, bedarf der *Bitte um* Entschuldung bei jener Person oder Gruppe von Menschen, der Schmerz, Leid, Unrecht widerfahren ist.

Die Entschuldigung als Akt der *Ent*schuldung hat vom „Schuldner" auszugehen, was voraussetzt, dass er in dieser Rolle ist und den Willen zeigt, sich entschulden zu wollen. Das geht nur über das Bitten um eine Entschuldung gegenüber jenen Menschen, die eine Kränkung bzw. emotionale Verletzung erfahren haben. Nur sie können andere von der so genannten Schuld durch die Annahme der Bitte um Entschuldung „befreien".

Der Entschuldungsakt steht in einem Ungleichgewicht. Dieses Ungleichgewicht besteht zwischen den Personen. Sie sind in gegensätzlichen Rollen, die gegensätzliches Verhalten und Bewerten hervorbringen. Die Erwartung ist gegenpolig und das Handeln für eine Entschuldigung gleichfalls. Dieses Ungleichgewicht kann nur der aufheben, an den die Bitte um eine Entschuldigung herangetragen wird. Erfolgt dies nicht, bleibt die Entschuldigung unvollendet, nicht zu Ende gebracht. Es bedarf *immer* der Bitte *und* der Annahme der Bitte um Entschuldigung, die das Machtgefälle aufhebt und eine gleichwertige Begegnung möglich macht.

Die Entschuldigung zeigt sich in einer einfachen Gestaltungs- und Bewältigungsform. Sie ist vergleichsweise zu den anderen Entschuldigungsformen weniger dramatisch und tief im zwischenmenschlichen Umgang begründet. Sie ist in den meisten Fällen situativ angelegt und schnell machbar. Selbst nur das Wort der „Entschuldigung" im Vorbeigehen ist schon für beide Seiten hilfreich und kann genugtuend sein.

Sich und anderen verzeihen. Das Verzeihen als zweite Form des Entschuldigens hat mit dem Entschuldigen gemeinsam den Akt der Bitte. Es braucht Demut und Stärke von beiden Seiten, sowohl um Verzeihung zu bitten als auch einem Menschen verzeihen zu können. Die Grundstruktur, das Machtgefälle und erforderliche Handling sind wie bei einer Entschuldigung gleichgeartet.

Was sie voneinander unterscheidet und damit trennt, ist die Qualität des zu verzeihenden Inhaltes und die damit einhergehenden Emotionen und Bewertungen. Wir haben es hier mit tieferen Verletzungen bzw. Kränkungen zu tun, die nicht von situativem Charakter sind und mit einem einfachen „Entschuldigen" abgetan werden können. Die Verletzungen bzw. Kränkungen, die letztlich ein Verzeihen erwarten, sind von emotionaler Tiefe. Sie kommen vor allem deshalb zustande, weil zwischen den Personen eine starke Bindung besteht, die sich durch gegenseitiges Vertrauen entwickelt hat. Das gilt insbesondere für Lebenspartner, Familienmitglieder, Freunde und Freundinnen oder für auf Vertrauen basierende Arbeitsteams.

Die Verletzung des Vertrauens, die erfahrene *Ent*täuschung ist derart groß, dass es offensichtlich nicht ausreicht, „einfach" um Entschuldigung zu bitten. Dieser Akt der Entschuldung wäre dann in der Wirkung und Bewertung zu schwach, so dass eine Bitte um Verzeihung mit eben demselben Ausdruck erwartet wird. Dieser Vorstoß einer Entschuldung heißt: „Ich bitte dich um Verzeihung". Es wird ggf. mehr an (Er)klärung erwartet, die der emotionalen Verletzung gerecht wird. „Es tut mir Leid, was ich dir angetan habe", kann die Bitte um Verzeihung ergänzen. Schwierig bleibt, ob der, der diese „Bitte um ..." ausspricht, *erstens* den Wert der Entschuldigung als Verzeihung und *zweitens* die Erwartungshaltung eines Verzeihens des Betroffenen erkennt. Erfahrung, Wahr-nehmung und individuelle Menschenkenntnis sind dabei sehr hilfreich.

Die Gewährung der Bitte um Verzeihung bleibt auch hier in der Macht und Entscheidung der Person, die zutiefst gekränkt wurde. Was mir hier in diesem Zusammenhang wichtig erscheint und sich von der einfachen Entschuldigung unterscheidet, ist, die erfahrene Verletzung bzw. Kränkung sprachlich offenkundig zu machen und sie auszusprechen: „Ich fühle mich durch dich verletzt" oder „Das kränkt mich, was du zu mir gesagt hast" oder „Das, was du mir angetan hast, macht mich sehr betroffen und wütend". Derartige Formulierungen für ein Verzeihen zu wählen, signalisiert, dass es mit einer Entschuldigung nicht abgetan ist. Es ist nicht wichtig zu analysieren oder herauszubekommen, ob die Verletzung oder Kränkung berechtigt ist oder nicht. Sie ist offenbar und als solche wahrgenommen zu akzeptieren.

Die Tiefe einer emotionalen Beschädigung schreit nach einem Verzeihen. Es ist der Hilferuf des Betroffenen, eine Bitte um Verzeihung zu erhalten, um von dort aus zu entscheiden, ob dieser Bitte entsprochen wird oder nicht. Das ist von dem Bittenden auszuhalten; und er darf nicht gekränkt sein, wenn dieser Bitte nicht entsprochen und die Verzeihung nicht vollendet wird.

Wird die Bitte um Verzeihung angenommen, ist die Kränkung wie bei der Entschuldigung nicht automatisch „vom Tisch". Sie ist passiert. Doch die Kränkung kann abgeschwächt werden, in dem der Versuch unternommen wird, auf diese Weise die Würde dem anderen zurückzugeben. Ich erachte es als gut und befriedigend, was ich erst sehr spät gelernt habe, eine so genannte Entschä-digung bzw. einen Ausgleich anzubieten, wie Hans Jellouschek (vgl. Psychologie heute, Heft 4, Jg. 2008) es vorschlägt, und zu fragen: Was kann ich dir Gutes tun, damit es wieder zwischen uns gut werden kann? Es ist keine Garantie, aber eines Versuches wert. Fehlt ein derartiges Angebot, ist das Verzeihen u. U. langwieriger, als man es sich wünscht. Das Verzeihen ist kein Akt der schnellen Entschuldigung. Es ist von Nachhaltigkeit. Es braucht Nach-Zeit, bis die erfahrene Kränkung sich zwar nicht in der Erfahrung, so doch im alltäglichen Begegnen auflöst.

Was das Entschuldigen vom Verzeihen trennt, ist, nicht nur andere, sondern auch sich selbst um Verzeihung bitten zu können. Darin zeigt sich für mich persönliche Stärke. Besonders wichtig wird es dann, wenn dem eigenen Körper durch Alkohol oder Drogen, durch Mager- oder Esssucht Kränkungen zugefügt wurden. Sich vor dem Spiegel zu stellen, das Spiegelbild um Verzeihung zu bitten, eröffnet den Raum für eine noch tiefere Entschuldigung, für die Versöhnung.

Sich versöhnen. Das Versöhnen als eine weitere Entschuldigungsform bringt eine Verstärkung des Verzeihens zum Ausdruck. Wir können uns mit uns selbst versöhnen, so wie wir uns verzeihen können, wenn wir mit uns selbst wieder gut sein wollen. Wir versöhnen uns auch zwischenmenschlich, um wieder „Frieden" herzustellen. Dieser gewollte Frieden im zwischenmenschlichen Umgang ist der, der uns zum Versöhnen bringt.

Dem Versöhnen ist ein Konflikt – ein Streit, eine Auseinandersetzung oder gar ein Krieg – vorausgegangen. Dieser hat eine Ver- bzw. Anfeindung als Ursprung und verfolgte das Ziel, sich gegenseitig klein zu machen, zu unterwerfen oder zu besiegen.

Das Verb „versöhnen" geht auf das Mittelhochdeutsche „versüenen" zurück. Dahinter verbirgt sich der Begriff „Sühne", der dem der „Sünde" nahe kommt. Im christlichen Glauben ist der Zustand des Misstrauens gegenüber Gott *Sünde*. Sie steht zwischen Gottes Eden und dem Menschen, der jenseits von Eden sein Leben lebt. In dieser *Entz*weiung das Leben zu leben, sieht der Christ seine Schuld, wie auch in dem Glauben, dass Gott nicht ausreichend Sorge für den Menschen trage. Um aus diesem Schuld-Dilemma herauszukommen und sich von diesem zu befreien, weist er stets die Schuld von sich, indem er andere beschuldigt bzw. andere oder anderes für die Gegebenheit verantwortlich macht.

Das ist das, was wir tagtäglich im Umgang miteinander erleben. Auch ohne ein Christ zu sein, stehen wechselseitige Schuldzuweisungen auf der Tagesordnung. Manchmal sind die zugefügten Verletzungen „nur" einer Entschuldigung oder eines Verzeihens wert. Doch manchmal sind sie so tief, dass aus ihnen Verfeindungen wurden, für die eine Entschuldigung oder Verzeihung nicht mehr ausreicht.

Das Besondere dieser zwischenmenschlichen Beziehung ist, dass das Entschuldigen und Verzeihen seine Wirkung verfehlt, wenn sich konflikttragende, verfeindete Personen oder Personengruppen wechselseitig Verletzungen bzw. Kränkungen zufügen. Was klein anfing, schaukelte sich mit der Zeit gegenseitig auf. Am Ende kann keine der beiden Seiten sagen, wann, wo und wie es angefangen hat. Stattdessen gibt es gegenseitige Vorwürfe, verbale Attacken bis hin zu handfesten Angriffen, wie sie vielfach bei einem typischen Nachbarstreit über den Gartenzaun vorkommen. Wir haben es hier mit einer klassischen Eskalation in der Beziehungsgestaltung zu tun, die in einer Verfeindung endet und nur über eine Deeskalation auflösbar ist. Sie heißt *Versöhnung*.

Ein Versöhnen bedarf des Miteinanders, sich auf die Sachebene zwischenmenschlicher Kommunikation zu begeben und alle Emotionalität in den Hintergrund zu stellen. Das setzt ein Versöhnen im Sinne eines Vertragens voraus. Der beidseitige Wille zur Streit- bzw. Konfliktbeilegung ist der Einstieg. Ursachenforschung und Beschuldigungen sind hier wenig hilfreich. Der Blick ist nach vorne zu richten und die Frage zu klären, wie zukünftig mit der Sache, die zum Streit führte, umgegangen werden soll. Die Akzeptanz in der Sache, die Lösung für zukünftiges Handeln und das Vertragen in der Beziehung sind die entscheidenden Punkte, die zur Versöhnung führen. Die faire Gestaltung von Durchsetzung und Abgrenzung in den Interessen ist maßgebend.

Was ein Versöhnen, Verzeihen und Entschuldigen braucht, ist immer die andere menschliche Seite, der wir begegnen müssen, wenn wir eine Entschuldigung, Verzeihung oder Versöhnung wollen. Der Wille zur Begegnung ist unerlässlich. Wird er Wirklichkeit, zeugt er von menschlicher Stärke.

Was ein Versöhnen von einem Entschuldigen oder Verzeihen trennt, ist nicht nur die entstandene Schwere der Beziehungsstörung in Form eines Zerwürfnisses, sondern dass die Verantwortung für eine Versöhnung auf beiden Seiten zu gleichen Teilen und Werten zu schultern ist.

Die Versöhnung ist im Hegelschen Sinne die Vermittlung der gegensätzlichen Seiten, die durch eine Synthese zum Gemeinsam-Versöhnlichen finden und damit den Gegensatz aufheben. Die Aufhebung des Gegensatzes ist deren Auflösung und das Heben der Beziehung auf eine derart neue Qualität, in der das Begegnen von einer von Versöhnlichkeit bestimmten Nachhaltigkeit getragen wird. Das ist die philosophische Grundlage praktisch zu gestaltender Versöhnungen.

Vergebung schenken. Keine aller bisher genannten Entschuldigungen ist mit einer derartigen ethisch-moralischen Tiefe ausgestattet wie die *Vergebung*. Sie ist in den Religionen tief verankert. Kein ethischer Begriff scheint im Mitmenschlichen von derartiger Tragweite zu sein.

In ihrer Anatomie unterscheidet sie sich nicht von der einer Entschuldigung oder einer Verzeihung. In beiden Fällen geht es um eine Bitte um ... Um Vergebung wird gebeten – Vergebung wird gewährt bzw. geschenkt.

Manuela Hartung hat den Unterschied zwischen Verzeihen und Vergeben? – ich schließe hier das Entschuldigen mit ein – beschrieben. (vgl. www.evedero.de/verzeihen-lernen, v. 18. 12. 2017) Sie verknüpft das Verzeihen mit Beschuldigen. Eine Verzeihung hebe die Beschuldigung auf, die zukünftig nicht mehr Gegenstand einer Beschuldigung sein sollte. Eine Vergebung hingegen reiche tiefer. Wenn jemandem seine Schuld erlassen wird, dann ziehe man nicht nur die Anklage gegen diese Schuld zurück, sondern man spreche die Person frei davon. Damit habe Vergebung immer auch einen leicht religiösen Touch, denn sie gelte in vielen Religionen als erstrebenswerte Tugend. (vgl. a.a.O.)

Eine Vergebung ist ein Geben durch Weg-Gabe oder besser: Es ist ein Weg-Nehmen von Etwas. Es ist der Erlass von …, ein Geben im Sinne von Befreit-Werden von …

Wie bei jeder Form der Entschuldigung, so auch hier, geht es nicht darum, die Geschichte (das Geschehene) für die Gewährung der Vergebung zu vergessen. Was passiert ist, ist passiert. Es gibt aber die Möglichkeit des Neuanfangs. Es ist der Schritt in die Freiheit für neue menschliche Begegnung.

Wenn wir von Vergebung sprechen, so wollen wir verdeutlichen, dass dem ein Versäumnis, eine Fehlein-schätzung oder ein Fehlverhalten mit existenziellen, zumindest mit lebensbedrohlichen Folgen vorausgegangen sind, die moralisch gesehen eine beachtliche Schwere an Schuld anzeigen. Die Bitte um Vergebung zeugt von einem Schuldeingeständnis und der Bereitschaft, für die Tat Verantwortung zu übernehmen, – in welcher Form auch immer – die folgenschwere Tat anzuerkennen und für einen Ausgleich, eine Entschädigung bzw. Wiedergutmachung zu sorgen. Die Vergebung steht für einen menschlichen und zugleich spirituellen, wenn auch nicht immer religiösen – so doch außergerichtlichen Gnadenakt.

Ein Vergeben braucht das Zeichen der Reue und Demut. Es

ist eine Verbeugung, mit der Absicht, von der auferlegten moralischen Last, die die Missetat nach sich zog, befreit zu werden. Die Gewährung einer Vergebung ist die formale Befreiung vom so genannten Bösen; und sie ist der Schritt zur Wiederstellung des Normalen zum Guten.

Eine Vergebung ist wechselseitiges Handeln beider Parteien, in dem nichts vergeben, weder leichtfertig noch verschenkt wird. Die Vergebung hat für beide Seiten „ihren Preis", den der, der vergeben will, bestimmt.

Eine Vergebung ist ein Akt (Vorgang). Die Bitte um Vergebung ist der Beginn, der stets die Einsicht eines Fehlverhaltens voraussetzt. Sie ist der Einstieg gewollter Wiedergutmachung. Das zeugt einerseits von Stärke und Macht, mit diesem Schritt in Demutshaltung zu gehen. Dieser Schritt zeigt mit der Bitte um Vergebung, dass einem anderen Menschen Böses angetan wurde. Diese Stärke geht an den Gedemütigten über, wenn er bereit ist, Vergebung zu gewähren. Erfolgt dies, kann der Schritt zur Lasten-Befreiung vollzogen werden, dem Wut (Hass) oder Erniedrigungen vorausgingen.

Bei aller Spiritualität, die der Vergebung nach wie vor anhängt, kann dem Vergeben der religiöse Zauber genommen werden. Zumindest braucht Vergebung keine religiöse Inspiration und Intension. Der Begriff der Vergebung trägt für sich seinen moralischen Wert aufgrund seines (ideen-)geschichtlichen Hintergrundes. Seine inhaltlich über die Jahrhunderte geprägte Wichtigkeit wird im Vergleich zur Entschuldigung, Verzeihung und Versöhnung nicht geschmälert.

Das moralische Gefälle ist in keiner anderen Form der Entschuldigung so stark ausgeprägt wie in einer Vergebung. Beiden Seiten sollten sich dieser Kraft bewusst sein. Das gilt insbesondere für die Person, die die Vergebung gewährt. Sie sollte diese nicht leichtfertig verschenken, damit das Vergeben nicht irgendeiner Manipulation zum Opfer fällt.

Die Frage nach dem Guten von allem. Entschuldigen, Verzeihen, Versöhnen und Vergeben haben einen zutiefst zwischenmenschlichen Sinn. Sie transformieren das Schuldhafte oder gar Böse in ein Gutes. Sie schenken der zwischenmenschlichen Beziehung wieder die Güte, die in ihr verloren gegangen ist. Durch sie erfährt das Leben wieder die Normalität im Sinne der Gleichwertigkeit der Subjekte auf beiden Seiten.

In allen Entschuldigungsformen zeigt sich das Spiel komplementärer, zwischenmenschlicher Macht. Doch gäbe es sie nicht, kämen die Entschuldigungen nicht zustande. Der Machteinstieg ist polarisiert, weil es *erstens* immer eines Anfangs, den des ersten Schrittes zur Entschuldigung, bedarf. Und *zweitens*, damit die Entschuldigung letztlich vollzogen werden kann, braucht es den Willen zur Macht, diesen Bitten um Entschuldigungen nachzukommen. Das gilt sowohl für die Entschuldigung selbst als auch für das Verzeihen und Vergeben. Noch mehr Willensmacht ist bei einem gegenseitigen Versöhnen gefragt, wenn von beiden Seiten die zuvor herrschende destruktive, negative Macht in eine gleichwertige, positive Macht zu verwandeln ist.

Alle Machtausübungen werden von Verletzlichkeiten getragen, weil ihnen ein Vertrauensbruch vorausgeht. Der Aufbau neuen Vertrauens braucht zwar die kommunikative Entschuldigung. Doch sie ist *nur* der Einstieg und nicht der letztendliche Vollzug der Entschuldigung. Im nachfolgenden Handeln wird sich zeigen, was die Bitte um bzw. Gewährung von Entschuldung wert sind.

Jede Entschuldigung ist in ihrem Wesen und Anliegen gut. Sie gibt beiden Seiten die menschliche Würde und Selbstbestimmung zurück. Das zwischenmenschliche Machtgefälle verliert sich, ohne dass auf beiden Seiten die Macht verlorengeht. Es ist *die* Macht der Subjekte, die sie auf gleiche Augenhöhe bringt.

Jede Entschuldigung, von welcher Art auch immer, ist Ausdruck von menschlicher Stärke. Sie ist beidseitig, wenn um diese gebeten *und* jene gewährt wird.

Jede Entschuldigung ist gut, denn sie führt aus einer gescheiterten Lebenssituation heraus. Sie ist der Schritt in ein Leben mit Handlungs- bzw. Persönlichkeitserweiterung, die eine neue Perspektive aufzeigt.

Jede Entschuldigung ist gut, weil sie Wertschätzung vermittelt. Sie eröffnet menschliche Begegnungen, die die in ihnen wohnende Güte zur Magie werden lässt.

Jede Entschuldung ist gut, weil sie von Befreiung und Zufriedenheit zeugt. Sie gibt dem Menschen die innere körperliche, geistige und emotionale (seelische) Ruhe wieder, bei gleichzeitigem Wissen, dass sie immer wieder auch gestört oder zerstört werden kann.

Alle Formen von Entschuldigungen sind gut, weil sie zwischenmenschlich sinnstiftend sind. Die Bitte um Entschuldigung (i. e. S.) ist gut für zu verantwortende Unkorrektheiten und Peinlichkeiten. Sie sind geschehen, doch es entsteht kein Schaden mit nennenswerten, zurückbleibenden Folgen. Das Verzeihen hilft, Demütigungen aufzuheben. Dem ist eine Fehlhandlung vorausgegangen mit entstandenem Schaden, der mehr oder weniger korrigierbar ist. Das Versöhnen ist der Schlusspunkt eines Konfliktes sich wechselseitig angetaner tiefer Verletzungen und Kränkungen. Nur Unentschuldbares lässt sich versöhnen. Versöhnung braucht deshalb Zeit, um eine Heilung von dem Unentschuldbaren zu erreichen. Das Vergeben ist die Bitte des einen um menschliche Güte des anderen (für sich selbst). Es ist das Eingestehen einer Missetat mit nichtkorrigierbaren Folgen, u. U. mit bleibenden Schäden. Reue und Verbeugung vor einem Menschen, dem Leid zugefügt wurde, ist der Versuch, den Schmerz zu lindern, ohne dabei die Hoffnung zu haben? aufzugeben, dass das gelingt.

Es gibt Menschen, die wir brauchen;
es gibt Menschen, die wir lieben und
es gibt Menschen, die wir brauchen,
weil wir sie lieben.

Verfasser nicht bekannt

Begegnung zwischen Lieben und Brauchen

Persönliche wie zufällige Umstände führten mich in den Anfangsjahren von des zweiten Jahrtausends zu Büchern, die sich mit der
psychologischen Interpretation von Märchen beschäftigen. Eines
von ihnen ist das Märchen „Der Froschkönig", das Hans Jellouschek
analytisch aufarbeitete. Das vom ihm verfasste Buch trägt den Titel
„Ich liebe dich, weil ich dich brauche" (Kreuz Verlag, München
2001). Der Titel des Buches schien mir einleuchtend und nachvollziehbar, aber intuitiv auch wieder nicht. Ich machte mir keine weiteren Gedanken, weil mir der Titel für das Märchen passend erschien.

Die Motiv-Zweck-Beziehung zwischen Brauchen und Lieben ist
im Untertitel klar und unmissverständlich bestimmt. Sie sagt aus,
dass das Brauchen bzw. Sich-Brauchen in der Liebe für- bzw. zueinander begründet ist. Genauer: Das Lieben wird zur Quelle für das
Brauchen, das eher den Charakter eines Gebrauchens hat.

Mir kam nicht in den Sinn, die Jellouschek'sche These in Frage
zu stellen. Dennoch spielte ich mit dem Titel des Buches. Was ist,
wenn ich den Satz umstelle: „Weil ich dich brauche, liebe ich
dich."? Die Umformulierung brachte keine Sinnveränderung der
Aussage.

Die These aufzustellen „Ich brauche dich, weil ich dich liebe", um auf diesem Denkweg an der These zu zweifeln und sie kritisch zu betrachten, blieb aus. Aus heutiger Sicht zeugt es eingestandenermaßen nicht gerade von meiner Professionalität in der Erkenntnis des Zusammenhangs von Lieben und Brauchen.

Erst Jahre später hatte ich das Buch „Die Liebesfalle. Spielregeln für eine neue Beziehungskultur" (dtv, München, 2012) von Hans-Joachim Maaz in der Hand, den ich bei Vorträgen und in Seminaren kennenlernte. Im Abschnitt Partnerschaft als „Geschäftsbeziehung" war zu lesen: „Die sicherste Beziehungsbasis ist einander zu brauchen. Sie erwächst aus dem Bewusstsein eigener Bedürftigkeit und Sehnsucht, ohne vom Beziehungspartner zu erwarten, dafür „unentgeltlich" zur Verfügung zu stehen. Sich-Brauchen geschieht in der Verantwortlichkeit wechselseitigen Nehmens und Gebens. „Ich liebe dich, weil ich dich brauche!", ist eine passable Formel. „Und ich bin bereit, mich auch gebrauchen zu lassen oder anderweitig zu „bezahlen" für deine „Beziehungsdienste."

So wird die liebevolle Beziehung auf eine „Geschäftsgrundlage" gestellt, deren Qualität aus der Redlichkeit der Vereinbarungen und „Verträge" erwächst und ohne Übervorteilung auskommt." (a.a.O., S. 180 f.)

Unabhängig davon, eine Partnerschaft interessanterweise als eine „Geschäftsbeziehung" zu beschreiben, womit ich anfänglich fremdelte und mich erst bei weiterem Nachdenken mit diesem Gedanken anfreunden konnte, hatte ich mit H.-J. Maaz eine Bestätigung gefunden, dass H. Jellouschek nicht alleine mit „Ich liebe dich, weil ich dich brauche!" stand. So hatte ich diesen Gedanken erneut verinnerlicht. Der Zusammenhang zwischen Lieben und Brauchen, in dem das Brauchen im Lieben und nicht umgekehrt begründet wird, war für mich damit endgültig abgespeichert. Der einhergehende Gedanke, eine Partnerschaftsbeziehung als eine „Geschäftsbeziehung" anzusehen, wie es H.-J. Maaz macht, war für mich in Bezug auf das Brauchen und Lieben insofern anregend, weil ich mir dadurch erhoffte, über die Verknüpfung einer auf eine Geschäftsbeziehung begründeten Partnerschaft mehr über den Zusammenhang zwischen Brauchen und Lieben zu erfahren.

Weil der Zufall es wollte und ich die Bücher von H. Jellouschek gerne las, fiel mir das bereits 1997 von ihm erschienene Buch „Warum hast du mir das angetan? Untreue als Chance" (Piper Verlag) in die Hand, in dem er die fünf Entwicklungsphasen der Paarbeziehung entwickelt. (a.a.O., S. 76 ff.) Zur letzten „Phase der Vereinigung auf einer reiferen Stufe" schreibt er: „Hier ist das Paar wieder am Bindungspool angelangt, allerdings auf einer neuen, einer reiferen Ebene. Der Zugewinn an Autonomie aus der vierten Phase ist integrativer Bestandteil ihrer Beziehung. Eigenständigkeit wird nicht mehr als Verrat an der Beziehung erlebt. Es ist die Phase der reifen Bindung. Es gilt nicht mehr „ ich liebe dich, weil ich dich brauche" wie in der ersten Phase (gemeint ist die „Phase der Verschmelzung", sh.

a.a.O., 2004, S. 77 – der Verf.), sondern „ich brauche dich, weil ich dich liebe" (Erich Fromm). Der andere wird nicht mehr als Erweiterung des eigenen Ichs (erste Phase), nicht mehr als Einschränkung des eigenen Ichs (zweite Phase), sondern als Herausforderung zur Entwicklung des eigenen Ichs erlebt." (a.a.O., S. 79)

Nun war für mich die bisher gedachte Kausalitätsbeziehung zwischen Lieben und Brauchen in Frage gestellt. Was ist im Sinne des Liebens die Grundlage (Ursache, Motiv) für was, damit eine gute Liebe möglich ist? Ist das Lieben der Nähr- und Resonanzboden für das Brauchen oder doch eher umgekehrt? Wie erfüllen Lieben und Brauchen zueinander ihren Sinn?

Die Verwirrung wurde auch nicht besser, als ich bei „Emotion" (www.emotion.de v. 9. November 2014) im Rahmen der Buchempfehlung den Untertitel der Jellouschek'schen Märcheninterpretation umformuliert vorfand. Im Text heißt es: „Es wird deutlich, welche Konflikte entstehen, wenn die Partnerschaft auf Abhängigkeit statt echter Zuneigung basiert. Heraus kommt, dass ein Miteinander nur gelingt, wenn beide Partner sagen können: "Ich brauche dich, weil ich dich liebe". Der schmale Band erklärt psychologische Zusammenhänge leicht verständlich. Ein Augenöffner!" (ebenda)

Hat „Emotion", unabhängig davon, dass ich den Gedanken teile, nicht bemerkt, dass der Untertitel der Jellouschek'schen Froschkönig-Interpretation heißt: „Ich liebe dich, weil ich dich brauche", den er als Prinzip in der Phase der Verschmelzung ansiedelt und als Ausdruck für eine unreife Liebe versteht? Wer von den beiden – H. Jellouschek oder die Zeitschrift „Emotion" – hat nun *was* gedacht und *wie* gemeint?

Im „Durchblick" (www.durchblick-filme.de/frosch-koenig/pdf/2_5_Deutung.pdf) können wir lesen: „Die Würde des anderen zu erkennen und zu achten, das würde den Kern einer tragfähigen Beziehung ausmachen. Liebe heißt für die Königstochter sowie für den Frosch-Mann: „Ich liebe dich, weil ich dich brauche". (Hans Jellouschek, a.a.O.) Im „Hohelied der Liebe" heißt es: „Böte einer für die Liebe den ganzen Reichtum seines Hauses, nur verachten würde man ihn." Liebe ist nicht der Tausch von Leistung und Gegenleistung. Liebe ist ohne Vorbehalt, Liebe verlangt nichts, Liebe tauscht nicht Gefühle für Hilfe, Liebe ist kein Geschäftsvorgang im Sinne von „Ich brauche deine Liebe, damit ich leben kann und erlöst werde." Damit wird sowohl H.-J. Maaz mit seiner Partnerschaft in Gestalt einer Geschäftsbeziehung als auch dem Fromm'schen Prinzip von der reifen, erwachsenen Liebe widersprochen. Zusätzlich im Raum steht nun die aufgeworfene Frage, ob das Brauchen der Liebe des anderen zur Verbesserung der Lebensqualität beitragen kann.

Alles im allen: Die Verwirrung ist perfekt. Beide Prinzipien über das Verhältnis von Lieben und Brauchen zeigen sich sowohl in der Akzeptanz als auch in der Kontroverse. Hat sich H. Jellouschek von dem Untertitel des psychoanalytisch interpretierten Märchens „Der

Froschkönig" getrennt? Oder war von H. Jellouschek der Untertitel seiner Märcheninterpretation bewusst gewählt, um die Beziehung zwischen der Prinzessin und dem Froschkönig in ihrem Charakter zu beschreiben, wie sie sich darstellt: infantil, unerwachsen, per se gescheitert.

Mit der Titelwahl „Ich liebe dich, weil ich dich brauche" würde H. Jellouschek die Tragik und Unvollkommenheit der Beziehung kenntlich machen, die sich wie ein roter Faden durch das Märchen hindurchziehen. Erst zum Schluss ließe sich die Möglichkeit denken, dass die Prinzessin mit dem Wurf des Frosches an die Wand mit dem unreifen Lieben-Brauchen-Prinzip *eigenhändig* bricht.

Zu meiner Schande muss ich gestehen, dass ich das Buch von Erich Fromm (1900 – 1980) über „Die Kunst des Liebens", das erstmalig 1956 erschien, nur vom Titel her kannte und es nur oberflächlich zur Kenntnis nahm. Durch H. Jellouschek angestoßen, sah ich mich nun veranlasst, der „Sache" auf den Grund zu gehen und bei E. Fromm nachzulesen, was er über das Verhältnis von Brauchen und Lieben zu sagen hat. In seiner Theorie der Liebe, Abschnitt Liebe zwischen Eltern und Kind, schreibt E. Fromm: „Die Bedürfnisse des Anderen werden ebenso wichtig wie die eigenen – ja tatsächlich noch wichtiger als diese. Geben ist befriedigender, freudvoller geworden als Empfangen; Lieben ist wichtiger geworden als Geliebtwerden. Dadurch, daß der junge Mensch liebt, ist er aus der Gefängniszelle seines Alleinseins und seiner Isolierung herausgelangt, die durch seinen Narzissmus und seine Ichbezogenheit bedingt waren. Er erlebt ein neues Gefühl der Einheit, des Teilens und des Einsseins. Was noch wichtiger ist, er spürt in sich das Vermögen, Lieben zu wecken und nicht mehr abhängig davon zu sein, geliebt zu werden und aus diesem Grund klein, hilflos und krank – oder „brav" zu bleiben. Infantile Liebe folgt dem Prinzip: "Ich liebe, weil ich geliebt werde." Reife Liebe folgt dem Prinzip: „Ich werde geliebt, weil ich liebe." Unreife Liebe sagt: "Ich liebe dich, weil ich die brauche." Reife Liebe sagt: „Ich brauche dich, weil ich dich liebe." (dtv, 2017, S. 69 f.)

Die Frage nach dem Kausalverhältnis zwischen Lieben und Brauchen lässt offensichtlich keine klare Antwort zu. Die Meinungen der hier genannten Autoren sind nicht einstimmig. Das Nachdenken über die Beziehung zwischen Lieben und Brauchen, unabhängig davon, in welcher Beziehung sie zueinander stehen, ist allemal interessant. Es lohnt sich, sich dieser Konstellation vertiefend zuzuwenden und Überlegungen anzustellen, die uns, über dieses Verhältnis nachgedacht, weiterbringen könnten.

Es gibt also Klärungsbedarf und das gleich in verschiedener Hinsicht: Wie lassen sich Lieben und Brauchen in einer Partnerschaftsbeziehung so zusammenbringen, dass man von ihr mit Fug und Recht sagen kann: Das ist eine *reife* Beziehung zwischen zwei Menschen, die in einer erwachsenen Liebe verbunden sind? Ist es wirklich so einfach zu sagen, dass das „Ich liebe dich, weil ich dich brauche"–Prinzip als infantil und unreif charakterisiert werden muss und es deshalb in einer reifen Partnerschaft keinen Platz hat? Macht es Sinn, eine Partnerschaft als „Geschäftsbeziehung" zu verstehen und zu leben? Inwieweit lässt sich Partnerschaft als „Geschäftsbeziehung" mit Lieben und Brauchen, Geben und Nehmen in Verbindung bringen?

Diese Fragen führen uns zu Grundsätzlichem im Verständnis von Lieben und Brauchen, Geben und Nehmen, Bedürfen und Begehren zurück. Ihre Beantwortung ist hilfreich beim Bestreben, der Maaz'schen Partnerschaft als „Geschäftsbeziehung" näher zu kommen.

Jedem sei empfohlen, der sich begrifflich wie lebensbezogen mit der praktischen „Kunst des Liebens" auseinandersetzen möchte, das gleichnamige Buch von E. Fromm in die Hand zu nehmen. Dieses „Muss" habe ich selbst schlichtweg ignoriert, sodass ich das Buch (fast!) verpasste und mich erst auf der Suche nach einem Selbstverständnis von Lieben und Brauchen E. Fromm zuwandte. Wer die antike Philosophie vorzieht, ist bei Platon (428/427 – 348/347 v. Chr.) „Das Gastmahl oder von der Liebe" ebenso gut aufgehoben, der ebenfalls ein Klassiker in Fragen der Liebe ist. Wenden wir uns nun den oben gestellten Fragen zu.

Was heißt Lieben? Wer hat nicht das Hochgefühl der Liebe kennengelernt? Dem einen kommt es leicht, dem anderen eher schwerer über die Lippen, zu sagen: „Ich liebe dich". Doch was verbinden wir damit? Was heißt zu lieben und was ist unter einer wohlgemeinten Liebe zu verstehen, der wir oft das Merkmal des *Wahren* geben?

Ist „Liebe machen" Liebe? Wohl kaum, wenn damit Sex gemeint ist und Einigkeit darüber besteht, dass Sex mit Liebe nicht gleichzusetzen ist. Ist Liebe ein hochdosierter Hormoncocktail, ein überschwänglicher Gefühlsrausch, der als „Schmetterlinge im Bauch" beschrieben wird? Hier mag es sich um das Verliebtsein handeln, was deutlich macht, zwischen Liebe und Verliebtheit zu unterscheiden, so wie es auch E. Fromm (a.a.O., S. 88 ff.) vorschlägt. Liebe wird hier als Erregung gedacht. Diese Liebe erscheint als Ektase, als Lust, als Phänomen emotionaler Intensität.

Nicht selten wird hervorgehoben von einer *wahren* Liebe gesprochen: Ist es eine Liebe in hoher emotionaler Ekstase wie das erotisch-körperliche Verliebtsein oder ist es eher eine Art Liebe, verbunden mit Aufrichtigkeit, Gefühlstiefe, Bedingungslosigkeit, Erhabenheit, Authentizität? – Es lohnt sich auf alle Fälle, dies für sich selbst zu hinterfragen. Jeder möchte die *wahre* Liebe erfahren. Doch was ist sie und wie soll sie gehändelt werden, wenn es keinen Sinn macht, sie auf das Verliebtsein zu reduzieren. An welche Eigenschaften kann *wahre* Liebe anknüpfen?

Die These von der *wahren Liebe* kann heißen: Wahre Liebe ist eine Liebe zwischen Menschen, losgelöst von existenziellen (fortpflanzungsbestimmten) Motiven, getragen von einem Gefühl der

Verbundenheit ohne wechselseitige Abhängigkeit und Bedürftigkeit der Partner, des Füreinander-Daseins, ohne dass die Liebenden sich in ihrem Ich-Sein aufgeben, sich ihre Autonomie bei gleichzeitigem Eingehen einer Bindung erhalten, sich in einem ausbalancierten Wechselspiel von Nähe und Distanz, von Geben und Nehmen bewegen, in dem es für die Liebenden Raum für Persönlichkeitsentwicklung gibt und die Liebe sich weiterentwickeln kann. Wahre Liebe zeigt sich in einer partnerschaftlichen Bezogenheit bei bestehender Souveränität der Liebenden. Sie drückt sich in Autonomie aus, was so viel wie das Gewahrsein derjenigen Bedingungen bedeutet, unter denen man seine Gleichheit – Mensch, Persönlichkeit, Liebende(r) zu sein – gegenüber dem anderen anerkennt und sie dennoch nicht vollends preisgeben will.

Dem kann entgegengehalten werden, dass es *die* Liebe zu einem anderen Menschen gar nicht gibt, sondern dass eine Transformation der eigenen Lebens-, Bedürfnis- und Liebeswelt auf die vermeintlich liebende Person stattfindet. Das bedeutet, dass die Liebe in uns als Medium der eigenen Unvollkommenheit und Bedürftigkeit, als Sehnsuchtsort und Wunsch nach einem Lieben-Wollen und Geliebt-Werden existiert und das Verliebtsein im Glauben geschieht, dass man bei dessen Eintritt den hohen Wert einer wahren Liebe erfährt.

Dieses Streben nach Liebe ist eine ewige Suche nach Liebe in uns selbst, die jedoch nicht als ein Selbstbedürfnis erkannt und deshalb von den Liebe-Suchenden nach außen getragen und im Außen beim potenziellen liebenswerten Partner gesucht wird. Dieses Bild verführt dazu, die Liebe im anderen finden zu wollen, indem wir Menschen nach Liebe suchend begegnen. Der Suchende macht sich bei aller Außenorientierung zum Instrument seines eigenen Ichs.

Die Liebe im anderen zu erkennen sei dann nur eine Gegebenheit, sie zur richtigen Zeit am richtigen Ort zu entdecken. Wir können nicht vom Klick im Partnerportal, dem schweifenden, liebeshungrigen Blick in Cafés und Bars nach möglicher Liebesbeute ablassen. Wir sind stets auf der Suche nach dem zweiten Ich, einem Partner, der uns vollkommen, ganz machen soll, um sich gut zu fühlen. Bei all' den Sehnsüchten verkennen wir, wie Bild und Wirklichkeit, Innen und Außen verschwimmen, weil wir den Unterschied zwischen dem Urbild und dem Abbild nicht mehr registrieren. Wir machen den Geliebten zum Urbild der eigenen Liebe, sehen in ihm die Begegnung mit der wahren Liebe, obwohl sie sich als eine Projektionsfläche der eigenen Unvollkommenheit erweist. Die Tragik in allem ist: Wir wissen das nicht.

Eva Illouz macht in ihrem Buch „Warum Liebe weh tut" (Suhrkamp, Berlin 2012) auf diese Problematik aufmerksam. Wenn jemand sagt: „Ich liebe dich nicht (mehr).", so kann dies nur so verstanden werden, dass der/die Liebende sich auf die Suche begibt, das wiederzubekommen, was er *vorher* hatte. Er/sie begibt sich auf neuerliche Suche. Die Realität der Möglichkeiten – heute mehr als je zuvor – macht jedoch letztlich die Liebe (Eigenliebe!) weniger mög-

260

lich, in der es darum geht, sich als Mensch wertzuschätzen, sich in seinem Dasein so annehmen zu können, wie man ist und in seiner Persönlichkeit nicht nur seine Sonnen- sondern auch seine Schattenseite anzuerkennen und zu lieben, weil diese auch zu mir gehört. Sich mit sich immer wieder versöhnen zu können, sich zu lieben und sich in Eigenliebe zu zeigen, ohne in irgendeinen Narzissmus zu verfallen, wird zur wahren Liebeskunst zum geliebten Partner. In diesem Kontext mag das Thema des Buches von Eva-Maria Zurhorst „Liebe dich selbst und es ist egal, wen du heiratest" (Goldmann ARKANA, München 2004) einen tiefen, orientierenden Sinn beinhalten.

Die gebotene unendliche Freiheit der Partnersuche und Partnerwahl wird so immer unerträglicher, weil die Lebenswelt derart viele Möglichkeiten bereithält, mit denen wir nicht angemessen umgehen können. Die Suche nach dem (Liebes-)Partner ist nicht nur eine fehlgesteuerte Suche des Ichs, sondern es ist auch ein Suchen und Finden auf Zeit. In der Welt der vielen, vielen Möglichkeiten, noch etwas Besseres an Verliebtheit (Liebe) zu finden, ist zum Erstrebenswerten geworden. Was jedoch in diesem illusionären Streben zurückbleibt, sind seriell gestaltete *Ent*täuschungen. Sie manifestieren sich, wenn wir nicht verstehen, was passiert und nicht lernen, diesen Denkmechanismus zu durchbrechen.

Was uns das Leben heute beschert, ist das Lieben und damit menschliche Begegnungen im Ungewissen – und das in einem Raum unbegrenzter Möglichkeiten freiheitlichen Handelns bei der Partnersuche und Partnerwahl. Das ist einerseits schwer auszuhalten und zum anderen erzeugt es mehr denn je wechselseitige Sehnsucht. Sie gibt in unserem Denkraum Vielheit und Unbegrenztheit an Möglichkeiten. Diese traumbesetzte Freiheit an unzähligen Wahlmöglichkeiten lässt unseren Alltag zu einem Maß des Unerträglichen werden. Bindungsangst ist vorprogrammiert. Sie entsteht durch Ambivalenzen von Möglichkeiten an Beziehungen.

Das Suchen nach besseren und/oder tieferen Gefühlen zum potenziellen Liebespartner macht das alltägliche Leben keinesfalls leichter. Im Gegenteil: Die Suche nach Besserem ist ein ständiges Optimieren, was Entscheidungen für ein Zusammenleben mit einem Partner erschwert bzw. verlängert. Dies kann insbesondere bei jungen Menschen auch eine Ursache dafür sein, relativ spät eine feste Bindung einzugehen, dann erst, wenn die Lebensuhr tickt oder soziale Normen nicht verlassen werden wollen.

Bei Älteren, die bereits eine mehr oder weniger lange Partnerschaft hinter sich haben, spielt dies insofern eine Rolle, dass sie sich entweder des eigenen Lebens und Liebens bewusst werden (wollen) oder mit der gleichen Verunsicherung konfrontiert sind, in der folgenden Partnerschaft alles richtig bzw. besser zu machen und auf dem Weg der Optimierung in den Sehnsüchten gefangen bleiben. Das partnerschaftliche Scheitern lässt dann nicht mehr lange auf sich warten.

In allem, was sich hier zeigt, offenbart sich die Liebe augenscheinlich als ein im Menschen angelegter gedanklicher und praktischer Konstruktionsfehler und zugleich als eine Form möglicher menschlicher Begegnungen. Unsere Liebesunvollkommenheit und -bedürftigkeit führt uns in die Arme des Anderen. Vielleicht sollten wir angesichts einer sich durchdringenden digitalisierten Welt froh darüber sein, dass der Mensch sich in dieser Liebensunvollkommenheit bewegt, dass die Liebe ein immer aufs Neue erzeugtes zwischenmenschliches Blend- und Blindwerk ist, was uns immer wieder zusammenbringt. Die Liebe lebt von ihrer Illusion, die uns immer wieder dazu verführt, nicht von ihr zu lassen. Sie ist ein hormoneller, emotionaler und von Bedürftigkeit gespeister Cocktail, dem man sich offensichtlich nicht entziehen kann.

Doch diese mit Liebesschmerz begründeten zwischenmenschlichen Begegnungen sind nur zu überwinden, wenn wir bereit sind, dem von H. Jellouschek beschriebenen Modell der Entwicklungsphasen der Paarbeziehung zu folgen. Darin scheint gleichermaßen die Absurdität und Tragik des Liebens zu bestehen, in denen wir gefangen sind. Es ist äußerst mühevoll, sich von dieser Umklammerung zu befreien.

Der umgewandelte Satz René Descartes' (1596 -1650) bekommt in diesem Kontext seinen Sinn: Ich liebe (fühle), also bin ich. Das vor allem deshalb, weil in ihm die Kraft des Gedankens steckt, die Quelle der Liebe und des Liebens in und bei uns selbst zu suchen und nicht in einem von uns außenstehenden Objekt. Das Lieben zeigt sich als Fähigkeit unseres Denkens, Fühlens und Handelns, sich wertzuschätzen, achtsam mit sich umzugehen, sich in seinem Sein mit all' seinen Verletzungen und Bedürftigkeiten anzunehmen.

Das Lieben in seiner Gebrechlichkeit anzunehmen, lässt das Lieben zur wahren, reifen Liebe werden, wenn sie mit Verantwortung gestaltet wird. Das heißt sowohl Verantwortung für sich selbst – nicht zwingend für den anderen! – als auch für die Beziehung zu übernehmen, die sich als Wert der Liebe offenbart und die Partner in Liebe zueinanderfinden lässt.

Das Lieben, das uns reif und erwachsen begegnet, ist eine Liebe in Freiheit *und* Verantwortung für sich und für die eingegangene Beziehung. Als solche gestaltet sie sich als „Kunstwerk", worauf E. Fromm explizit (a.a.O., S. 11 ff.) aufmerksam macht. Das Lieben in einer Beziehung braucht Können, Anstrengung *und* Zeit (Geduld) für Erfahrung. In der Zeit ist sie ein Prozess, was bedeutet, dass sie sich – mit oder ohne Verliebtsein – erst zur wahren und damit reifen Liebe entwickeln muss.

H. Jellouschek hat im Kapitel „Entwicklungsphasen der Paarbeziehung" seines o. g. Buch „Warum hast du mir das angetan?" beschrieben, wie Liebe zu wachsen und sich zu entwickeln hat, wie aus der symbiotischen Liebe, der Liebe der Verschmelzung und wechselseitiger Abhängigkeit, die E. Fromm als infantile, unreif beschrieb, letztlich eine reife Liebe *wird*, in der sich die Vereinigung zwischen den Partnern neuerlich, auf dem Niveau des Erwachsenseins aufhebt. Doch dieses Werden und Sein einer reifen Liebe, in der das Geliebt-Werden seinen Ausgangspunkt in der Liebe zu sich selbst und über sie zum anderen Menschen hat, hat seinen Preis. E. Illouz sagt, dass Liebe immer weh tut und nicht schmerzfrei zu haben ist, weil wir einer Asymmetrie der Liebe gegenüberstehen. Das Liebesmodell, gültig bis in die Mitte des 20. Jahrhunderts hinein, hat in unserer heutigen Zeit sein Ende gefunden. Zugleich gibt es aber auch erste Anzeichen dafür, sich wieder dieses früheren Liebesmodells zu besinnen. Gemeint ist, auf Optimierung und Perfektion mit hohen Ansprüchen an den Partner zusehends zu verzichten und sich auch auf einen nicht ideal erscheinenden Partner einzulassen und ihn in sein Leben hereinzulassen, was einer guten und nicht perfekten Lösung gleichkomme. Das stimmt hoffnungsvoll, weil der romantische Liebe die Verklärung zunehmend entzogen wird und die Chancen für eine reife Liebe damit wachsen.

In diesem Zusammenhang sei angemerkt, dass in der antiken Philosophie der Liebe verschiedene Bedeutungen gegeben und dafür entsprechende Worte gewählt wurden: *Eros* (die sinnliche körperliche Liebe), *Philia* (Liebe in Verbundenheit gemeinsamer Werte und Lebenseinstellungen) und *Agape* (die uneigennützige, bedingungslose, spirituelle Liebe).

Uns begegnen diesen drei Lieben. Sie gehören zu uns. In einer reifen Liebe, in der Partnerschaft des Erwachsen-Seins, haben wir mehr oder weniger gleichermaßen Zugang zu ihnen. Sie können von uns gelebt werden, wobei die letztgenannte Liebe sich in der Sicht- und Erlebensweise einer Partnerschaft durchaus unterschiedlich zeigt. Dennoch bleiben sie hinsichtlich der o. g. Kernfrage nach dem Verhältnis von Lieben und Brauchen interessant.

Was heißt Brauchen? In der Wortbedeutung steht es für „nutzen", „verwenden", „benötigen", womit die menschliche Zweckgebundenheit hinsichtlich einer sachbezogenen, handlungsorientierten Zielsetzung zum Ausdruck gebracht wird. Wir verbinden das Brauchen auch in unserem Sprachgebrauch mit „angewiesen sein", „benötigen", „bedürfen" oder „vermissen". Hiermit zeigen wir einen in uns bestehenden Mangel an. Es wird das Bestehen einer Abhängigkeit bzw. Angewiesenheit offenkundig. Das Brauchen, egal, in welcher Wortgestalt wir es verwenden, hat einen Wertebezug, in dem das Normative, Ethisch-Moralische erkennbar ist, jedoch unterschiedlich zum Ausdruck kommt. Während die erstgenannte Bedeutung des Brauchens sich in einem praktischen, nach außen hin weitestgehend emotional freien Raum bewegt, in dem das Handeln im Bezug zur Außenwelt im Mittelpunkt steht, zeigt die zweite Gruppe eine Bedeutung an, die einen starken menschlichen Selbstbezug hat, der das menschlich, insbesondere emotional Defizitäre verdeutlicht.

In der Quellbedeutung steht „Brauchen" für die Aufnahme von Nahrung. Essen und Trinken gehören neben Schlafen und Sexualität zu den Grundbedürfnissen unseres Lebens und machen in der uns gebotenen Qualität das Menschsein aus. „Brauchen" steht hier für „benötigen" bzw. „bedürfen". Die Transformation des Brauchens entspricht in der erweiterten Bedeutungsveränderung dem Teilhaben, Genießen oder dem bereits o. g. Verwenden.

In der Folgezeit wurde mit dem „Brauchen" eine immer stärkere Zweckgebundenheit verknüpft. Mit dem Brauchen verbinden wir automatisch die Frage nach dem Wofür bzw. Zu-welchem-Zweck. So hat das „Brauchen" *von* bzw. *für etwas* seinen Platz gefunden.

Das Brauchen ist nicht nur an eine Funktion, Absicht oder Zielsetzung geknüpft, sondern jedes Brauchen von etwas signalisiert auch Wünsche, Erwartungen oder einen Mangel, deren Erfüllung bzw. dessen Beseitigung gesucht werden. Zugleich verbindet sich hiermit das Ethisch-Moralische, weil jenes zweck- oder erwartungsgebundene Brauchen eine handlungsbezogene Bedeutung beinhaltet und vermittelt. Das Brauchen repräsentiert einen Wert für jenen, der für sich das Brauchen von und für etwas reklamiert, weil im Nutzen ein Sinn, ein Zweck gesehen wird. Im Nutzen wird das Brauchen zu einem Akt des wertbezogenen Handelns. Aus ihm wird ein *Ge*brauchen bzw. ein *Ver*werten. Dieses Brauchen zeigt sich als Akt des Verzehrs in zweierlei Hinsicht: Es ist einerseits das Brauchen, das zum *Ver*brauch *einer Sache* führt. Es ist das Verbrauchen einer Sache, die aufgebraucht wird wie ein Stück Brot, wenn es aufgegessen wird. Es ist nicht nur der *Ver*brauch einer Sache, sondern gleichermaßen der Verzehr eines Bedürfnisses (Wunsches, Absicht), wenn es sich erfüllt. Das Bedürfnis ist aufgebraucht, weil es befriedigt wurde.

Zurück zur Kernfrage nach dem Verhältnis von Lieben und Brauchen. Festzustellen ist, dass es Uneinigkeit gibt im Verständnis, in der Interpretation und in der Zuordnung der Thesen: „Ich liebe dich, *weil* ich die brauche" und „Ich brauche dich, *weil* ich dich liebe". Wir haben es hier mit motivbesetzten Folgebeschreibungen zu tun, in denen das Brauchen und Lieben unterschiedlich *begründet* und in den jeweiligen Thesen gegensätzlich zum Ausdruck gebracht und bewertet werden.

In *„Ich liebe dich, weil ich dich brauche."* steht das Brauchen als Grund (Motiv) für das Lieben. Oder anders formuliert: Das Lieben erwächst aus der Absicht, dem Wunsch des Brauchens des Anderen. Das Lieben wird zum Instrument, Zweck des Brauchens. Das Lieben ist aber auch das Einfallstor, der Türöffner für das Brauchen des anderen, um so über ihn den persönlichen Zweck realisieren zu können. Dieses Lieben verknüpft sich mit dem Brauchen. Das Lieben zeigt sich als ein zwecksetzender Energieträger, der das Brauchen anheizt und die Bedürftigkeit des vermeintlich Liebenden wohltemperiert wärmt. Das Normativ heißt: „Ich werde dich lieben, weil ich dich für mein Leben brauche". Das Lieben verwandelt sich in ein Brauchen, um die Zwecke (Bedürfnisse) zu befriedigen. Das Brauchen wird mit Liebe ummantelt und geschönt. Ist es gestillt, erwächst ein neuer Bedarf des Brauchens, der durch das Nachlegen von Lieben genährt wird.

Dass dieses Lieben von E. Fromm nachdrücklich als infantil charakterisiert wird, ist nachvollziehbar, weil es aus dem Kindsein und zur Beziehung zu den Eltern, die das Kind nähren, entspringt. Das Kind zeigt gegenüber den Eltern Liebe durch Umarmung und Liebkosung. Es sagt: „Mama (Papa), ich habe dich lieb", weil es selbst unmittelbar erfährt, von den Eltern bedingungslos geliebt zu werden und das allein deshalb, weil das Kind das Kind der Eltern, weil es da *ist*. Elternliebe ist eine kindesbezogene Daseinsliebe.

Für das Kind stellt sich die Eltern-Kind-Beziehung zwangsläufig anders dar. Dessen Liebe ist zweckgebunden, weil das Kind sehr früh seine Abhängigkeit, seine Bedürftigkeit, das Nicht-OK-Sein spürt. Das Kind versucht, sich aus dieser Umklammerung zu befreien, indem es den Eltern seine Liebe schenkt und dafür die Befriedigung seiner Bedürfnisse von den Eltern erhalten möchte. Dieser Bedarf an Fremdbefriedigung liegt in der Natur des Kindes, weil es nicht hinreichend in der Lage ist, seine Bedürfnisse, insbesondere die Ich-Bedürfnisse wie Anerkennung und Wertschätzung, selbst zu befriedigen. Erst im Laufe seiner Lebensjahre wird es lernen (müssen) und sich dahin bewegen, die immer wieder neu entstehenden Bedürfnisse selbst zu erfüllen. Insofern haben wir es hier mit einem notwendigen Akt des Liebens des Kindes für das Brauchen bzw. Gebrauchen der Eltern zu tun.

Die Liebe des Kindes für die Eltern hat den Charakter eines

Deals, den das Kind den Eltern anbietet. (Stellvertretend für die Eltern können es auch andere Personen – Großeltern, Geschwister, Trainer, Lehrer etc. – sein, von denen das Kind sich einen Nutzenvorteil verspricht.) Was sich hier abspielt, ließe sich als ein natürlich-begründeter und zugleich unausgesprochener Beziehungsvertrag beschreiben. Es ist ein Vertrag zum beidseitigen Vorteil: Die Eltern und Co. erhalten Liebesbeweise vom Kind – in der Hoffnung, dass das Kind über dessen Bezeugungen das bekommt, was es zu seiner Bedürfnisbefriedigung und letztlich zu seinem zukünftigen Werden braucht. Dabei geht es nicht nur um die Befriedigung existenzieller bzw. physiologischer (körperlicher) Bedürfnisse, sondern auch um jene, wie sie in der Maslov'schen Bedürfnispyramide anschaulich dargestellt sind. Es schließt das Bedürfnis und dessen Befriedigung nach Sicherheit, Geborgenheit und sozialen Kontakten ein. Es ist der Wunsch nach gemeinsamem Erzählen und Spielen, dem Erfahren von Anerkennung und Wertschätzung für das, was das Kind macht und ist, um sich so auf den Weg der persönlichen Reife begeben zu können.

Insofern haben wir es hier mit einem partnerschaftlichen Verhältnis zwischen Kind und Eltern (und Co.) zu tun. Sie ist eine von einem Kind ausgehende „Geschäftsbeziehung", die sich dadurch trägt, weil das Lieben und Brauchen sich in einem Austausch vollziehen. Das Kind schenkt Liebe, nicht wie die Eltern zum Kind bedingungslos und daseinsbezogen, was Elternliebe in ihrem Wesen ausmacht, sondern es sind Liebe(n)sbeweise des Kindes, die aus einer im Kind bestehenden Bedürftigkeit und Zwecksetzung resultieren, über sie Befriedigungen, Vorteile und praktischen Nutzen zu generieren. E. Fromm schreibt dazu: „Für die meisten Kinder unter achteinhalb bis zehn Jahren besteht das Problem fast ausschließlich darin, geliebt zu werden – und zwar dafür geliebt zu werden, daß man so ist, wie es?man ist. … Bis zu diesem Alter liebt das Kind noch nicht; es reagiert nur dankbar und fröhlich darauf, dass es geliebt wird. An diesem Punkt der kindlichen Entwicklung kommt ein neuer Faktor hinzu: das neue Gefühl, dass man durch die eigene Aktivität Liebe wecken kann. Zum ersten Mal kommt das Kind auf den Gedanken, daß es der Mutter (oder dem Vater) etwas *geben* kann – ein Gedicht, eine Zeichnung oder was immer es sein mag. Zum erstenmal im Leben des Kindes verwandelt sich die Vorstellung von Liebe. Geliebtwerden wird zum Lieben, zum Erwecken von Liebe." (a.a.O., S. 69)

Vom Lieben als Mittel des Brauchens verwandelt sich das Lieben in einen Wert uneigennützigen Schenkens für andere. Sicherlich trägt dieser Wandel des Liebens auch Momente des Liebens als Mittel des Brauchens. Doch das ändert sich zusehends mit der persönlichen Reife, wenn dieses Schenken an Liebe sich weniger zweckgebunden, vorteilsuchend gestaltet. Doch dieser Weg des Reifens ist kein im Menschen wirkendes unabänderliches Naturgesetz. Er kann, muss aber nicht so verlaufen – und das deshalb, weil das für das Kindeswohl *vom Kind selbst initiierte notwendige* „Geschäft" mit der beginnenden Pubertät am Scheideweg steht, *wie* sich nun zukünftig das Verhältnis von Lieben und Brauchen gestalten wird.

Pubertät ist eine Zeit des Loslösens von den Eltern, des Selbst-Ausprobierens, eine Zeit, das Leben immer mehr in die eigenen Hände zu nehmen. Das heißt zu lernen, Verantwortung für sich zu übernehmen, im wachsenden Maße eigenes Denken, Fühlen und Handeln zu verantwortend zu entwickeln. Doch das alles wird nur dann auf den Weg gebracht, wenn das Lieben seine Instrumentalisierung und Zweckgebundenheit für das Brauchen zusehends verliert. Das Prinzip „Ich liebe dich, weil ich die brauche" ist unter diesen Bedingungen der Auflösung begriffen, weil das Lieben seinen ausschließlichen Selbstbezug verliert und immer mehr einen Beziehungsbezug erhält, was bedeutet, nicht nur Verantwortung für sich selbst, sondern auch für die Beziehung, was aber nicht heißt für den anderen, zu übernehmen.

Doch wie stellt sich die Situation dar, wenn das Beziehungskonstrukt zwischen Lieben und Brauchen nach dem Prinzip „Ich liebe dich, weil ich dich brauche" über die Pubertät hinaus fortbesteht? Wird dieses aus dem Kindsein herausgeborene Lieben mit seiner ursprünglich-natürlichen Infantilität zwangsläufig *unreif*, wie E. Fromm (a.a.O.) und H. Jellouschek (vgl.: Warum hast du mir das angetan?, a.a.O.) behaupten? Wandelt sich das infantile Lieben des Kindes (zu seinen Eltern) angesichts seines Älterwerdens über die Pubertät hinaus zum Erwachsenen zu einer unreifen Liebe? Damit

272

ist gemeint, dass das Lieben-Brauchen-Prinzip bestehen bleibt, auch wenn sich in den Jahren aus dem Kind ein größer und älter gewordener Mensch entwickelte. Das führt mich zu der Überlegung, zwischen *infantilem und unreifem* Lieben altersbedingt zu unterscheiden, was E. Fromm nicht macht. Das infantile Lieben sehe ich als eine notwendige, dem Naturgesetz gleichende Form des Liebens des Kindes zum eigenen Selbstwohl an. Es ist Ausdruck seiner eher unbewussten Selbstfürsorge. Würde das Kind das nicht tun, hätte es nicht von den Eltern gelernt, was das Lieben begründet und wie es möglich ist.

Zugleich ist das Kind in seiner Selbstsorge existenziell darauf bedacht, viel Brauchbares von den Eltern zu erhalten, um so seine Bedürfnisse befriedigen zu können. Da ist offensichtlich dem Kind jedes Mittel recht. Insofern erachte ich dieses vom Kind angewandte Mittel auf dem Wege zum Erwachsen-Werden durchaus als legitim und notwendig. Einschränkend sei jedoch vermerkt, dass Kinder zu diesem Liebensweg zwar grundsätzlich greifen, doch dieses Mittel durch das Kind gemindert genutzt wird, wenn Eltern ihm vom ersten Lebensjahr an ein gesundes Urvertrauen schenken konnten. Je weniger aber dieses Urvertrauen von den Eltern vermittelt wurde, desto stärker folgt das Kind dem Geschäftsprinzip „Lieben für Brauchen".

Während ich das infantile Lieben als legitim anerkenne, hinterfrage ich kritisch die unreife Liebe. Im gleichen Atemzug möchte ich der Frage Nachdruck verleihen, ob das oben beschriebene unreife Lieben wirklich so unreif ist, wie es sich nach dem gleichnamigen Prinzip der infantilen Liebe darstellt. H.-J. Maaz scheint im Gegensatz zu E. Fromm und H. Jellouschek anderer Meinung zu sein. Erwähnenswert ist, dass die von H.-J. Maaz angesprochene „Geschäftsbeziehung" ihren Bezug auf eine Partnerschaft zwischen zwei Erwachsenen hat. Ich sehe zwischen dem Kind und den Eltern ebenso einen Deal, auch wenn die Protagonisten grundsätzlich andere und deshalb in den jeweiligen Rollen nicht miteinander vergleichbar sind, so verfolgen sie doch alle ihren Selbstzweck. Das Kind vermittelt an die Eltern die Botschaft: „Ich schenke euch meine Liebe, damit ihr euch an mir erfreuen könnt und ihr gebt mir bitte das, was ich brauche und mir guttut".

H.-J. Maaz macht deutlich, dass, wer die Partnerschaft zwischen zwei Erwachsenen als solche anerkennt, um das Einhalten von geschäftsbeziehungstragenden Regeln weiß, zu denen er „Verantwortung, Redlichkeit, Arbeit und gegenseitige Hilfsbereitschaft" zählt. (a.a.O., S. 180) Es geht darum, nicht in eine Liebenserwartung zu verfallen, die einer Liebesbeziehung zwischen Eltern und Kindern gleichkommt, die sich darin zeigt, selbst- und bedingungslos für den anderen zu sorgen. Das Lieben ist mit einer Erwartung zu verknüpfen, die sich frei von jeglicher Projektion gestaltet und seine Basis im Einander-Brauchen hat. (ebenda) H.-J. Maaz begründet dies mit dem Wissen wechselseitiger Bedürftigkeit und Sehnsucht der Partner, ohne dabei den anderen in die unentgeltliche Pflicht zu nehmen, bedingungslos verfügbar zu sein, weil das Sich-Brauchen in der Verantwortung wechselseitigen Gebens und Nehmens geschieht. (a.a.O., S. 181)

Das Sich-Brauchen in einer in Liebe begründeten Partnerschaft legt die Grundlage für den Beziehungsvertrag. H.-J. Maaz schreibt: „Das wechselseitige Brauchen beruht auf wesentlichen Fähigkeiten der hier gemeinten Beziehungskultur: dem Wissen um die frühe Not, der Akzeptanz der Unerfüllbarkeit der frühen Defizite, klaren internalen Aussagen in offener Kommunikation, Verhandlungsbereitschaft und Vertragsehrlichkeit. ... Wer also sagt: „Ich liebe dich!", meint fast immer: "Ich brauche dich!" und wer die Frage stellt, die die verborgene Sehnsucht zumeist erpresserisch transportiert: „Liebst du mich?", kann als redliche Antwort nur zu hören bekommen; „Nein! Aber ich brauche dich."

H.-J. Maaz hat das Prinzip „Ich liebe dich, weil ich dich brauche" nicht von seinem infantilen Inhalt befreit, weil das infantile Lieben seine kindgemäße, natur- und persönlichkeitsentwicklungsgeschichtliche Berechtigung hat, sondern er nach meinem Verständnis aus dem Prinzip das Unreife herausgelöst, von denen E. Fromm und u. U. auch H. Jellouschek ausgehen. Das macht m. E. auch deshalb Sinn, um H.-J. Maaz zu folgen, weil mit dem Unterscheiden einer infantilen und unreifen Liebe deutlich wird, dass eine unreife Liebe zu überwinden ist und in einer reifen Liebe ein infantiles Lieben auch seinen Platz haben darf, solange es die reife Liebe nicht verdrängt. Das „Kind" *im* Erwachsensein gehört für mich zu einer reifen Liebe, in der sich der eine oder andere in der Partnerschaft auch schwach zeigen darf und seine Bedürftigkeit gegenüber dem anderen offenbart, ohne dabei vollends und auf Dauer in das Kindsein zu verfallen. Passiert Letzteres, hat eine reife Liebe in ihrem Werden und Sein keine Chance.

Doch in der Bestimmung dessen, was sich als reife Liebe zeigt, sind sich die o. g. Autoren uneins. Bei H. Jellouschek vermutend und bei E. Fromm sicher, gilt das als *reife* Liebe, wenn sie dem Prinzip „Ich brauche dich, weil ich dich liebe" folgt. Bei H.-J. Maaz ist offensichtlich jene Partnerschaft reif, wenn in ihr das „Ich liebe dich, weil ich dich brauche" – Prinzip bestimmend ist. Es legt den Grundstein dafür, eine Partnerschaft als „Geschäftsbeziehung" zu betrachten. Eine auf ihr basierende Partnerschaft kann demnach nur dem genannten Prinzip folgen. (vgl. a.a.O., S. 181)

Worüber sich alle drei einig sind, ist, dass sie dem Fromm'schen Grundsatz folgen: „Ich werde geliebt, weil ich liebe." Alles Geliebt-Werden hat seine Quelle in der Liebe in und zu mir selbst. Das Lieben hat einen ausgehenden Selbstbezug, aus dem das Lieben nach außen drängt. Die Reife eines Geliebt-Werdens steckt in der mir selbst gegebenen und erfahrenen Liebe, die sich über das Ich für den bzw. zum anderen erschließt. Der Wert des Geliebt-Werdens begründet sich in der Liebe zu mir und über sie zum anderen Menschen. Insofern ist der Titel des Buches von Eva-Maria Zurhorst als

Beziehungsbotschaft „Liebe dich selbst und es ist egal, wen du heiratest" (a.a.O.) nachvollziehbar, auch wenn ich inhaltlich nicht allen Gedanken ihres Buches folge, und das „Heiraten" sicherlich auch nicht wörtlich, sondern eher im übertragenen Sinne gemeint sein mag.

Wenn bei H.-J. Maaz das Prinzip „Ich liebe dich, weil ich dich brauche" eine auf eine „Geschäftsbeziehung" begründete Liebe ist (und bei E. Fromm als unreif gilt), kann auf der Grundlage des Prinzips „Ich brauche dich, weil ich die liebe" – als Ausdruck der reifen Liebe – auch eine Geschäftsbeziehung begründet werden?

Das Lieben ist die fließende Quelle für das Brauchen. Oder anders formuliert: Das Brauchen ist im Lieben begründet. Doch wie kann aus dem Lieben ein Brauchen werden? Das ist m. E. nur möglich, wenn mit dem Sich-Lieben eine Partnerschaft wächst, die in ein Versprechen des Füreinander-Daseins mündet. Dieses Versprechen formt sich zu einem Beziehungsvertrag, der den Charakter einer Geschäftsbeziehung annimmt, von der H.-J. Maaz spricht.

Erzeugt das Brauchen, soweit es sich in einer gesunden, partnerschaftlichen Geschäftsbeziehung zeigt, nicht wieder ein beidseitiges, gewolltes Lieben? Das verantwortungsvolle Miteinander-Agieren zum beidseitigen Vorteil, das Wachsen in der Partnerschaft, befördert das Lieben füreinander. Insofern folgt aus dem gegenseitigen Brauchen ein Lieben, das wiederum die Basis für ein gegenseitiges Brauchen (für ein Beistehen, Unterstützen, Zuhören, Trösten etc.)

ist, aus dem wieder Liebe wachsen kann.

Diese Überlegung lässt für mich den Schluss zu, dass beide Prinzipien sich in der Maaz'schen „Geschäftsbeziehung" aufheben. Brauchen und Lieben erfahren in einer tragfähigen Partnerschaft ein gleichwertiges Mit- und Füreinander. Für eine Betrachtung der Partnerschaft als Geschäftsbeziehung scheint es offensichtlich unbedeutend zu sein, welches Prinzip ihr zugrunde gelegt wird, solange auch das andere Prinzip in der Partnerschaft akzeptiert wird. Sinn macht die differenzierte Betrachtung der beiden Prinzipien m. E. nur, wenn der Fokus auf die Eltern-Kind-Beziehung gerichtet ist und in ihr das Lieben und Brauchen dem infantilen Prinzip „Ich liebe dich, weil ich dich brauche" folgt oder in der Partnerschaft dieses Prinzip alleinig (weiter)gelebt wird.

Die beiden diskutierten Prinzipien „Ich liebe dich, weil ich dich brauche" und „Ich brauche dich, weil ich dich liebe" sind m. E. in der bisherigen kontroversen, alternativlosen Gegenüberstellung nicht durchgängig haltbar. Stattdessen sollten wir davon ausgehen, dass das Brauchen die sicherste Grundlage für das Entstehen einer tragfähigen Beziehung im Erwachsensein ist, aus der sich eine Liebesbeziehung entwickeln *kann*. Wird sie das, wird aus der Gebrauchs- eine von Liebe getragene Partnerschaftsbeziehung, die sich im Wechselspiel des Brauchens und Liebens als eine „Geschäftsbeziehung" besonderer Art zeigt. Sie ist bestimmt durch eine Beziehungskultur, in der beide Partner wissen, dass sie ihre unabhängig voneinander entstandenen Verletzungen tragen, dass sie sich nicht gegenseitig ihre unerfüllten Wünsche befriedigen, dass sie wechselseitig ihre Bedürfnisse kommunizieren und deren Erfüllbarkeit aushandeln können und bereit sind, füreinander ein Versprechen abzugeben, in dem die Möglichkeiten und Grenzen der Partnerschaftsgestaltung abgesteckt sind. Ein ausgesprochener Beziehungsvertrag macht die Partnerschaft nicht nur zu einer Geschäftsbeziehung, sondern lässt sie zu einer Beziehung des gegenseitigen Vertrauens und Brauchens werden, in der das Lieben seinen Raum hat. (vgl. a.a.O., S. 181)

Weil das Brauchen als *Bedarf* (Benötigen) in der praktisch gestaltenden Partnerschaft sich als ein *Gebrauchen* (Nutzen, Verwenden) realisiert, kann sich ein derartiges Brauchen in ein *Missbrauchen* verwandeln, wenn die Grenzen des Gebrauchens zu einem Missbrauchen zwischen den Partnern nicht klar ausgehandelt sind bzw. der Missbrauch des Brauchens nicht rechtzeitig und ausreichend kommuniziert wird. Die Gefahr zeigt sich besonders dann, wenn ein unausgewogenes Angewiesensein zwischen den Partnern besteht und die Bedürftigkeit sich seitenlastig gestaltet. Unter diesen Bedingungen ist das jeweilige Sich-Selbst-Verantworten von unschätzbarem Wert, weil jeder Missbrauch in einer Partnerschaft eine Beziehungsstörung darstellt, die unumkehrbare Folgen nach sich ziehen kann.

Brauchen ist immer auch ein Nehmen des Einen vom Anderen.

Das Schenken von Liebe des Einen zeigt sich als Wert des Gebens für den Anderen. Doch erzeugt das Lieben des Einen zugleich das (Ge)Brauchen durch den Anderen? Und umgekehrt: Erzeugt des (Ge)Brauchen des Anderen durch den Einen das Lieben des Anderen?

Liebe für den Anderen ist ein Geschenk an den Anderen. Sie als Wertschätzung in Dankbarkeit für sich aufzunehmen ist wie ein Geschenk. Wird sie zum Gebrauchsgegenstand für den Anderen, ist sie nicht mehr das, was sie ist. Sie ist zum Sterben verurteilt. Anders ist die Konstellation, wenn wir unterstellen, dass aus einem gegenseitigen Brauchen i. S. von wechselseitigem Unterstützen, Helfen, Füreinander-Dasein wechselseitig oder zumindest einseitig Liebe für den anderen entstehen kann. Hier erwächst das Lieben aus dem Handeln, im Miteinander-Wirken.

Welche Denkkonsequenzen erschließen sich zusätzlich, wenn die o. g. Prinzipien in „*Ich* liebe dich, weil *du* mich brauchst" und „*Ich* brauche dich, weil *du* mich liebst" umgewandelt oder durch „*Du* liebst mich, weil *ich* dich brauche" und „*Du* brauchst mich, weil *ich* dich liebe" ergänzt werden? Deren Interpretation soll das bisherige Verständnis des Verhältnisses von Lieben und Brauchen vervollständigen.

„*Ich liebe dich, weil **du** mich brauchst*" heißt, dem Anderen Liebe aufgrund der Bedürftigkeit des Anderen zum Einen zu schenken. Das Brauchen des Anderen ist die Quelle der Liebe des Einen für den Anderen. Das Brauchen nährt das Lieben. Das Lieben nährt auch das Brauchen insofern, als es dem die Liebe Schenkenden guttut, gebraucht zu werden. Das Lieben des Einen ist das „Futter", von dem sich der Brauchende ernährt. Auch das Lieben hat seinen Nährboden: in dem Brauchen des Anderen. Insofern speisen sie sich gegenseitig durch Lieben und Brauchen. Der Liebe-Gebende ist zugleich der die Bedürftigkeit des Anderen Empfangende und der die Liebe-Empfangende „bedankt" sich mit seiner brauchenden Bedürftigkeit. Letztlich ist hier festzustellen, dass beide in einer Bedürftigkeit stecken, die sich im Besonderen durch Unreife im Erwachsensein äußert.

*„Ich brauche dich, weil **du** mich liebst"* hat den gleichen unentwickelten Bodengrund. Das Bedürfnis an Brauchen des Einen hat seine Basis in der vom Anderen geschenkten Liebe. Die Liebe zum Brauchenden macht das Lieben zum Produkt des Brauchens. Das Brauchen klammert sich aber auch an eine von außen erfahrene Liebe des Anderen. Beide haben sich voneinander abhängig gemacht. Beide brauchen sich in diesem Wechselspiel von Brauchen und Lieben. Hier funktioniert eine wechselseitige Bedürftigkeit und das deshalb, weil beiden, dem Liebe Brauchenden und dem Liebe Schenkenden, die Fähigkeit zum Selbst-Lieben fehlt. Dieses Lieben *und* Brauchen zeugt gleichermaßen von der Unreife des Erwachsenseins, wenn sie die Partnerschaft begründen.

So wie die beiden erstgenannten und diskutierten Thesen ihre

Mängel in der Beziehung zwischen Lieben und Brauchen offenbart haben, so zeigen die beiden folgenden Thesen nichts Besseres.

„Du brauchst mich, weil ich dich liebe" heißt: Meine Liebe zu dir führt dich zum Brauchen meiner selbst. Die Liebesschenkung des Einen zeigt sich als Quelle und Instrument der Befriedigung des Brauchens für den Anderen. Die Schenkung des Einen ist nicht nur eine Gebrauchsbefriedigung für den Anderen, sondern sie ist Ausdruck einer Selbstbefriedigung des die Liebe Schenkenden. Insofern stellt sich das Lieben gleichermaßen als Ausgangspunkt und Resultat des Brauchens des Anderen dar. Nicht der die Liebe Empfangende ist in dieser Beziehung das Problem, sondern der die Liebe Gebende. Hier offenbart sich der Altruismus von seiner ungesunden Seite. Das Brauchen wandelt sich in ein beiderseitiges Missbrauchen; und das Lieben wird von ihm miterfasst, welches seinen Ausgangpunkt im missbräuchlichen Brauchen hat.

„Du liebst mich, weil ich dich brauche" lässt die Beziehung zwischen den beiden hinsichtlich Brauchen und Lieben nicht besser werden. Dieses Prinzip bringt zum Ausdruck, dass der Liebende deshalb liebt, weil sein Gegenüber von brauchender Bedürftigkeit ist. Das Lieben hat seinen Ursprung in dem Brauchen des Anderen. Die Liebe des Einen für den Anderen wird zur Verhandlungsmasse für das Gebraucht-Werden des Liebenden durch den Bedürftigen. *Weil ich dich brauche, liebst du mich,* zeigt auch in dieser Beziehungskonstruktion die beidseitige Abhängigkeit aufgrund der wech-

selseitigen Bedürftigkeit. Das Brauchen des Anderen wird von dem Anderen mit Liebe belohnt, die erneut die Bedürftigkeit begünstigt. Das Brauchen des Anderen durch den Bedürftigen wird vom Anderen als dessen Wertschätzung anerkannt, was gleichsam zur Steigerung des Selbstwertgefühls führt, das wiederum das Lieben des Brauchenden anheizt. Die Bedürftigkeit als Liebensquelle ist auch hier ein schlechter Begleiter für das Erwachsenwerden und -sein.

Das Fazit aller sechs betrachteten Lieben-Brauchen-Prinzipen ist: Die beiden von E. Fromm beschriebenen Prinzipien für eine infantile bzw. unreife Liebe einerseits und reife Liebe andererseits brauchen nach meinem Verständnis eine differenzierte Betrachtung. Das Prinzip „Ich lieb dich, weil ich die brauche" ist im Hinblick auf eine bestehende Eltern-Kind-Beziehung tragend und sinnvoll, weil es die Grundlage für das Lieben legt und in diesem Entwicklungsstadium des Kindes zur Persönlichkeitsentwicklung beiträgt, vorausgesetzt, dass die Eltern dieses Prinzip nicht zu ihrem ausschließlichen Vorteil missbrauchen.

Dieses Prinzip zeugt von Unreife, wenn diese Art einer Lieben-Brauchen-Beziehung die erwachsene Partnerschaft durchgängig bestimmt. Das „Ich liebe dich, weil ich dich brauche"-Prinzip ist in einer Partnerschaft gesund und reif erlebbar, solange es nicht die Partnerschaft in ihrem Wesen dominiert und die Partner sich dessen bewusst sind, dass sie sich situativ in diesem Beziehungsprinzip bewegen und es auch wieder verlassen wollen.

Dieses Prinzip ist aber auch durch Reife bestimmt, wenn die Partnerschaft den Charakter einer Geschäftsbeziehung (vgl. H.-J. Maaz, a.a.O.) einnimmt. Das passiert, wenn in ihr ein wechselseitiges Sich-Brauchen stattfindet und alles Brauchen und Lieben in einer Beziehungskultur des Wissens um die Bedürfnisse des Anderen, um die Anerkennung der wechselseitigen Unerfüllbarkeit, des Selbst-Verantwortens von Entscheidungen, Handlungen und Gefühlen, des Verhandelns und der offenen Kommunikation stattfindet.

Das Prinzip „Ich brauche dich, weil ich dich liebe" zeugt dann von Reife, wenn es durch ein „Ich werde geliebt, weil ich liebe" begleitet wird. Wer sich liebt, darf sich in und mit der Liebe (ge)brauchen. Doch wer des Anderen bedarf und dafür die Liebe als Mittel des Brauchens benutzt, zeigt seine Unreife im Umgang mit der Liebe. Die Liebe zu sich selbst ist *die* Quelle für die Liebe zum Anderen in der Partnerschaft, die eine gesunde Liebens-Erwiderung ermöglicht. Das geschieht nur unter Erwachsenen mit einer reifen Partnerschaft, von der H. Jellouschek spricht.

Die vier zuletzt diskutierten Prinzipien über das Lieben und Brauchen zwischen den Partnern sind deshalb nicht infantil, weil sie keinen Bestand in der Eltern-Kind-Beziehung haben. Sie existieren nicht in ihr. Sie sind aber allesamt unreif in einer Partnerschaftsbeziehung, wenn sie in ihr gelebt werden. Sie zeugen von besonderer Unreife, weil sie z. T. mit einem ungesunden Altruismus einhergehen. Deshalb sind wir in unserer Partnerschaft gut aufgehoben, wenn in ihr die Liebe die ureigene Quelle für unser gegenseitiges Brauchen ist. Es ist ein Brauchen mit und in Liebe.

Die Natur betrügt uns nie.
Wir sind es immer,
die wir uns selbst betrügen.

Jean-Jacques Rousseau (1712 -1778)

Stimmungen im Wald

Der Wald ist für uns ein Refugium der Entspannung und Be-
sinnung. Wenn wir in ihn hineingehen, haben wir nicht selten
das Gefühl, von ihm umarmt zu werden. Von ihm umgeben
erfahren wir seine Kraft, die uns Respekt und Demut empfinden lassen.

Wenn ich aus dem Wald herauskomme, nehme ich viel von
seiner Kraft mit. Er zeigt mir aber auch, wie klein und machtlos ich in seiner Welt sein kann. Die Botschaft, die ich aus dem
Wald mitnehme, ist: „Behandle mich gut, dann werde ich dir
bei deinen Besuchen etwas Gutes tun!"

Ich bin mir sicher, dass viele meiner Mitmenschen aus dem
Wald einen ähnlichen Eindruck mitnehmen. Die Natur des
Waldes und die der Bäume sind für uns von unschätzbarem
Wert. Selbst ein auf freiem Feld solitär stehender Baum faszi-
niert und zieht uns in seinen Bann. Nicht selten holen wir das
Smartphon aus der Tasche, um das gerade erfahrene Gefühl
der Erhabenheit und Schönheit des Baumes digital einzufan-
gen und mitzunehmen.

Insofern überrascht es mich nicht, dass über Wochen das
Buch von Peter Wohlleben „Das geheime Leben der Bäume",
untertitelt mit „Was sie fühlen, wie sie kommunizieren – die
Entdeckung einer verborgenen Welt" (Ludwig Verlag, Mün-

chen, 2015) unter den Sachbüchern in den Buchhandlungen zu den „Top Ten" gehörte. Es ist nicht nur die Liebe zur Natur und insbesondere die zum Wald; es sind Titel und Untertitel, die mich neugierig machten, das Buch in die Hand zu nehmen. Können Bäume wirklich fühlen und miteinander kommunizieren, wie P. Wohlleben in seinem Buch schreibt? Das würde mein ganzes bisheriges biologisches Wissen auf den Kopf stellen.

Wissenschaften entwickeln sich weiter. Die Biowissenschaften dringen immer tiefer in die Welt der Natur ein. Seit gut zehn Jahren hat sich die Neurobiologie etabliert, die auch die Pflanzenwelt mit einschließt. Sie geht der Frage nach, ob Pflanzen ebenso wie Tiere fühlen, kommunizieren und denken, ob sie über Sinne verfügen, die ihnen das Hören und Sehen ermöglichen, und ob sie Schmerzen wahrnehmen können.

Die Pflanzenneurobiologie ist ein junger interdisziplinärer Forschungszweig der Bio- und Neurowissenschaften. Es geht darum herauszufinden, wie Pflanzen ihre Umwelt wahrnehmen und wie sie mit welchen Mitteln auf das reagieren, was auf sie einwirkt. Wir wissen, dass Umwelteinflüsse auf Lebewesen nicht ohne Wirkung sind, die bis in die physiologisch-molekulare Ebene hineinreicht.

Befürworter der „Neuro-Botanik" gehen davon aus, dass Vorgänge in den Pflanzen vergleichbar mit denen der Tiere sind. Entsprechend werden von ihnen Begriffe verwandt, wie wir sie aus den Neuro(bio)wissenschaften kennen. Es ist die Rede von Synapsen, Ganglien oder Nervenzellen. In Folge einer angenommenen Pflanzenintelligenz stehen solche Begriffe wie Wahrnehmung, Gefühl, Schmerz oder Gedächtnis im Raum. Findet in den Pflanzen eine elektrophysiologische Signalverarbeitung statt, die es rechtfertigt, von einer Pflanzen-Intelligenz zu sprechen? Die Botaniker sind sich nicht einig. Pro und contra stehen sich gegenüber. Anhänger der jeweiligen Seiten mobilisieren ihre Argumente. Das Internet gibt darüber unter „Pflanzenneurobiologie" hinreichend Auskunft. Die zentrale Frage, ob Pflanzen auch über eine Intelligenz verfügen, hat bis heute ungebrochen ihre Befürworter und Skeptiker.

P. Wohlleben greift im Grunde eine Problematik auf, die bis in das 19. Jahrhundert zurückgeht. Seit jener Zeit besteht die von Charles und Francis Darwin aufgestellte so genannte „root-brain"-Hypothese. Sie geht von der Annahme aus, dass Wurzeln ähnlich wie Gehirne agieren und über eine Wahrnehmungsfähigkeit der Erdschwerkraft verfügen. Die Pflanzen hätten vergleichsweise zu den Tieren ihren Kopf – gemeint ist die Wurzel – in den Sand (sprich: in die nährstoffreiche Erde) gesteckt.

Das 1973 veröffentlichte Buch „Das geheime Leben der Pflanzen" von Peter Tompkins und Christopher Bird (Fischer-Verlage, 1977) scheint für P. Wohllebens Buch Pate gestanden zu haben, der mit seinem 2015 erschienenen Buch einen Bestseller landete, obwohl vor ihm auch andere Autoren wie Volker Arzt (vgl.: Kluge Pflanzen. Wie sie locken und lügen ..., C. Bertelsmann Verlag, München 2009), Daniel Chamovitz (vgl.:

Was Pflanzen wissen. Wie sie sehen, riechen und sich erinnern, Carl Hanser Verlag, München 2013), Stefano Mancuso u.a. (vgl.: Die Intelligenz der Pflanzen, Verlag Antje Kunstmann, 2015) den Diskurs für eine Pro-Pflanzen-Intelligenz aufnahmen. Ihnen sind weitere Autoren, die über die Pflanzen-Intelligenz Bücher veröffentlichten, gefolgt.

Woher dieser Erfolg Wohllebens rührt, werden die Lesenden schnell bemerken, wenn sie den erlebnistragenden, kurzweiligen Text lesen.

Der Ehrlichkeit halber muss ich gestehen, dass ich dieses Buch zwar in der Buchhandlung unter den meistgekauften Sachbüchern zur Kenntnis genommen hatte; doch ich ignorierte es. Sich diesem Buch intensiv zu nähern, habe ich einer Freundin zu verdanken, die mir erzählte, mit welcher Begeisterung sie dieses Buch las, und die sich als Fan von Wohllebens „Baum-Ideen" bekannte und mir wärmstens diese Sachlektüre empfahl. Nachgefragt, was sie an dieser Lektüre so begeisterte, erklärte sie mir, wie doch der Wald voller Gefühle stecke, selbst Schmerzen empfinden könne, und was Bäume untereinander sich alles zu sagen hätten. Je mehr sie davon berichtete, desto größer wuchs gleichermaßen meine Neugier und vor allem Skepsis. Ihre aus dem Buch aufgenommenen Ansichten über die Gefühls- und Kommunikationswelt der Bäume, Pilze und Co. im Wald, die Meinung, dass Bäume ein Gedächtnis hätten, vermochte ich nicht so recht zu teilen.

Meine Gegenthese war formuliert: Bäume haben keine Gefühle. Sie kommunizieren nicht miteinander und haben kein

Gedächtnis. Bäume mit einem Gedächtnis, was für mich ein Erkenntnis- und Erinnerungsvermögen mit einschließt, liegen außerhalb meines Vorstellungsvermögens. Das ist für mich *un*denkbar.

Von dieser Ausgangslage her, ohne in eine pauschalisierende und wenig begründbare These-Antithese-Diskussion mit meiner Freundin zu verfallen, war ich entschlossen, bevor ich mich mit ihr auf einen folgenden Disput einlassen wollte, mich entsprechend vorzubereiten. Meine nun zusammengetragenen Gedanken haben sich zu einer Streitschrift geformt, die die biologisch-psychologisch-anthropologische Deutungsmacht des Baumes – einschließlich die des Waldes – in Frage stellt.

Es mag für die Lesenden, die die vielen interessanten Gedanken des Buches mit großer Neugier und Freude aufnahmen, arrogant und überheblich klingen, Wohllebens Grundthesen in Frage zu stellen. Ich bin kein Waldexperte, was P. Wohlleben aufgrund seiner beruflichen Praxis und Erfahrung durchaus von sich behaupten kann. Es geht mir auch nicht um Details einer dezidierten forstwissenschaftlichen Beweisführung, sondern um eine philosophische Aufnahme von in diesem Buch aufgeworfenen Überlegungen über die Geheimnisse des Waldes und um dessen sprachlich formulierte „Behandlung", darum, wie Wald- bzw. Baumverhalten beschrieben wird.

Ich kann mir sehr gut vorstellen, dass P. Wohlleben für sein Buch eine Beschreibung der Baumgeheimnisse gewählt hat, die es dem Leser leichter macht, den Zugang zu forstwissenschaftlichen Erkenntnissen und zur Biologie des Baumes zu finden. Schließlich macht Aufklärung nur Sinn, wenn sie beim Rezipienten ankommt. Dennoch sei mir die Frage erlaubt, ob eine Aufklärung und gutgemeinte Sensibilisierung für die Werterhaltung des Waldes einer Sprache geopfert werden darf, die an die Grenze des Tatsächlichen und damit an die der Wahrheit stößt.

Aus diesem Verständnis heraus stellen sich für mich Fragen, denen ich mich in meiner folgenden Abhandlung näher zuwenden möchte. Da jedes gutes Philosophieren – vor allem in diesem Kontext – damit beginnt zu fragen, was ist was, sei dies auch hier an den Anfang gestellt: Was ist ein Wald bzw. ein Baum? Was sind Gefühle? Was ist und bedeutet Schmerz? Was macht ein Gedächtnis aus? Ohne klare Definitionen sind klärende Dispute unmöglich.

Im Zusammenhang mit Wohllebens Buch ist ergänzend zu fragen: Was ermuntert den Autor, den Bäumen nicht nur Gefühle, sondern auch anderen pflanzlichen Lebewesen die Fähigkeit zur Kommunikation zuzuschreiben? Woher wissen wir, dass Bäume und alle oder zumindest viele Pflanzen fühlen und kommunizieren können? Was gibt uns die Gewissheit, Bäumen ein Gedächtnis wie höheren Tieren und Menschen zuzuschreiben?

Wenn dem so ist, wie P. Wohlleben schreibt, stellt sich die Frage nach der Ethik des Waldes, und ob das Ökosystem Wald mit seinen pflanzliche Bewohnern über eine Moral verfügt.

Ungeachtet dessen, wie die Antworten ausfallen mögen, haben wir es mit zwei grundsätzlichen Arten von Begegnungen zu tun. Es ist *erstens* die zu betrachtende Begegnung zwischen den im Wald lebenden pflanzlichen Arten und deren Individuen untereinander und *zweitens* das Verständnis des Menschen über und dessen Wirken im Wald. Beide Begegnungen sind mit der Frage verbunden: Inwieweit sind diese Beziehungen von ethisch-moralischer Bedeutung?

Dass diese Fragen ihre Berechtigung haben, wird im Vorwort des Wohlleben´schen Buches deutlich, wenn davon die Rede ist, „dass Bäume Schmerz empfinden und ein Gedächtnis haben" (a.a.O., S. 8) und dass „ein gesunder, vielleicht sogar glücklicher Wald ... wesentlich produktiver" (ebenda) sei. In den Kapitelüberschriften ist von „Freundschaften", „Die Sprache der Bäume" (a.a.O., S. 14 ff.), „Liebe" (a.a.O., s. 25 ff.) oder von einem „Zeitgefühl" (a.a.O., S. 133 ff.) die Rede.

Das macht neugierig, sich in das Buch einzulesen, um auf die eine oder andere oben gestellte Frage eine zufriedenstellende Antwort zu finden. Auf der Suche nach Antwort auf die Fragen „Was ist ein Wald bzw. ein Baum?", „Was sind Baum-Gefühle?", „Was macht ein Gedächtnis oder ein Zeitgefühl bei Bäumen aus?" bin ich bei P. Wohlleben nicht vollends fündig geworden.

Zum Ende seines Buches wird nicht nur das Tierwohl thematisiert. Für den Autor ist es wichtig, sich über diese Lebenswelt hinaus für ein Pflanzenwohl einzusetzen (a.a.O., S.

216 f.). Hierzu wird mehr zu sagen sein.

Wie schon angemerkt, im Vorwort und in den Kapitelüberschriften ist von Schmerz, Glück, Freundschaft und Liebe, aber auch vom Sozialamt und sozialem Wohnungsbau die Rede. Diese Begriffe sind uns aus Alltag und Gesellschaft vertraut. Sicherlich verwendet P. Wohlleben diese Ausdrücke eher im übertragenden Sinne, um den Lesenden den Zugang zu den Geheimnissen des Waldes zu erleichtern. Dagegen ist an sich nichts einzuwenden, solange die Fachlichkeit nicht verlassen wird. Es fällt auf, zumindest ist es mir beim Lesen des Buches so ergangen, dass dem Leser – gewollt oder ungewollt – nahegelegt wird, wie *menschlich* der Wald sei. Dem Wald werden solche Eigenschaften und Verhaltensweisen zugeordnet, dass der Eindruck entsteht, dass der Wald einem menschlichen Wesen gleichkomme. Die Absicht ist nachvollziehbar, weil einem Wald mit menschlichem Antlitz sowohl im Umgang als auch bei dessen Nutzung durch den Menschen mehr Demut und Respekt entgegen gebracht werden kann.

Jeder von uns kann nachvollziehen, dass die Hemmschwelle, einen Menschen zu verletzen oder gar zu töten, bei weitem größer ist als das Abbrechen von Ästen oder gar das Fällen eines Baumes. Insofern ist die Vermenschlichung des Waldes durch die Verwendung von Begriffen aus dem menschlichen Zusammenleben eine Möglichkeit, auch dem „letzten" Menschen unserer Spezies klarzumachen, dass der Wald nicht nur für jene ein wertvolles Lebensgut ist, die im und vom Wald leben, sondern auch für den Menschen selbst.

Im abschließenden Kapitel (sh. a.a.O., S. 215 ff.) bekommt der Wald respektive Baum den zugesprochenen Wert des Lebens. Peter Wohlleben macht deutlich, dass nicht nur die Grenze zwischen Mensch und Tier, sondern auch die zwischen Pflanze und Tier verschwindend klein ist, sodass dem Leben mit Achtung und Achtsamkeit zu begegnen sei.

Das Tierwohl und die Tier-Ethik auf die Pflanzenwelt zu erweitern macht Sinn. Damit stößt P. Wohlleben einen wunden Punkt der Ethik pflanzlichen Lebens an, sobald eine Grenze des Gebrauchs, des Verbrauchs, des Vernichtens gezogen wird. Die Frage nach der Nutzung und dem Erhalt pflanzlicher Ressourcen gerät in das Blickfeld der Betrachtung.

All' das kann m. E. nicht darüber hinwegtäuschen, dass P. Wohlleben den Baum im hohen Maße vermenschlicht. Dem Baum werden Eigenschaften und Verhaltensweisen zugeschrieben, als sei er ein Lebewesen mit Gefühlen, das Schmerzen erleiden könne, über ein Gedächtnis verfüge und in der Lage wäre, Freundschaften zu schließen.

Was gleichfalls von mir hinterfragt wird, sind die von ihm gewählten Beschreibungen, als seien die Bäume mit Bewusstsein und Willen ausgestattete Subjekte, was ihnen ein gezieltes, mit Entscheidungen verbundenes Handeln ermögliche. Anders formuliert: Auffallend ist, wie oft das Wort „müssen" verwendet wird und Vermutungen ausgesprochen werden, deren Wissenswürdigkeit in Frage zu stellen ist. So ist u. a.

zu lesen: „Waldbäume *möchten* (kursiv, v. Verf. hervorgehoben) am liebsten alle gleichzeitig blühen ..." und „Laubbäume
berücksichtigen ... Wildschweine und Rehe." (a.a.O., S. 25) „Die
Bäume *lernen* regelrecht dazu ..." (a.a.O., S. 46), „Fichten ...
sind *verwöhnt*" (ebenda) oder „... sind an völlig anderen Dingen *interessiert* ..." (a.a.O., S. 215)

Jeder Gedanke ist für sich kaum der Rede wert. In welcher
Hinsicht nicht? In Bezug auf das Fühlen (Gefühle) und Denken (Gedächtnis) der Bäume schon, so dass die Wortwahl für
das inhaltliche Verständnis nicht unberücksichtigt bleiben
kann. Dazu gehört auch, dass vielerorts Vermutungen ausgesprochen werden, die nicht selten in ein „Müssen" des biologisch beschriebenen Baumzustandes münden (vgl. a.a.O., S.
18, 51, 133 ff.). Das ist insofern interessant, weil sich hier die
Frage nach der Zweckgebundenheit, dem Sinn und Ziel von
Veränderungen im, am und um den Baum, dem Telos des
Baum*seins* und Baum*verhaltens*, stellt.

Peter Wohlleben ist, wie bereits oben angemerkt, nicht allein mit der Auffassung, dass Pflanzen Gefühle haben. In einem Beitrag von Elke Bodderas (sh. www.welt.de, Wissen,
vom 11. 1. 2010, „Wie klug sind Tomaten? ...") ist zu lesen,
dass nicht wenige Botaniker daran glauben, dass Pflanzen
über eine gewisse Form von Intelligenz verfügen. Doch glauben heißt noch nicht wissen. (Glaube versteht sich für mich als
eine nicht bewiesene oder nicht beweisbare Annahme.) Des
Weiteren ist in E. Bodderas Beitrag zu lesen: „In der Botanik
bahnt sich eine Revolution an: Neurologen haben die Pflan-

zenwelt für sich entdeckt. Jene Forscher, die normalerweise Gehirnzellen von Affen anzapfen, elektrische Signale aus Insektenköpfen ableiten und die feine Kommunikation zwischen den Schaltzentralen im Hirn abhören, holen sich jetzt das Grünzeug ins Labor. Was sie finden, ist erstaunlich." Sie zitiert Dieter Volkmann, emeritierter Professor der Universität Bonn: „Für uns gibt es zwischen Tier- und Pflanzenreich kaum Unterschiede ... Pflanzen haben zwar keine Nerven in dem Sinn, wie der Mensch sie hat. Aber es gibt viele vergleichbare Strukturen." (ebenda)

Aus der Existenz ähnlicher Muster oder Strukturen von Objekten ist nicht zwingend zu schließen, dass diese gleichen Inhaltes oder von gleicher Qualität sind. Dennoch wäre es meinerseits sträflich, derartige neurobiologische Forschung als unseriös abzutun. Interessant ist es für einen Philosophen allemal, sich mit begründeten und weniger spekulativen Erkenntnissen auseinanderzusetzen, weil es die Frage nach dem Verhältnis von Körper (Leib) und Seele (Gefühle) in der Pflanzenphysiologie berührt, in der das Ideelle, Geistige in der Fauna einen Platz findet, was wiederum die Frage nach dem Erfordernis und Sinn einer Pflanzenpsychologie aufwirft.

Wir Menschen müssten uns das Aufwerfen der Frage zugestehen, wie wir mit Gefühlen ausgestatteten Bäumen umgehen wollen. Das mindeste, was wir für die Bäume tun können, ist, ihnen Respekt zu zollen, dem Baum mit Demut zu begegnen und dessen Wert für den Menschen zu erkennen, seine natürliche Schönheit einzufangen und *jeden* vom Menschen herbeigeführten Baumverlust zu beklagen und auszugleichen.

Was ist, wenn P. Wohlleben und alle anderen, die den Bäumen und Co. eine Gefühls- und Gedächtniswelt zugestehen, mit ihrer Annahme richtig liegen, nur weil wir mit dem heutigen Wissen den Beweis für ihre Existenz noch nicht antreten können? Nicht-Wissen darf kein Freibrief für menschliches Handeln sein, mit Pflanzen so umzugehen, als gäbe es deren Gedächtnis- und Erinnerungsleistungen nicht. In derartigen Zweifelsfällen müsste es Handlungsentscheidungen geben, die von der Existenz so genannter pflanzlicher Intelligenz ausgehen. Dann brauchen wir nicht nur eine Tier-, sondern ebenso eine Pflanzen- oder Baumethik, die die Möglichkeiten und Grenzen des menschlichen Umgangs mit ihnen beschreibt.

Ist dann das Blumenpflücken tabu? Dürfen Bäume dann nicht mehr gefällt werden? Sind auf dem Feld, in Gärtnereien und Gewächshäusern gezüchtete Pflanzen anders zu behandeln als die wild wachsenden auf der Wiese? Was machen wir mit kranken Bäumen? Überlassen wir sie ihrem Schicksal oder brauchen wir eine Baum-Euthanasie?

Wenn der Mensch sich das Recht nimmt, Tiere zu töten, die Gefühle haben, dann gäbe es erst recht keinen Grund, auf das „Töten" von Pflanzen zu verzichten, die im Niveau des Lebens stammesgeschichtlich auf einer viel niederen Stufe stehen als Tiere.

Wenn das Nicht-Töten-Kriterium an das Bewusstsein einer

selbstreflektierenden Wahrnehmung geknüpft ist, dann ist das „Töten" von Pflanzen aus menschlicher Sicht moralisch unbedenklich. Keiner Pflanze wird vergleichbar mit dem Menschen adäquat Bewusstsein zugedacht.

Wenn *jedes* pflanzliche wie tierische Leben das Naturrecht auf ein selbstbestimmtes Leben in sich trüge und dieses Axiom konsequent umgesetzt würde, dann wäre auch das Naturrecht des Menschen in Frage zu stellen. Doch der Mensch macht in seinem Naturrecht nichts anderes als alle andere Lebewesen auch: Leben mit und auf Kosten anderer. Ernten und Jagen als Mittel der Existenzsicherung.

Wenn der Mensch sich das Essen von einjährigen Pflanzen verbieten würde, wäre ihm nur noch das erlaubt zu essen, was der pflanzlichen Mehrjährigkeit unterliegt. Wir dürften nur noch Früchte ernten, die an mehrjährigen Pflanzen wachsen. Alles andere käme dann einer „Pflanzentötung" gleich. Die Folgen für die Weltbevölkerung, sich gemäß eines solchen Prinzips nur auf der Grundlage von Früchten mehrjähriger Pflanzen zu ernähren, wären aus meiner Sicht unabsehbar. Ich halte eine solche Praxis für ein aussichtsloses Unterfangen. Wie müßig wäre es unter diesen Umständen, darüber nachzudenken, ob Pflanzen – ein- oder mehrjährig – über Empfindungen oder ein Gedächtnis verfügen.

Sollten Pflanzen einschließlich der Bäume wider Erwarten zu emotionalen und kognitiven Leistungen fähig sein, würden unsere Begegnungen mit ihnen im Wissen und Gefühl andere sein. Ob sich unsere Denk- und Gefühlswelt zu ihnen grundsätzlich verändern würde, z. B. sie nicht zu ernten oder ihnen wertschätzender zu begegnen, sei dahingestellt.

Die Kriterien für eine natürliche Nachhaltigkeit einzuhalten, die Sicherung des pflanzlichen Artenschutzes zu gewähren oder den Brandrodungen zugunsten profitorientierter Monokultur den Kampf anzusagen, sind wichtige Instrumente, den Pflanzen auf unserem Planeten Gutes zu tun.

Wir wissen, dass die Welt des Menschen und die der Tiere, insbesondere die der Primaten, hinsichtlich kognitiver Fähigkeiten und Leistungen sehr eng beieinander liegen. Wir wissen, dass die Tier- und Pflanzenwelt hinsichtlich der Annahme von Gefühlen und Denken unterschiedlich ausfällt. Wir sind uns sicher, dass es sich um *Leben* handelt und die Menschen-, Tier- und Pflanzenwelt enger beieinander stehen, als wir glauben – und das nicht nur aus stammesgeschichtlicher Sicht, sondern auch aus der Perspektive des Menschen, der Tiere und Pflanzen für seine Existenz mehr braucht als Tiere und Pflanzen den Menschen – von den vom Menschen geschaffenen Lebensarten abgesehen.

Die Biologie als die Lehre vom Leben weist aus, dass das Leben eine Eigenschaft *ist*, die „Dingen" zukommt, die wiederum mit Teileigenschaften des Lebens ausgestattet sind. Diese Eigenschaften repräsentieren das Leben eines natürlichen Wesens – seien es Pflanzen, Tiere oder Menschen, die das Leben in sich tragen. Wir nennen diese „Dinge" *Lebewesen*.

Die Lebenseigenschaften unterliegen der stetigen Veränderung. Das hatte auch schon Aristoteles (384 – 322 v. Chr.) er-

kannt, der nicht allein Eigenschaften des Lebens wie Energie-
und Stoffwechsel, Selbstorganisation, Reize, Wachstum, Entwicklung bzw. Fortpflanzung (Evolution in Gestalt der Onto-
und Phylogenese) und die Wechselwirkung mit der Umwelt
verdeutlichte , sondern, wie aus den Teileigenschaften des
Lebens erkennbar, das Leben als eine Menge von Aktivitäten
und Verhaltensweisen verstand, die jenen Wesen zukommen.
Darin hat sich bis heute im Wesentlichen nichts geändert. Interessant wird es wieder, wenn lebensähnliche künstliche In-
telligenzen, womit die zukünftigen Roboter zunehmend ausgestattet sein werden, die Bühne des Lebens betreten.

Leben steht für Lebendiges im Gegensatz zu Totem bzw. zu
Gegenständlichem, das nicht die Eigenschaften des Lebens in
sich trägt. Dazu gehören viele natürliche Stoffe wie Luft, Mi-
neralien oder Wasser, die zwar auch Leben in sich tragen, jedoch nicht Lebendiges sind. Insofern gilt als selbstverständlich, dass der Baum, die vielen Pflanzen, Tiere und niederen
Mikroorganismen zu unserer Lebenswelt gehören. Bleibt immer noch die Frage, ob an das Leben zwangsläufig Gefühle
und Gedächtnis geknüpft sind. Unstrittig ist, dass wir den
Primaten und vielen anderen Tierarten eine Gefühlswelt und
kognitive Fähigkeiten zugestehen. Ob wir Bäumen ähnlich
wie bei Tieren Gefühle wie der Schmerz, von dem P. Wohlleben spricht, und gar ein Gedächtnis zusprechen können,
bleibt in meinen Augen zweifelhaft.

Gehen wir den gestellten Fragen vertiefend auf den Grund
und klären auf: Was ist ein Baum? Was sind Gefühle? Was

soll unter Denken, Schmerz und Gedächtnis verstanden werden? Die Klärung dieser Begriffe ist für das weitere inhaltliche Verständnis nicht ohne Belang, weil wir mit ihr der Antwort näher kommen, ob Bäume über Gefühle und ein Gedächtnis verfügen, und sich ggf. auch die Frage nach der Informations- und Kommunikationsfähigkeit der Bäume beantworten lässt. Hier schließt sich gleichsam die Frage nach der Ziel- bzw. Zwecksetzung und Sinngebung des Baumverhaltens an.

Der Begriff „Gefühl" hatte lange Zeit in der Philosophie einen stiefmütterlichen Platz inne. Die Psychologie etablierte sich seit Mitte des 19. Jahrhunderts als eigenständige Wissenschaft. Selbst die Lebensphilosophen jener und späterer Zeit boten aus philosophischer Sicht wenig Angriffsfläche und zeigten wenig Interesse, sich mit Gefühlen auseinanderzusetzen.

Wenn es in der ersten Hälfte des 20. Jahrhunderts so etwas wie die "arme Verwandtschaft" unter den philosophischen Themen gab, so waren es die Gefühle. Zwar hatten sich Klassiker wie Platon (427 -347 v. Chr.), Aristoteles (384 – 322 v. Chr.), Descartes (1585- 1650), Spinoza (1632 -1677) und Hume (1711 – 1776) eingehend mit ihnen befasst; aber seit Kant (1724 – 1804), der die Gefühle als "Gegner der Vernunft" abtat, wurde den Gefühlen in der Philosophie nur noch wenig Beachtung geschenkt. Erst seit den 1960er Jahren rückten sie wieder in den Fokus des Interesses, und zwar aufgrund der Einsicht, dass Gefühle kognitive, mentale Zustände sind, die ermöglichen, andere Zustände und Handlungen rational zu machen.

Strittig ist indes, von welcher Art emotionaler Kognition sie sind.

Mit dem Wissensboom der Neurowissenschaften der letzten zwei Jahrzehnte, angefeuert durch eine postulierte Welt der Gefühle unter den Pflanzen, sollten naturinteressierte Philosophen hellhörig werden und sich verstärkt der Welt der Flora annehmen.

Im *Gefühl* steckt das Wort „fühlen". Mit „Fühlen" verknüpfen wir primär eine Wahrnehmung über den Tastsinn. Das Gefühl ist das Resultat einer Erregung, die in einem lebenden Körper entsteht. Sie ist eine physiologisch begründete Empfindung mit sinnlicher Ausdruckkraft, die – da sind sich die Fachleute weitestgehend einig – der Steuerung durch ein vegetatives Nervensystem unterliegt. Wir Menschen haben die Fähigkeit, diese emotionale Erregung als Empfindung wahrzunehmen *und* sie entsprechend zu beschreiben bzw. zu benennen. Anders formuliert: Ein Gefühl *wird* zum Gefühl durch die bewusste Wahrnehmung einer (oft komplexen!) Empfindung. Die Wahrnehmung der Empfindung ist die gemachte Beobachtung an sich selbst (oder auch außerhalb von sich) mit der entsprechenden selbst vollzogenen Interpretation (Deutung) der erfahrenen Empfindung bzw. über die Sinne gemachten Erfahrung. Erfolgt diese Wahrnehmung nicht als subjektive Deutung der Empfindung bzw. Erfahrung, bleibt sie gefühlslos. Insofern ist ein Gefühl eine Empfindung, aber nicht jede Empfindung hat die Qualität des Gefühls. Ein Gefühl braucht nach meinem Verständnis eine subjektive

Deutung, die ihren sprachlichen Ausdruck findet, so unbestimmt er auch manchmal daherkommt.

Gefühle sind Ausdruck von Stimmungen. Sie haben eine Stimme, die sich formt durch die sinnliche Außenberührung mit einem Baum (mit anderen Gegenstand oder einer Lebenssituation) und als sprachlicher Ausdruck ent*worfen* wird. Das Gefühl ist der in Gedanken und Sprache erzeugte *Entwurf* innerer und äußerer Wahrnehmungen von Lebenswirklichkeiten.

Diese Bestimmung des Gefühls macht es nicht leichter, wenn nachzufragen ist, was unter einem sprachlichen Ausdruck zu verstehen ist. Ich nehme diesen Gedanken unten wieder auf, wenn ich Wohllebens „Sprache der Bäume" (vgl. a.a.O., S. 14 ff.) zu Worte kommen lasse.

Vorab sei darauf aufmerksam gemacht, wie schwer es uns als Mensch fällt, Gefühle *sprachlich* korrekt auszudrücken. Den feinen Unterschied zu erkennen, wie es Marschall B. Rosenberg (vgl.: Gewaltfreie Kommunikation, Junfermann Verlag, Paderborn 2010, S. 55 ff.) macht, ob ein aktuelles Gefühl *erfühlt* und damit wahrgenommen oder eine Aussage *über* ein Gefühl getroffen wird, ist nicht jedermanns Sache, wenn wir meinen, in unserem Alltag über unsere Gefühle zu sprechen, und M. Rosenberg kritisch anmerken würde, dass das keine sprachlich formulierten Gefühle seien.

Wir unterscheiden demnach zwischen dem, was wir fühlen und sprachlich zum Ausdruck bringen und dem, was wir über unsere Gefühle denken und ebenso in Worte fassen kön-

nen. Wir müssen nach M. Rosenberg zwischen Ausdrucks-
weisen unterscheiden, die ein wirkliches Gefühl *abbilden* und
jenen, die ein Gefühl *beschreiben*. (a.a.O., S. 61) Ersteres ist ein
Abbild des Gefühls auf der Sach- bzw. Tatsachenebene; bei
Letzterem handelt es sich um die sprachliche Abbildung eines
Gedankens *über* das Gefühl.

Wenn wir über unsere Gefühle sprechen, so formulieren
wir nicht selten: Ich fühle mich missverstanden. Oder: Ich ha-
be kein gutes Gefühl, wenn ich unter Druck gesetzt werde.
Das sind nach M. Rosenberg keine Ausdrücke bestehender
Gefühle. Es sind keine wahren Gefühlsabbildungen, sondern
Aussagen über ein Gefühl, das wir zum Objekt unserer Betrachtung gemacht haben. Im Vergleich dazu haben wir die
Fähigkeit, wie M. Rosenberg sagt, auch sprachlich (!) echte
Gefühle zum Ausdruck zu bringen. Ein Gefühl zeigt sich ver-
bal, wenn gesagt wird: Ich *bin* traurig, wenn du gehst. Oder:
Das ganze „Theater" *macht mich* wütend. M. Rosenberg führt
einen umfangreichen Wortschatz auf, mit denen wir dezidiert
Gefühle ausdrücken können, ohne das Gefühl auf die Me-
taebene zu heben, also über das Gefühl zu denken und zu
sprechen, statt es in seiner Unmittelbarkeit zu benennen. (vgl.
a.a.O., S. 63)

Die Tatsache, dass wir uns schwer tun, Gefühle als Gefühl
zu benennen und nicht über das Gefühl zu sprechen, macht es
nicht leichter, eine gute Definition für das Gefühl zu geben,
zumal keine einheitliche Begriffsbestimmung zu finden ist.
Mein Begriffsansatz heißt: Ein Gefühl ist bzw. wird zum Ge-

fühl über die mehr oder weniger bewusste Wahrnehmung einer erfahrenen Empfindung, die eine sprachliche Ausdrucksweise finden kann, aber nicht muss. Wir haben es mit einem Gefühl zu tun, wenn ihm eine Wahrnehmung bzw. eine Beobachtung zugrunde liegt, die auf einen physiologischen, sinnlichen oder auch psychisch-kognitiven Zustand (Ereignis, Situation) oder elementar auf eine Empfindung zurückgeht. Gefühle stehen am Ende einer Kette widergespiegelter Ereignisse, die ihre Quelle in den Empfindungen haben. Gefühle stehen im Kontext einer zurück verfolgbaren Kette von Wahrnehmung, Empfindung und Widerspiegelung. Diese Überlegung ist insofern von Bedeutung, weil sich über sie die Frage klären lässt, ob Bäume Gefühle haben oder nicht.

Unter **Widerspiegelung** verstehe ich eine allgemeine Eigenschaft der *Wirk*lichkeit – unabhängig davon, ob das Existierende materieller oder ideeller Natur ist. Die Wirklichkeit gibt es nicht ohne Widerspiegelung und die Widerspiegelung nicht ohne Wirklichkeit. Wirklichkeit *ist* immer auch Widerspiegelung. Die Widerspiegelung zeigt sich in der Wirklichkeit. Sie ist universell.

Da die *Wirk*lichkeit etwas mit Wirken bzw. Wirkung zu tun hat, verknüpfe ich mit dieser Eigenschaft das Bewegende, Verändernde, Entwickelnde. Widerspiegelung steht damit für die Herausbildung eines Abbildes auf der Grundlage eines Urbildes. Jedes erzeugte Abbild ist das Resultat eines Urbildes. Es ist stets das Ergebnis einer Widerspiegelung. Urbild wie Abbild stehen füreinander ein. Ohne Urbild kein Abbild –

ohne Abbild kein Urbild.

Der Fußabdruck (Abbild) im Sand ist das Abbild eines Fußes (Urbild). Der Schatten ist das Abbild eines Gegenstandes (Urbild). Das Gesicht eines Menschen im Spiegel ist das Abbild (Spiegelbild) des realen Gesichtes. Unser *Wissen über* den Baum ist das gedankliche, in Wissen geformte Abbild vom Urbild, dem existierenden Baum. Das Buch ist das Abbild gefasster Gedanken (Urbild).

Insofern ist das *Gefühl* das (ideelle) Abbild eines ihm vorausgegangenen Ereignisses – einer Erregung bzw. Erfahrung (Urbild), die das Gefühl hervorbrachte, das wir wiederum gedanklich und sprachlich abbilden können.

Wenn wir davon auszugehen, dass die Widerspiegelung eine universelle Eigenschaft unserer lebenden und nichtlebenden Natur und die Gefühlswelt eine besondere „Art" in der Vielfalt bestehender Widerspiegelungen in unserer Wirklichkeit ist, so stellt sich die Frage: Wo befindet sich der evolutive Schnittpunkt, der eine materielle (mechanisch-physikalische, chemische, physiologische) Widerspiegelung zu einer ideellen werden lässt bzw. sich zu der materiellen Widerspiegelung eine ideelle hinzugesellt? Das unterstellt, dass Widerspiegelungen von unterschiedlicher Qualität, wandlungsfähig und biologisch evolutionär sind. Im Rahmen dieser Überlegung klettern wir die Entwicklungsleiter der biotischen Evolution stammesgeschichtlich hinauf, um *die* Art zu finden, in der die Widerspiegelung als Empfindung erkennbar wird.

Wir können uns auch evolutiv auf umgekehrtem Wege bewegen, indem wir vom menschlichen Bewusstsein mit seiner Gefühlswelt, seinen Erfahrungen und dem gewonnenen Wissen als Abbilder seiner ihm gegenüberstehenden Wirklichkeit ausgehen und von dieser Position die stammesgeschichtliche Leiter soweit hinunter klettern, bis wir keine ideellen, sondern nur noch materielle, d. h. biochemische bzw. mechanische Abbilder ausmachen.

Einigkeit wird es schnell darüber geben, dass eine zerbrochene Fensterscheibe das materiell-gegenständliche Abbild eines in die Scheibe geworfenen Steines oder Balles (die Wurfenergie als Urbild) ist. Unsere Erfahrungen und Gedanken haben den Status eines geistigen (ideellen) Abbildes. Sie sind das Resultat einer außerhalb von unserem Bewusstsein bestehenden Wirklichkeit. (Zumindest wird diese Auffassung von den Materialisten und objektiven Idealisten geteilt.)

Bemühen wir die Evolutionsbiologen, die sich mit der Stammesgeschichte der Arten beschäftigen, und fragen sie, wann es bzw. bei welcher Art von Lebewesen sich ein qualitativer Sprung in der Evolution zur so genannten ideellen Widerspiegelung vollzogen hat, so werden sie uns die Gruppe der Ringelwürmer nennen, zu denen auch der uns allzu bekannte Regenwurm gehört. Sie sind jene Weichtiere, in denen eine Cephalisation stattfindet, d. h. neuronale Zentren werden mit Sinneszellen zusammengeführt. Was das Besondere dieser Tiere ausmacht, ist, dass sie über eine Anhäufung von Nervenzellen verfügen, als Ganglien bekannt, die die Grundlage für ein in den Ringelwürmern bestehendes so genanntes Strickleiternervensystem sind. Wir haben es hier mit einer Ansammlung von Nervenfasern zu tun, die physiologisch das Verarbeiten der von außen wirkenden Reize derart ermöglichen, dass diese Reize als materielle Urbilder ideelle Abbilder (sprich: Empfindungen) erzeugen. Das Entstehen ideeller Abbilder benötigt offensichtlich eine Entwicklungsstufe an nervenartigen Strukturen, die solche Abbilder möglich machen. Ich gehe davon aus, dass derartige Empfindungen als elementarste Form erzeugbarer ideeller Abbilder auftreten. Werden sie komplexer, so gehen sie evolutiv über in Wahrnehmung, Gefühl, Gedanke bis hin zur Theorie.

Ein Reiz ist mit dem Bestehen von Sinneszellen verknüpft. Der Reiz ist stets Abbild einer Wirkung auf der Grundlage eines Urbildes. Eine veränderte chemisch zusammengesetzte Umgebung oder ein mechanischer Eingriff führt nicht nur zum Reiz bei einem Regenwurm oder einer Qualle oder einem Pantoffeltierchen, sondern auch bei einer Pflanze. Hier zeigt sich nach meinem Verständnis der fließende Übergang zwischen Flora und Fauna: Es ist das Verhalten von Lebewesen, auf Reize zu reagieren, die sowohl bei Pflanzen als auch bei Tieren bekannt sind. Diese Reizaufnahme und Reaktion darauf, wie sie auch aussehen mag, ist sehr wohl ein Abbild und damit eine Widerspiegelung. Doch sind sie automatisch von ideeller Natur, wie wir das von Empfindungen oder gar von Gefühlen kennen? Empfindungen sind ideelle Abbilder verarbeiteter Reize im Nervensystem. Empfindungen sind abgebildete Reize. Doch nicht jeder Reiz ist ein Stimulus für ideelle Abbilder. Die meisten von ihnen sind mechanisch oder chemisch begründet und wirken auf das innere oder äußere Milieu des Lebewesens ein. Nervenzellen spielen dabei keine Rolle.

Was heißt das für den Baum, für den Schmerz und das Gedächtnis? Peter Wohlleben sucht nach einer Baum-Definition, findet keine schlüssige und bemüht sich auch nicht um eine eigene. Die Kerneigenschaft, was einen Baum ausmacht, ist, dass es sich um eine Samenpflanze mit einem verholzten Stamm handelt, die über eine dominante Sprossachse verfügt, die sich von Jahr zu Jahr verdickt, von der fortführend Äste und Zweige ausgehen, an denen sich Blätter, Blüten, Früchte befinden und diese Sprossachse bzw. dieser Stamm von einem verzweigten Wurzelgeflecht getragen wird. Der Baum verfügt über alle Eigenschaften, die sich in den Merkmalen alles Lebenden in seinem Wesen vereinigen (sh. oben). Bäume stoffwechseln, stehen im Austausch mit ihrer anorganischen und organischen, lebenden und nichtlebenden Umwelt. Bäume reagieren auf Reize aus ihrer Umwelt. Und jenes Resultat ist Abbild einer vollzogenen Widerspiegelung, die ihren Ursprung in einem Stoff hat, der beim Baum einen Reiz auslöst, der zur Anpassung (oder auch nicht) führt. Stoffwechsel begründete Abbilder sind z. B. das Entstehen von Blattgrün oder das Welken der Blätter durch die in Gang gekommene und im Herbst eingestellte Fotosynthese.

Den Wurzeln gibt P. Wohlleben eine besondere Stellung,

wenn er schreibt: „Möglicherweise sitzt hier so etwas wie das Gehirn des Baumes. Gehirn? Ist das nicht ein wenig zu weit hergeholt? Möglicherweise, doch wenn wir wissen, dass Bäume lernen können, mithin also Erfahrungen abspeichern, dann muss es dafür auch einen entsprechenden Ort innerhalb des Organismus geben. Wo er sich befindet, weiß man nicht, doch die Wurzeln wären zu diesem Zweck am besten geeignet." (a.a.O., S. 77)

In diesem Zitat liegt der Schlüssel für das, was der Baum ist oder nicht ist. Die Logik ist: Da der Baum lerne und Erfahrungen mache, müsse er ein Gehirn haben, wo es auch sein mag. In diesem Zitat liegt m. E. das prekäre Verständnis von Lernen, Erfahrung und Gedächtnis. P. Wohlleben setzt auf Vermutungen und nicht auf naturwissenschaftliche Tatsachen. Das wirft die Frage auf: Was heißt Lernen und was sind Erfahrungen?

Unter **Lernen** verstehe ich einen Vorgang, der im Resultat eine Veränderung im Empfinden, Wahrnehmen und Verhalten mit sich bringt. Es basiert auf wiederholtem Verhalten, auf gemachten (abgespeicherten!) Erfahrungen. Es verändert Denkinhalte wie Einsichten, Haltungen und Werte, wie wir sie bei einer weit höheren Lebensstufe wie z. B. beim Menschen kennen. Lernen ist eine ideelle Verarbeitung der objektiven Wirklichkeit, unabhängig davon, ob wir uns dieser bewusst sind oder nicht.

Lernen ist die Form der ideellen Anpassung an die Wirklichkeit zu deren besseren Beherrschung bzw. Handhabung.

Lernen ist *eine* Gestaltungsform der Anpassung, nicht die Anpassung selbst. Jede *Re*-Aktion eines Lebewesens ist eine (situativ oder längerfristig) Anpassung. Doch nicht jede Anpassung hat den Charakter des Lernens als Ergebnis einer erzeugten, veränderten Lebenssituation. Anpassung ist eine natürliche Reaktion auf gewandelte Umweltbedingungen. Der Begriff des Lernens ist der ideellen, emotionalen, *geistigen* Anpassungsfähigkeit – u. a. auf der Grundlage gemachter Erfahrungen – vorbehalten. Damit schließt sich der Denkkreis, dass Bäume zwar reaktions- und anpassungsfähig sind, was lange noch nicht heißt, dass sie über die Fähigkeit des Lernens verfügen. Die Wurzeln mit dem Gehirn zu vergleichen, erachte ich insofern als problematisch, als zwar rein äußerlich und oberflächlich betrachtet ein derartiges Wurzelgeflecht in Struktur und Vernetzung dem eines Gehirns mit seinem Nervensystem ähnelt. Doch vergleichbare ähnliche Formen und Strukturen lassen nicht den Schluss zu, dass damit gleiche oder halbwegs ähnliche qualitative Inhalte und Funktionen verbunden sind. Von der Form (Struktur) auf den Inhalt (Wesen) einer Sache zu schließen, wie es P. Wohlleben im Vergleich zwischen Baumwurzeln und dem menschlichen Gehirn macht, ist allzu kurzschlüssig, und ich halte es für mehr als spekulativ. Ist es nicht allzu weit hergeholt, in den Wurzeln die Erfahrungen des Baumes finden zu wollen und das gesamte Wurzelwerk als Gehirn anzusehen? Letztlich lässt sich die Geistesfähigkeit und -haltung eines Baumes nur an der Zeugungsfähigkeit *ideeller* Urbilder messen, die ihre emotionale Stimme nach außen tragen.

Unbestritten ist, dass in den Pflanzen und damit auch im Baum Informationen als Abbilder vollzogener Reaktionen und Prozesse gespeichert sind. Die von P. Wohlleben angesprochenen Erfahrungen sind m. E. nichts anderes als physiologisch geronnene Abbilder natürlicher Wirkungen auf die bzw. in der Pflanze. Das Lernen bei P. Wohlleben verstehe ich als einen *natürlichen* Vorgang der Anpassung auf veränderte Umwelteinflüsse oder auf Bedingungen, die sich im Lebewesen vollziehen. Doch das Lernen ist keine mechanischer Anpassung, sondern ein *kognitiver* Weg, der im Resultat eine Anpassung im Denken oder Verhalten aufweist. Es entstehen durch das Lernen neue Denk- bzw. Verhaltensmuster mit antizipatorischem Charakter.

Vielerorts spricht P. Wohlleben in seinem Buch davon, dass Bäume Schmerzen erleben (vgl. a.a.O., S. 15, 46 f., 59 f.). **Schmerz** ist eine sehr komplexe Empfindung, die von uns Menschen bewusst wahrgenommen und als unangenehm bewertet wird. Es ist für mich nicht nachvollziehbar, dass Bäume Schmerzen empfinden, geschweige diese wahrnehmen und noch viel weniger sie emotional oder sprachlich (sh. oben Marschall B. Rosenberg) zum Ausdruck bringen können.

Zu DDR-Zeiten waren an der Ostsee viele Kiefernbäume mit einem Fischgrätenmuster auf der Rinde gezeichnet. Am unteren Ende des Stammes waren Tontöpfe befestigt, um das Harz aufzufangen. Jeder von uns weiß, wie schmerzhaft Schnitte, Risse oder tiefe Kratzer in die Haut sein können. Mitfühlend ließe sich annehmen, dass eine derartige Verletzung der Baumrinde – analog zu selbst gemachten Erfahrungen – schmerzhaft sein muss. Schmerz ist aber mehr als *nur* ein physiologischer Vorgang, sondern er ist sein ideelles Abbild, eine geistige Reflexion, was an Veränderung auf der Haut passiert ist.

In beiden Fällen – auf der Baumrinde und auf der menschlichen Haut – haben wir es mit Verletzungen zu tun. Diese Verletzungen haben Folgen: Harzfluss auf der einen, Blutungen auf der anderen Seite. Sie sind Abbilder der Verletzungen. Der Unterschied dieser beiden Verletzungen mit ihren Folgen besteht darin, dass sie vom Menschen (und auch die von vielen Tieren) auf der Grundlage eines bestehenden neuronalen Systems reflektiert (bewusst bzw. unbewusst) werden können. Doch wo sollte das neuronale System bei einem Baum angesiedelt sein? Da dieses nach meinem Verständnis bei Baum fehlt, sind derartige „Verletzungen" am Baum rein physiologischer Natur, fern ab jeder Empfindung und psychischer Reaktionsfähigkeit.

Schmerz ist ein Gefühl, das einer ideellen Abbildung bedarf, um als solches wahrgenommen zu werden. Schmerz ist eine ideelle, bewusstgewordenen Verletzung, die eine körperliche oder auch emotional-geistige Quelle haben kann. Der Schmerz steht für eine subjektive Wahrnehmung komplexer Empfindungen. Wir ordnen ihn als unangenehm, störend, nicht haben wollend ein, weil er unser Wohlbefinden beeinträchtigt. Nach Wohlleben können Bäume auch Schmerz empfinden und „merken" diesen, was so viel heißt, sie nehmen diesen wahr (vgl. a.a.O., S. 15, 47, 50).

Sind Abwehrreaktionen eines Baumes aufgrund einer Verletzung (vgl. a.a.O., S. 59) der Hinweis darauf, dass diese Schmerzen haben? Nein. Diese Reaktionen sind ausschließlich physiologischer Natur und haben keine neurologische Grundlage für eine mögliche ideelle Abbildung eines Schmerzes, wofür es ein mehr oder weniger entwickeltes Nervensystem benötigt, das nicht einmal durchgängig in der Tierwelt herausgebildet ist.

Physiologische so genannte *Abwehr*reaktionen sind nichts anderes als Abbilder eines natürlichen Vorganges. Alles andere hat für mich den Charakter der Deutung, des Hineininterpretierens von Schmerz. Es ist eine vom Menschen ausgehende Schmerz-Projektion. Nach meinem Verständnis haben wir es hier mit einer Übertragung von Menschlichem auf den Baum zu tun, weil wir annehmen, dass selbst erfahrener Schmerz bei Verletzungen eines Baumes in ähnlicher oder gar gleicher Weise von ihm erfahrbar sei, wie wir es vom Menschen kennen.

Von der Erfahrung ist es nicht weit zum „Erkennen" und „Denken" bis hin zum Gedächtnis. Die von Peter Wohlleben angestellte Vermutung, dass Bäume „auch einen Geschmackssinn haben (müssten)" erachte ich als ebenso spekulativ, zumal er von dort ausgehend ableitet, dass der Baum über die Fähigkeit des Erkennens verfüge. Hier wird der Speichel als Beleg für die Erkenntnis und Sinnesfähigkeit angeführt. (vgl.

a.a.O., S. 16)

Was ist **Erfahrung**? Was heißt Erkenntnis? Peter Wohlleben bestimmt weder den einen noch den anderen Begriff, was für das Verständnis des Baum-Seins nicht unerheblich ist. *Erfahrung* ist der Inbegriff für die Gesamtheit aller über die Sinne in unserem Bewusstsein wahrgenommenen und abgespeicherten Ereignisse bzw. Erlebnisse. Wir sprechen dann von einem einzelnen Erlebnis oder einer allgemein gemachten Sinneserfahrung, wenn wir es als Erinnerung in unserem Gedächtnis abspeichern. Über unser Denken können diese Erfahrungen geronnen zu Erkenntnissen und damit zu Wissen werden.

Wo ist der Beweis dafür, dass Bäume Erfahrungen machen und diese sich in Gestalt von Erkenntnissen (Wissen) abspeichern lassen? Sind die im Baumstamm angelegten Jahresringe, die in ihrer Dicke und Form Auskunft über die klimatischen Einflüsse auf den Baum geben, Ausdruck eigens gemachter Erfahrung und eines von und in ihm gespeicherten Wissens? Für uns Menschen ist das unbestritten, soweit der Biologe oder Experte in der Baumforschung diese Erkenntnis richtig zu interpretieren vermag. Es ist für uns Menschen gewonnenes Wissen über den Baum, jedoch kein Wissen des Baumes selbst.

Was Erfahrung und Wissen ausmachen, ist, dass sie nicht nur auf der Grundlage des Nervensystems entstandene Ergebnisse sind, sondern gleichsam Grundlage und Ausgangspunkt für einen Austausch mit der Wirklichkeit in Form des aktiven und zugleich mehr oder weniger gezielten Wirkens und Gestaltens der Umgebung. Aktion und Reaktion sind vom Nervensystem geleitete, natürlich-physiologisch begründete Vorgänge. Das Speichern von Reizen im Baum ist Abbild eines mechanisch-physikalischen und/oder biochemischen Vorganges, der uns weder an die Qualität einer Empfindung oder Wahrnehmung noch an die einer Erfahrung oder gar eines Wissens heranführt.

Wenn Wohlleben davon ausgeht, dass Bäume lernfähig seien, was beobachtet werden könne, und sie „das erlernte Wissen speichern und wieder abrufen können" (a.a.O., S. 48), er aber gleichzeitig die Existenz eines Gehirns in Frage stellt, so will er doch über ein von der Wissenschaftlerin Dr. Monica Gagliano ausgeführtes Experiment beweisen, dass Pflanzen lernfähig sind und das inhärente Wissen wieder abrufen können. P. Wohlleben schreibt: „Bei Berührung schließen sich ihre gefiederten Blättchen schützend. In einem Versuchsaufbau ließ man auf das Laub der Pflanzen regelmäßig einzelne Wassertropfen fallen. Anfangs schlossen sich die Blätter sofort *ängstlich* doch nach einiger Zeit hatten die Sträucher *gelernt*, dass von dem Nass keine *Gefahr* (kursiv hervorgeh. v. Verf.) einer Beschädigung ausging. Fortan blieben die Blätter für die Tropfen offen." (ebenda, vgl. auch www.erkenntnishorizont.de)

Die These P. Wohllebens ist, dass Lernen und Merken auch ohne Nervenzellen und erst Recht ohne Gehirn möglich seien. Pflanzen ein Lern– und Erinnerungsvermögen aufgrund derartiger Experimente zuzuschreiben, halte ich für äußerst gewagt. *Erstens* haben wir es mit einer physiologischen Reaktion auf einen Reiz zu tun. *Zweitens* ist der Ausfall der Reaktion bei mehrmaligen nachfolgenden Reizen kein Beweis für das Lernen. Es kann auch eine Ermüdung der Reizleitung sein, was zum Ausfall des angemessenen Reagierens auf den Reiz führt. Dass die Mimosen ihre Lektion selbst nach Wochen ohne weitere Tests gelernt hätten, ist m. E. nicht bewiesen.

Im Allgemeinen wird mit dem Informationsbegriff eine Teilmenge des Wissens verknüpft. Diese Verbindung soll hier nicht hergestellt werden. **Information** steht für einen Datenfluss vom Sender zum Empfänger und als Ergebnis dieses Flusses. Insofern können auf der Grundlage von Stoffwechselvorgängen Informationen transportiert werden. Diese Informationen sind die von Reizen ausgelösten Vorgänge, die sich als Informationsquelle zeigen, als Sender fungieren und im Baum empfangen werden, worauf er darauf reagiert. Der Baum oder ein Teil von ihm ist der Empfänger dieser Reizleitung, die derart Wirkung erzeugt, dass eine Veränderung stattfindet.

Der Begriff der Information leitet sich aus dem Lateinischen ab und heißt so viel wie „bilden", „gestalten". Nicht mehr und nicht weniger vollzieht sich beim Informieren, das kein Nervensystem benötigt, um seiner Funktion gerecht zu werden. Das Informieren ist ein rein physiologischer Vorgang. Dass das Informieren auch über einen biochemisch-physikalischen Vorgang weit hinausreich kann, wird dann deutlich, wenn im Lebewesen Strukturen vorhanden sind, die

Ideelles wie Empfindungen als dessen elementarste Form auf der Grundlage von Nervenzellen produzieren.

Das führt uns zum Begriff der **Kommunikation**. Für Peter Wohlleben ist Kommunikation eine Eigenschaft, die er auch Bäumen zuordnet. Bäume haben eine *Duftsprache* (vgl. a.a.O., S. 14) Sie zeigen sich *gesprächig* (vgl. a.a.O., S. 18), sie *kommunizieren* mit Insekten (a.a.O., S. 19) und der Baum weiß, was er zu *erzählen* hat (a.a.O., S. 52) – kursiv v. Verfass hervorgeh.

Kommunikation ist mehr als Austausch von Informationen. Sie ist Gestaltungsraum zwischen lebenden Individuen und Individuengruppen, die über einen Informationsaustausch hinaus Beziehungen herstellen, die den Austausch von Wissen, Erfahrungen und Wahrnehmungen einerseits und Gefühle, Mimik, Gestik und Körperhaltung andererseits implizieren. Kommunikation ist Gestaltungsmittel miteinander agierender Subjekte.

Beim Menschen ist dies vollends und in der Tierwelt eingeschränkt gegeben. Doch für die Pflanzenwelt, einschließlich für die Bäume, möchte ich meinen Zweifel anmelden, weil ich in den Bäumen die Gefühlswelt als Teil der Kommunikation und Sprache schon gar nicht finden kann.

Abschließend sei auf die Problematik der **Zweck- und Zielgebundenheit in der Natur** eingegangen, die P. Wohlleben bei seiner Baumbetrachtung mit einschließt. Menschliches Handeln ist in den meisten Fällen ein mit ihm verbundenes Entscheiden mit einer Zweck-, Ergebnis- bzw. Zielorientierung. Das ist möglich, weil wir Menschen in der Lage sind, das Gegenwärtige unmittelbar, das Vergangene über die Erinnerung und das Zukünftige antizipatorisch (vorausschauend) zu denken. Wir planen und gestalten durch das Entscheiden und Handeln unsere Wirklichkeit. Können wir das auch von den anderen Lebewesen behaupten?

Bei hochentwickelten Primaten gehen die Anthropologen und Primatenforscher davon aus, dass Telos (griech.: das Ziel) im Denken verankert ist, wenn auch eher von situativer Natur und an die unmittelbaren Lebensbedingungen geknüpft. Ein Bewusstsein, wie wir es beim Menschen kennen, ist dafür nicht vonnöten. Bei einem Experiment mit Elefanten konnte in Erfahrung gebracht werden, dass sie am Spiegel ein Verhalten zeigten, als besäßen sie ein Ich-Bewusstsein.

Wie sieht es aber bei den Pflanzen aus? Können Bäume Ziele verfolgen? Ist das Wachsen in die Höhe zum Licht teleologisch, d. h. ziel- bzw. zweckgebunden? Verfolgt die Blüten- und Fruchtbildung an den Bäumen einer zielgebenden Absicht? Ist das alljährliche Abwerfen der Blätter der Laubbäume geplant? Ich sage kategorisch: nein. Mit der These der Zweck- bzw. Zielgerichtetheit des Natürlichen in der Tier- und Pflanzenwelt wird davon ausgegangen, dass alles Geschehen einem Prinzip unterworfen ist, das den Weg des Zukünftigen vorgibt. Es wird unterstellt, dass alles mit zwingender Notwendigkeit geschieht und vorherbestimmt ist. Alle Entwicklung sei im Werden und Vergehen vorgezeichnet. Alles natürliche Entstehen hat einen festgelegten Weg. Alles, was passiert, unterliegt einem Sinn der Ziel- und Zweckmäßigkeit. So seien Katzen dazu da, *um* Mäuse zu fressen. Die Blätter der Bäume seien deshalb grün, *weil* sie beruhigend auf das menschliche Gemüt wirken. Die Luft gibt es, *damit* wir Menschen atmen können. Die Hefepilze erzeugen Aromastoffe, *um* Insekten anzulocken, *damit* die Hefezellen in andere Lebensbereiche vorstoßen können.

Derartige Beschreibungen bauen teleologische Wirkungszusammenhänge auf, die es tatsächlich nicht zweckbestimmt gibt, sondern *wir*, die alles gerne zweck- und zielgebunden sehen und verstehen wollen, deuten in sie eine Zielfunktion hinein. Damit geben wir der Erklärung einen menschlich-verbindenden und gemütsberuhigenden Abschluss.

Bei Peter Wohlleben ist eine derartige teleologisch-funktionelle Sichtweise hinsichtlich der Bäume nicht vordergründig auszumachen. Erkennbar sind jedoch Beschreibungen zu den Bäumen, die ihrerseits Absichten erkennen lassen: „Waldbäume *möchten* am liebsten alle gleichzeitig blühen" (vgl. a.a.O., S. 25). Laubbäume *berücksichtigen* und *stimmen* sich untereinander ab (ebenda). Sie werden zu einem *bestimmten Streben* nach etwas (Licht) gezwungen (a.a.O., S. 42). Und Bäume *müssen* ... um zu überleben ... (a.a.O., S. 70 f.) - (kursiv hervorgeh. v. Verf.).

Die angesprochenen Zwänge werden sprachlich in Form einer ziel- bzw. zweckgebundenen Notwendigkeit dargestellt, was den Eindruck hinterlässt, dass alles so sein müsse, weil alles vorgegeben ist, wie wir es vom Laplace'schen Dämon her kennen.

Hier wird tief in die philosophische Kiste des Determinismus hineingegriffen, in der die Frage nach der Vorherbestimmtheit von Ereignissen oder Prozessen, dem Verhältnis von Gesetz, Notwendigkeit und Zufall diskutiert wird. Worauf es mir in diesem Kontext ankommt, ist, deutlich zu machen, dass in der Pflanzenwelt keine Manipulationen der Wurzelspitzen durch zarte Gespinste (vgl. a.a.O., S. 52) stattfinden, sondern dass ganz natürliche Prozesse wie das Produzieren von Pflanzenhormonen (ebenda) wechselwirkend in Gang gesetzt werden – und das alles ohne einen zweckgebundenen Hintergedanken.

Das und viele, viele andere natürliche Prozesse und letztlich der Baum in seiner Art, wie er lebt, sind das Ergebnis einer über Millionen Jahre währenden Evolution, in der Auslese, genetische Rekombination, Mutation, Isolation und Gendrift stattfanden – und das alles ohne irgendeinen Hintergedanken an Ziel- und Zweckmäßigkeit.

Dass derartige Prozesse wie u. a. die der Wurzel-, Spross-, Blüten- oder Fruchtbildung eine Funktion haben, ist unbestritten. Ein Funktion-Haben heißt aber nicht, ein Ziel zu verfolgen oder mit diesem eine Absicht zu verknüpfen.

Es scheint in der menschlichen Natur zu stecken, natürlichen Geschehnissen eine Zweckgebundenheit zu unterstellen und sie dementsprechend zu erklären. Kinder in den ersten zehn Lebensjahren sind für derartige Erklärungen besonders empfänglich bzw. begründen funktionale Naturzusammenhänge primär teleologisch: Die Sonne gibt Licht, *damit* die

Pflanzen sich besser orientieren können. Oder: Pflanzen gibt es deshalb, *damit* sie Sauerstoff für anderes Leben spenden können. Auch Erwachsene neigen dazu, wenn sie sich kurzzeitig alternativ für zwei Erklärungen eines Naturzusammenhangs entscheiden müssen, eine teleologische vorzuziehen. Es scheint also recht menschlich zu sein, den Zusammenhängen in der Natur menschlich zu begegnen, obwohl sie gar nicht menschlich sind.

Zusammenhänge und Entwicklungen in der Natur sind *nicht* an Ziele geknüpft. Sie sind frei von irgendwelchen Absichten und Antizipationen. Natur und so auch die Bäume haben keine an Ziele gebundene Zukunft. Alles am und im Baum ist natürliches Entstehen, Werden und Vergehen – ohne Zweck. Es geschieht ohne irgendeinen Hintergedanken. Was bleibt ist das Funktion-Haben.

Funktion ist eine Eigenschaft eines Teils (Elementes) im System (Ganzen), die in ihrem Verhalten zu anderen Teilen und zum Ganzen ihren Ausdruck findet. Funktion ist auch die entstandene Anpassung des Teils zur Wirkfähigkeit für das Ganze.

Ein *Funktion-Haben* versteht sich somit als ein in einem System *prozessierendes* Element. Der Baum *hat* und *wird* eine Funktion im System Wald. Die Wurzeln haben eine Funktion im System Baum.

Die Funktionen sind absichtslos. In ihnen steckt kein antizipatorischer Wille. Alles ist ohne Sinn und Verstand. Wird den Funktionen dies jedoch unterstellt, öffnen wir die Tür für eine teleologische Sicht auf das Werden und Bestehen unserer natürlichen Lebenswelt. Dann ist die Idee von dem alles Lenkenden und Voraus-Denkenden nicht mehr weit.

Die Bäume in ihrer Ontogenese und Phylogenese (Individual- und Stammesentwicklung) unterliegen einem genetisch begründeten Werden. Gleichzeitig sind ständige Veränderungen des Klimas und damit einhergehende lebende und nichtlebende Umweltbedingungen am Wirken, die den Baum „herausfordern", diese Veränderungen durch Anpassung anzunehmen oder bei „Strafe" unterzugehen. Die im Baum stattfindenden Prozesse, wie z. B. die Fotosynthese über die Blätter oder das Aufnehmen des Wassers und der Nährstoffe über die Wurzeln, die das Leben des Baumes sichern, haben eine evolutive Geschichte.

Die Bäume, so wie wir sie heute kennen, sind das Ergebnis eines langwierigen Anpassungsprozesses, in dem sowohl Evolutions- als auch Umweltfaktoren die Player in diesem naturgeschichtlichen Schauspiel sind.

Die Wurzeln des Baumes sind nicht das mit einem Tier vergleichbare Gedächtnis, in dem sich Informationen oder gar Erinnerungen speichern lassen. Das, was am und im Baum in seinen Teilen passiert, ist das Resultat (physiologische Abbild) stattgefundener akustischer, optischer, chemischer, physikalischer oder auch Temperaturreize. Insofern ist der Baum reizempfänglich, eine Eigenschaft, die den lebenden Organismen unisono zukommt. Doch diese Reizaufnahme zeigt sich im Ergebnis als Veränderung, was immer wieder die Homöostase (Lebensgleichgewicht) im Lebewesen empfindlich stören kann. Diese Empfänglichkeit für die Empfindlichkeit hat nichts mit Empfindungen zu tun, deren Entstehen Sinneszellen (Rezeptoren) bedarf, in denen elektrische Spannungsänderungen stattfinden, die die Erregung erzeugen und auf eine Nervenzelle weitergeleitet werden, die das Entstehen von Empfindungen als das elementarste ideelle Abbild eines Reizes ermöglicht. Mechanische bzw. elektrische Aktionspotenziale sind sicherlich eine notwendige aber keine hinreichende Bedingung dafür, dass Pflanzen Empfindungen wie Schmerzen oder gar ein Gedächtnis zuzuschreiben sind.

Was mit Sicherheit gesagt werden kann, ist der Verweis auf den Tatbestand, dass bei Pflanzen, Bäume eingeschlossen, die Signalweiterleitung und damit die so genannte „Kommunikation" fast ausschließlich auf chemischem Wege erfolgt. Licht, Temperatur, chemische Stoffe und auch die Erdbewegung mit ihrer Gravitation führt zu Reaktionen (Abbilder), die selbst untereinander Wirkung und Wechselwirkung erzeugen – und das ohne Gefühl, ohne Gedächtnis und ohne pflanzliches Erinnerungsvermögen. Es passiert alles ohne Sinn und Verstand.

Bei aller Kritik, die den Leser und die Leserin dazu animieren möge, das Wohlleben'sche Buch über das geheime Leben der Bäume in die Hand zu nehmen, sei wertschätzend gesagt, dass das Einreißen der Grenzen zwischen Mensch und Tier, Tier- und Pflanzenwelt einen zutiefst ethisch-moralischen Wert in sich trägt. Der Versuch der Grenzauflösung macht deutlich, wie eng wir als Menschen mit den Bäumen verwandt sind. Er stärkt unsere Sensibilität, das Leben zu achten und zu schützen, mit diesen natürlichen, evolutiven Kreaturen mit Demut, Achtung und Respekt umzugehen. Dass dabei die Verwendung von in unserem Sprachgebrauch anthropologischen bzw. menschlichen Eigenschaftsbeschreibungen und Begriffen Eingang gefunden hat, mag das Anliegen Wohllebens bei den Lesern unterstützt haben.

Wenn diese Art der Beschreibung jedoch auf Kosten von Unexaktheiten erfolgt, die Zweifel an der Wahrhaftigkeit? (Richtigkeit) der getroffenen Aussagen aufkommen lassen, dann fällt es mir schwer, den oben unterstellten wohlgemeinten Absichten bedingungslos zu folgen.

Eine Nachbemerkung zu diesem Diskurs sei mir erlaubt, die letztlich auch die Kant`sche philosophische Grundfrage „Was kann ich wissen?" betrifft. Die Faszination davon, dass Bäume Schmerz empfinden könnten und gar ein Gedächtnis hätten, lässt zweifelsohne aufhorchen, neugierig werden und machen. Doch die m. E. unkritische Reflexion des Wohlleben'schen Buches meiner Freundin, die ich mit meiner Kritik am Buch persönlich empfindlich getroffen habe, was sie mir später zu verstehen gab, macht deutlich, wie schnell empfänglich und unkritisch Gedanken aufgenommen werden, wenn mit Wissen Sensationen „verkauft" werden, selbst dann, wenn die hier diskutierten Annahmen über die Gefühle in der Pflanzenwelt bis in das 19. Jahrhundert hineinreichen, und bis heute sich keiner ernsthaft um diese Thesen kümmerte.

Dieses Erlebnis machte mich wach für einen Beitrag in der Psychologie heute (vgl. Heft 8, 2017, S. 12 ff.), der den Titel trägt „Die Leute wissen nicht, wie unwissend sie sind". Die Glaubensbereitschaft, die heute sehr schnell viele Informationen zu scheinbarem Wissen werden lässt, hängt offenbar eng mit der Digitalisierung zusammen. Wenn Informationen digital mit Tempo Verbreitung finden und auf Grund ihres Umfangs – auch aus zeitlichen Gründen – schwer nachprüfbar sind bzw. nachgeprüft werden, dann sind Halbwahrheiten oder gar Fake News schnell produziert, die nicht selten als Wahrheiten ihre Runde machen. Worum es mir hier geht, ist, und da möchte ich Steven Sloman (ebenda) beipflichten, dass viele Menschen von ihrem Wissen und ihren Wahrheiten derart überzeugt sind, dass weder ein Zweifel noch ein Hinterfragen in Erwägung gezogen wird. In dem Interview mit St. Sloman heißt es weiter: „Es ist in der Tat überraschend, wie unwissend Leute sind. … 25 Prozent der Leute wissen nicht, dass die Erde sich um die Sonne dreht… Denken ist nicht nur ein Prozess, der in den Köpfen von Einzelpersonen abläuft, sondern ein gemeinschaftlicher Vorgang. Es existiert eine Wissensgemeinschaft, und in die klinken wir uns als Individuen ein, wenn wir denken. Auf der einen Seite erlaubt uns das wie keiner anderen Spezies, Sachen zu erschaffen. Das Problem ist jedoch, dass wir unsere eigenen Erkenntnisse mit dem verwechseln, was andere wissen: Wir glauben, die Erkenntnisse anderer seien unsere eigenen." (a.a.O., S. 13)

Da wir als Wissens-Normalverbraucher keine Spezialisten

sind, werden Fachleute zu unseren Kompetenzträgern, auf die wir uns verlassen wollen. Diese Arbeitsteilung nutzen wir natürlich aus den o. g. Gründen. Den Fachexperten sollte deshalb bewusst sein, welche Verantwortung sie tragen, wenn sie - immer begrenztes und vorläufiges - Wissen unter die Menschen tragen, die es nicht überprüfen können oder es im Vertrauen auf die Verlässlichkeit der Quellen auch gar nicht wollen. Das entbindet den Konsumenten von Wissen aber nicht von seiner Verantwortung, dessen Aneignung kritisch hinterfragend zu begleiten. Das gilt auch für diesen Beitrag.

Unser Wissen und damit uns selbst immer wieder kritisch und damit nachfragend auf den Prüfstand zu stellen, was u. a. das Philosophieren ausmacht, sehe ich als ein wichtiges Regularium an, unserer Natur, Wald, Baum und sonstigem Getier resonant zu begegnen

Es ist nicht wenig Zeit, die wir
zur Verfügung haben, sondern
es ist viel Zeit, die wir nicht
nutzen.

Seneca (54 v. Chr. - 39 n. Chr.)

Die Wirkungsmacht von Zeit

Zeit ist ein eigenartiges Phänomen. Man kann sie weder sehen
noch essen. Anfassen oder einfach wegdenken lässt sie sich
auch nicht. Bestenfalls haben wir ein Gefühl von Zeit. Sie zeigt
sich in ihrer Präsenz auf besonderer Art. Wir schauen erwar-
tungsvoll auf die Uhr oder lassen uns von ihrer Zeit antreiben
und hetzen. Wir hassen und genießen Zeit. Wir gewähren sie
und möchten sie anhalten. Wir sind mit ihr und bekämpfen
sie. Wir brauchen sie und wollen sie doch nicht.

Kein Phänomen wie die Zeit erhält in unserem Fühlen,
Denken und Handeln so viel Aufmerksamkeit. Während das
zwischenmenschliche Begegnen einen Anfang und ein Ende
hat, ist die Begegnung mit der Zeit eher außergewöhnlicher
Art. Wir befinden uns mit ihr in einer dauerhaften Begeg-
nungspräsenz, ohne ihr als Subjekt begegnen zu können. Sie
kommt und geht nicht; sie ist einfach da. Und nicht nur das,
sie hat auf uns eine Wirkungsmacht. Wir können sie nicht fassen, stattdessen fasst sie uns. Im Grunde ist die Begegnung
mit der Zeit unfair, weil das Zusammentreffen von Zeit und
Mensch sich wie Goliath und David anfühlt. Doch David wird
aus dieser Begegnung nicht als Gewinner hervorgehen. Sie
gleicht einem unendlichen Schattenboxen. Die Frage ist, ob

ein partnerschaftliches Mensch-Zeit-Verhältnis möglich ist und wie ein solches Arrangement aussehen könnte.

Heute im Zeitalter der Globalisierung und Digitalisierung ist das Treffen von Zeit und Mensch keinesfalls besser, entspannter, lockerer geworden. Im Gegenteil. Der Mensch hat die Zeit herausgefordert und einen Gang in der „Zeitmaschine" höher geschaltet. Ich bin mir sicher, er wird es weiter tun, weil er meint, da ist noch „Luft nach oben". Der Zeit ist es egal. Doch wie sieht es der Mensch?

Jeder kennt das Gefühl, von der Zeit gehetzt zu sein. Dann wünschen wir uns eine *Aus-Zeit*. Wir freuen uns auf die *Urlaubs- oder Adventszeit*. Wir bedauern, dass die Zeit mit dem Älterwerden immer schneller vergeht. Wir wollen unangenehme Zeit überwinden oder gar aus unserem Leben streichen. Wir beklagen am Arbeitsplatz, dass wir unser Arbeitspensum in der Zeit nicht schaffen. Wir haben den Eindruck, dass uns die Zeit eher wegläuft und uns zwischen den Fingern zerrinnt, als dass wir die Kraft verspüren, auf sie in irgendeiner Weise Einfluss nehmen zu können.

Das Bild des Kampfes mit und um die Zeit ist in unserem Bewusstsein zutiefst verinnerlicht. Es bestimmt mehr denn je unserer Leben. Was ist das nur für eine Zeit, die in unserem Leben so viel Wirkungsmacht besitzt und uns das Gefühl der Ohnmacht vermittelt?

Unsere Lebens- und Zeiterfahrung führt uns zu dem Schluss, dass das alles weniger mit der Zeit als vielmehr mit unserem Umgang mit der Zeit zu tun hat. Bei aller Verstandeslogik und gebotener Vernunft führt uns unser Alltagsdenken aufs Glatteis, weil wir meinen, dass unser Alltag und dessen Zeit über uns bestimmt, statt davon auszugehen, dass wir mit unserer Handlungsmacht über sie verfügen. Das archaische, in der Psyche des Menschen tiefverwurzelte Machtgefälle in der menschlichen Gesellschaft, die gefühlte Ohnmacht des Menschen bei Naturereignissen, nicht selten begleitet durch einen verinnerlichten, mit Macht ausgestatteten Gott, führte zu der allgemeinen menschlichen Erfahrung, diesen Mächten ausgeliefert zu sein und ihren Wirkungskräften devot zu begegnen. Ich gehe ich davon aus, dass das bei vielen, selbst aufgeklärten Menschen zutrifft.

Bücher, die uns Lebensberatung zum persönlichen Umgang mit der Zeit schenken, gibt es viele. Seminare zum Zeitmanagement werden zuhauf angeboten und von Firmen gebucht. Entschleunigung und Achtsamkeit, das Leben im Hier und Jetzt werden als Schlüssel für das Leben angeboten und als Lebensweisheiten verkauft. Doch hat das alles wirklich genützt? Liegt es an der menschlichen Unfähigkeit, dieses Phänomen für das Leben in den Griff zu bekommen, weil Zeit nicht zu fassen ist? Oder haben wir es mit einem uns bestimmenden Geist der Natur zu tun, der es dem Menschen als denkendes und handelndes Subjekt nicht möglich macht, weder Zeit zu verstehen, noch zu handhaben, geschweige denn in den Griff zu bekommen? Ist Zeit außerhalb unserer Lebenswelt existent oder ist sie an sie gebunden?

Unser Alltagsverständnis von der und unser praktischer

Umgang mit der Zeit sind so ausgerichtet, dass Zeit mit ihrer Macht dem Menschen gegenübersteht. Sie übt ihre Wirkungsmacht uns. Der Mensch hat der Zeit mehr denn je den Kampf angesagt. Das geschieht mit der Absicht, über die Zeit zu herrschen, sie zum Untertan des Menschen zu machen.

„Zeit ist Geld" – das ist nur eine von vielen der vom Menschen angesehenen Wirkungskräfte, denen er folgt, Zeit zu beherrschen. Zeit soll in klingende Münze umgesetzt werden. Zeitverlust bedeutet Geldverlust. Mit dem Streben nach Geld unterwirft sich der Mensch der Zeit auf besondere Weise. Er opfert seine wertvolle Lebenszeit dem Geld. Geld wird zum erstrebenswerten Lebensziel und bestimmt den Alltag.

Kritiker könnten dem entgegenhalten: Geld ist auch Zeit. Was sie meinen, ist, dass ihnen die Verfügbarkeit von Geld die Macht und Freiheit verleiht, selbst über die Lebenszeit nach eigenen Bedürfnissen zu bestimmen. Das Argument ist nicht ganz von der Hand zu weisen. In der Welt des Kapitals, in der das Geld im hohen Maße unser Leben beeinflusst, ist die Wirkung des Geldes unbestritten. Zeit lässt sich weder kaufen noch ist sie auf jene reduzierbar, in der – an der Börse, im Unternehmen, am Arbeitsplatz – Geld gemacht wird. Arbeitszeit der Lebenszeit gegenüberzustellen, halte ich für fragwürdig. Aus Geld Zeit zu machen, ist so, als wollten wir aus Stroh Gold spinnen. Je mehr wir der Zeit-Geld-Idee hinterherjagen, je mehr wir versuchen, Zeit zu beherrschen, werden wir erfahren müssen, dass nicht wir über die Zeit, sondern Zeit über uns verfügt.

Seitdem es technische Werke gibt, die Zeit messen, aber vor allem mit der Industrialisierung, haben wir es gelernt, mit der Uhr zu leben. Wir haben die Uhr in unser Leben hineingelassen, um Zeit und Leben besser ordnen zu können. Doch mit der Uhr leben wir seitdem in der Illusion, die Zeit besser im Griff zu haben. Stattdessen hat mit der Erfindung der Uhr die Zeit den Menschen mehr denn je unter ihre Kontrolle gebracht. Ohne Uhr war das Leben des Menschen ein Leben *mit* der Zeit. Seit es Uhren gibt, hat sich das Leben gewandelt in ein Leben *gegen* die Zeit. Unsere Welt, Zeit zu denken, hat sich aus ihrer Natürlichkeit in ein künstlich-technisches Konstrukt gewandelt. Unsere Begegnung mit der Zeit ist eine grundsätzlich andere geworden. Der Mensch bewegte sich aus der Naturzeit heraus in eine technisch ausgestattete industrielle Zeit. Sie war die Grundlage für das Entstehen einer ökonomischen Zeit, in der Effizienz und Effektivität das Sagen haben und mit ihr deren Natürlichkeit entzogen wurde. Dieser Zeitenwandel bescherte dem Menschen das Ende der Naturzeit, die sich heutzutage ausschließlich auf seine Lebenszeit reduziert. Das ist wiederum nicht ganz korrekt, wenn man bedenkt, wie medizinischer Fortschritt menschliche Lebenszeit verlängert und mit ihr die Natürlichkeit von Zeit abhanden kommt.

Sollten wir besser in uns gehen und eingestehen, dass *die* Zeit gar nicht existiert, sondern dass es sich um eine menschliche Vorstellung handelt, die wir Zeit nennen, um so mit Hilfe dieses gedanklichen Kunstgriffes besser im Leben zurechtzukommen? Was Zeit ist und welchen Umgang wir mit ihr pflegen sollten, scheint offenbar ein schwer aufklärbares Kapitel unseres Lebens zu sein.

Zeit betritt die Alltagsbühne, sobald wir die Augen aufmachen und uns bewegen. Wir sehen auf die Uhr, um uns für den weiteren Ablauf des Tages zu organisieren. Sie gibt uns einen Tritt, wenn wir uns nicht von ihr treten lassen wollen.

In uns entwickelt sich im Laufe unseres Lebens eine Vorstellung von Zeit. Wir machen sie an natürlichen Gegebenheiten und am Uhrwerk fest. Über sie erleben wir ihre Präsenz. Wir erfahren und lernen Zeit. Sie *wird* in unseren Gedanken. Bei allem Bemühen um Bestimmung und Erklärung, wissen dennoch nicht, was sie wirklich ist, und geben uns letztlich mit oberflächlichen Zeitbeschreibungen zufrieden. Es mag unser Schicksal sein, mit ihr zu leben, ohne sie recht fassen (begreifen) zu können.

Ungeachtet dessen ist es immer wieder faszinierend und interessant, der Zeit zu begegnen – praktisch durch Zeiterfahrung und philosophisch, wenn wir versuchen, ihr Wesen zu erschließen. Philosophisch der Zeit zu begegnen, heißt zu fragen: Was ist bzw. wie lässt sich Zeit verstehen? Wie ist sie für uns Menschen erkenn- bzw. erfahrbar? Kommen wir dem Zeitverständnis ein Stück näher, wenn wir Zeit mit einem dialektischen Ansatz verknüpfen? Brauchen wir eine Ethik der Zeit, die uns den Wert von Zeit verdeutlicht und uns den Sinn im Umgang mit unserer Lebenszeit näherbringt?

Der Ausgangspunkt meiner Überlegung ist: Mit der Zeit als Existenzform des Wirklichen hat sie uns das Leben geschenkt.

Es ist die Zeit zum Leben. Zugleich hat das Leben mit seinem Dasein uns Zeit gegeben. Es ist die Zeit, das Leben zu leben. Zeit verwirklicht sich im Leben; Leben verwirklicht sich in der Zeit.

Wir werden in die Zeit hineingeboren, ohne für sie ein Verständnis zu haben. Es ist der Beginn der Lebenszeit, in der wir die Zeit zum Leben haben. In den Folgejahren unseres Lebens – spätestens bis zum siebten Lebensjahr – dringt Zeit in unser Verständnis. Wir lernen Zeit. Wir lernen, was das Heute ist, können uns auf das Morgen freuen und trauern dem Gestern nach. Wir wissen, dass der Morgen nicht der Abend und der Abend nicht der Morgen ist. Wir lernen, dass wir einmal im Jahr Geburtstag haben und uns alle Jahre wieder ein Weihnachtsfest beschert wird, und begreifen irgendwann, dass das eigene Leben mit seiner Zeit auch sein zeitliches Ende nimmt, ohne dass die Zeit jemals aufhören wird zu existieren. Es entsteht ein Zeitbewusstsein, ohne genau sagen zu können, was Zeit ist. Wir bewegen uns mit dem Denken über die Zeit in dem Raum der Metaphysik, in dem das Zeitverständnis ideengeschichtlich in den unterschiedlichsten philosophischen Denkrichtungen eingelagert ist.

Unser Zeitverständnis ist naturgegeben. Wir erfahren Zeit durch den Verlauf und Wechsel von Jahreszeiten oder durch Tag und Nacht. Der Blick in den Himmel verrät uns, dass es in der Bewegung von Mond, Planeten, Sonne, Sternen (Sternbildern) und Kometen zeitlich wiederkehrende Regelmäßigkeiten gibt. Der Mensch entwickelte aus alledem und den unmittelbaren Alltagserlebnissen einen Sinn für ein Jetzt, ein Danach und Davor.

Aus diesem Naturzeitverständnis konstruierte der Mensch eine Zeit, die die natürliche verfeinern sollte. Der natürliche Zeitfluss wurde von ihm neuerlich geteilt. Die Sand-, Sonnen- und Wasseruhren waren seine ersten technischen Mittel, Zeit nach seinen Bedürfnissen zu takten. Zum natürlichen Zeit- rhythmus und -verständnis kam nun das technische hinzu. Das war der Beginn, die natürliche Zeit umzugestalten, ohne sie jemals verändern zu können. Was sich veränderte, ist, dass die vom Menschen künstlich geschaffene Zeit in seinem Zeit- bewusstsein an Dominanz gewann und er die natürliche Zeit mit ihrem Rhythmus immer aus dem Alltag verbannte. Spä- testens als die Uhr als mechanisches Werk in Gestalt einer Rä- deruhr weltumspannend ihren Siegeszug antrat, war Zeit all- gegenwärtig angekommen. Zusehends unterwarf sich der Mensch der technischen Zeit.

Zeit drang mehr als je zuvor in unser Leben ein, indem wir sie uns mittels Uhren in die Hütten, Wohnungen, Häuser, auf die Marktplätze und Kirchtürme ins Bewusstsein holten. Der Mensch hat die Zeit neu erfunden. Jedes Kind lernt früh und spätestens in der Schule die Zeit als technisches Konstrukt kennen, ohne selbst zu erfahren, wie beide Zeiten, die natürli- che und technische, zueinander stehen, geschweige denn, was unter Zeit zu verstehen ist. Was bleibt, ist eine Zeit in Gestalt einer Uhr, die in unser Leben hineingetragen wird. Zeit *ist* Uhr und die Uhr *macht* Zeit. Zeit ist technisiert und voll dem menschlichen Denken und Handeln unterworfen.

Dass der Mensch heute dafür die Rechnung präsentiert bekommt, zeigt sich in der erstmalig zur Zeit des Ersten Weltkrieges eingeführten, dann wieder abgeschafften und 1980 europaweit wieder eingeführten so genannten Sommer- und Winter- bzw. Normalzeit. Die Idee der Zeitumstellung hatte 1784 der Erfinder und US-Politiker Benjamin Franklin (1706 – 1790). Er war der Auffassung, dass man durch diese Zeitumstellung Energie sparen und die Menschen dazu bewegen könne, früher aufzustehen. Doch erstmalig hat diese Idee Kaiser Wilhelm II. (1859 – 1941) aus dem gleichen Motiv am 30. April 1916 umgesetzt.

Für viele Menschen fühlt sich das einstündige Vorstellen und das ein halbes Jahr später erfolgende Zurückstellen der Zeit unangenehm an. Die 2018 durchgeführte europaweite Umfrage, ob die Zeitumstellung abgeschafft werden solle oder nicht, fiel zu Gunsten deren Aufhebung aus. Dabei ist anzumerken, dass wir es gar nicht mit einer Zeitumstellung, sondern mit einem Verstellen der Uhr zu tun haben. Der Mensch macht Zeit mit seiner Uhr. Dennoch reden wir von einer Umstellung der (natürlichen) Zeit statt von der der Uhrzeit. Das zeigt, wie weit weg unser Denken und Handeln von der natürlichen Zeit entfernt und auf die vom Menschen gewandelte Zeit ausgerichtet ist. Alles Verstehen, Fühlen, Erfahren in und mit der Zeit ist ein auf die Uhr ausgerichtetes Zeitverständnis. Das menschliche Zeitbewusstsein hat sich an ihr festgemacht.

Nach fast 40 Jahren beginnt sich der Mensch gegen diese technisch organisierte Zeit zu wehren. Der Widerstand gegen die künstliche Zeit kann als einer unter den gegenwärtig vielen Bausteinen angesehen werden, sich wieder stärker der Natur zuzuwenden und ihr den Raum zu geben, den sie benötigt, um den Menschen angesichts von Schnelllebigkeit ein gutes Leben zu ermöglichen. Zeit soll wieder das sein, was sie ist.

Unabhängig davon, ob sich die Zeit in ihrer Natürlichkeit oder künstlich in Gestalt der Uhr zeigt, ist sie in uns Menschen mit unserem Leben zutiefst verankert. Heißt das, dass Zeit nur in uns, in unserem Gefühl, in der Vorstellung und damit als Konstrukt unseres Denkens und Handelns existiert oder gibt es auch eine Zeit außerhalb unseres Bewusstseins?

Auch wenn hier kein dezidierter ideengeschichtlicher Abriss über die Zeit verfolgt wird, sei dennoch angemerkt, dass Zeit stets ein Thema philosophischer Betrachtungen war. Während die einen die Zeit als ein göttliches Prinzip ansehen, verknüpfen andere die Zeit mit Sinneserfahrung und verstehen sie als eine menschliche gedankliche Konstruktion oder als Anschauungsform. Wieder andere betrachten die Zeit als eine Existenzform des Materiellen, unabhängig davon, ob der Mensch die Zeit für sich erkannte oder nicht.

Zeit begrifflich auf den Punkt zu bringen, scheint offensichtlich schwierig zu sein. Die Zeit wird in unserem Verständnis entweder als Uhrzeit, als Erfahrungszeit oder als eine naturgebundene Zeit (Tag und Nacht, Jahreszeiten, Umlauf der Erde um die Sonne) fixiert. Sie ist ein Axiom und reiht sich philosophisch unter jene Begriffe ein, die ihren Platz in der Metaphysik gefunden haben.

Das erklärt, warum die Begegnung des Menschen mit der Zeit ambivalent auftritt. Ich möchte behaupten, dass der Mensch aus den genannten Gründen ein verstörtes Verhältnis zur Zeit hat.

Bei allen Versuchen, Zeit zu verstehen und zu verinnerlichen, stoßen wir auf eine Grenze des Nicht- und Unfassbaren. Das käme einer Vorstellung gleich, die Unendlichkeit unseres Universums oder die Relativität der Zeit aus unserem Alltagsverständnis heraus begreifen zu können. Wir kommen zu dem Ergebnis, dass *die* Zeit *nicht ist*, und versöhnen uns damit, Zeit etwas Subjektives, Persönliches, Erlebbares zu verstehen. Es ist unsere unmittelbare Lebenswirklichkeit, die uns die Zeit in den persönlichen Gegebenheiten erfahren lässt, und wir gestehen uns dabei ein, dass, weil wir die Zeit an uns binden und mit der Uhr umbinden, sie nicht real wie ein natürliches Ereignis existiert.

Zugleich denken wir Zeit in einer Abstraktion. Wir haben ein Verständnis von dem, was ist, was war und was sein wird. Wir haben das Bewusstsein, Gegenwärtiges zu erfahren, das nach wenigen Sekunden sich in Vergangenes wandelt. Wir verfügen über die Fähigkeit der Antizipation, der gedanklichen Vorwegnahme von Ereignissen, ohne dass diese selbst objektiv Reales sind. Vergangenheit, Gegenwart und Zukunft sind in unserem Bewusstsein fest verankerte Zeitdimensionen. Doch haben sie in der objektiven Wirklichkeit, außerhalb jeglicher menschlichen Existenz, Bestand? Ist Zeit nicht eher ein Fluss in Gestalt von Bewegung? Insofern zeigt sich die Idee von Zeit als ein äußerst eleganter Trick menschlichen Denkens, mit seiner Lebenswelt praktisch und zeitlich klar zu kommen. Das führt uns zu dem Gedanken, Zeit als ein vom *Menschen geschaffenes* Konstrukt zu verstehen, was so viel heißen würde: Zeit ist subjektiv.

Doch wie kann es sein, dass das Leben für uns eine Begegnung sowohl *in* wie *mit* der Zeit ist? Dieser Frage nachzugehen ist insofern interessant, weil wir damit die Zeit als Vorstellung hinter uns lassen und uns ihr zuwenden können, wie sie uns in der Lebenswirklichkeit gegenübertritt. Bei aller Subjektivität des menschlichen Zeitverständnisses kann uns u. a. die Astrophysik unterstützen, Zeit als objektiv-real, außerhalb des menschlichen Bewusstseins existierend, anzuerkennen. Die Tatsache, dass ein heute registriertes Ereignis aus dem Weltall wie z. B. eine Supernova vor Jahrtausenden stattfand, macht die Zeitverschiebung deutlich. Es ist ein Ereignis der Vergangenheit, das mit seiner Registrierung in der Gegenwart ankommt. Die Zeit verschiebt sich, weil das Ereignis mit Lichtgeschwindigkeit auf uns zu transportiert wird, obwohl es an jenem Ort und zu jener Zeit stattfand. Wir nehmen Zeit in der Bewegung wahr. Wie oft sagen wir: „Mir läuft die Zeit weg." Zeit begegnen wir in der Bewegung. In der Bewegung offenbart sich die Zeit. Das gilt m. E. auch für Leben als eine Bewegungsform, in und mit der sich Zeit darstellt. Alles in

Zeit Gemessenes ist Bewegtes.

Das Leben *in* der Zeit zu verstehen, löst sich in zwei Bedeutungen auf. Die *erste* Bedeutung habe ich oben benannt. Die Geburt ist das uns geschenkte und in die Welt hinein getragene Leben. Wir werden *in* das Leben hineingeboren. Der Mensch fällt mit der Entbindung *in die* Zeit des Lebens. Damit bekommt das Leben eine Lebenszeit. (Dass das Leben bereits vor der Entbindung seinen Anfang hat, sei hier vernachlässigt.)

Die *zweite* Bedeutung von Leben *in* der Zeit ist das Leben in der Zeit: Es ist das Leben in unserer gegebenen und verfügbaren Lebenszeit. Zeit gibt hier wie ein Raum den Rahmen, in dem sich das Leben abspielt. Leben und Zeit haben sich getroffen und sind von nun an verbunden. Dieser Zusammenfluss von Leben und Zeit ist nur deshalb möglich, weil das Leben *bewegt* ist, weil alles Leben sich als Bewegung, Veränderung, Entwicklung darstellt. Alles Leben ist über seine Bewegtheit und Veränderlichkeit stets eine Begegnung *in* der Zeit.

Bewegung, Veränderung und Entwicklung tragen die Zeit in sich, ohne selbst Zeit zu sein. Sie dokumentieren die Zeit, weil sie nur in ihnen ihren Ausdruck findet. Das ist vergleichbar mit einer Uhr, in der die Zeit entweder sich selbst genügt oder vom Menschen instrumentalisiert wird, um mit der Lebenssituation und deren Anforderungen klarzukommen oder unaufhaltsame Entwicklungen beherrschen zu können.

Die Zeit, in der wir heute leben, ist eine vom Menschen geschaffene Zeit. Das Zeit-Produkt ist die Uhr als eine der grandiosen technischen Erfindungen, die dem Menschen sowohl den Fortschritt als auch seinen gehetzten Umgang mit der Zeit bescherte.

Heute mehr denn je spüren wir, wie Lebenszeit von der Globalisierung und Digitalisierung angetrieben wird und wie sie der globalisierten und digitalisierten Zeit zum Opfer fällt. Es begegnen sich zwei Zeit-Welten, die zwar (noch!) mit eigener Sprache sprechen, doch im Begegnen zu Verstimmungen führen. Das Tragische ist, wir merken es nicht einmal. Merken wir es dennoch, dann stehen wir dieser Begegnung machtlos gegenüber. Nur wenige Menschen stellen sich dieser zweigeteilten Zeitkultur entgegen und steigen aus der technischen Zeit-Welt aus. Die meisten von uns spielen unwissentlich das Lied vom natürlichen Zeittod, das die Zeit des Lebens zerstört, weil jenem technischen Zeitgefüge mehr Aufmerksamkeit als der eigenen Lebenszeit geschenkt wird.

Mit der Umwandlung der natürlichen Zeit in eine technisch konstruierte Zeit erfolgte die Ökonomisierung der Zeit. Alles menschliches Denken und Handeln, alles Schaffen und Produzieren, beginnend mit der Renaissance, weiterführend mit der industriellen Revolution 1.0, wird der Ökonomisierung der Zeit unterworfen. Die ökonomische Macht der Zeit setzt sich bis heute und fortschreitend in den unterschiedlichsten Gestaltungsformen durch. Der Glaube an diese Macht ist ungebrochen. Es ist der Glaube an technischen Fortschritt, der Zeit freisetzt und dieses Mehr an Zeit in Freizeit und Lebensqualität umzusetzen vermag. Doch dieser Glaube hat sich schon vor 50 Jahren nicht erfüllt.

Der Mensch schafft Technik, die nicht zwingend zur Verbesserung seines Lebenswohls beiträgt. Im Gegenteil. Sie ist in ihrem Werden primär auf Wertschöpfung, Profitmaximierung und Machtausübung ausgerichtet. Der positive Kollateralschaden ist, dass diese Wertschöpfung nicht an einer Gebrauchswertschöpfung vorbeikommt. Diese aber ist und bleibt nachgeordnet. Mit der Ökonomisierung der Zeit durch eine vermeintliche Zeitoptimierung mittels technischen Fortschritts ist der Sinn der Zeit als Lebenszeit verlorengegangen.

Hier offenbart sich eine Gedankenbrücke zum Leben *mit* der Zeit. Wenn wir das Leben *mit* Zeit denken, so tut sich eine neue, *zweite* Denkperspektive auf. Gemeint sind der Raum und die Qualität des Umgangs *mit* der Zeit. Wesentlich ist dabei, *wie* wir Zeit erleben und sie wahrnehmen.

Zeit vergeht nicht. Sie zeigt sich in und mit der Bewegung. Da die Bewegung von allgemeiner Daseinsweise ist, verschwindet Zeit nicht. Sie ist an sie gebunden. Zeit wirkt in der Bewegung und kommt uns so entgegen. Da das Leben ein bewegtes, sich veränderndes, entwickelndes Leben ist, ist Zeit in ihm präsent. Nur in diesem Kontext ist Zeit verstehbar, erlebbar und ermöglicht uns den Umgang mit Zeit, auch wenn sie *an sich* nicht fassbar und erfahrbar ist.

Da das menschliche Leben ein Leben in und mit der Zeit ist, wird sie von uns *erlebt*. Wir nehmen sie gefühlt und indirekt über unser Handeln, über die Uhr und den Kalender wahr. Insofern ist es nicht unwichtig, wie wir Zeit in ihrem Wert einschätzen und wie wir mit der Zeit als Lebenszeit umgehen (wollen).

Unsere Vorstellung und innere Haltung ist der Resonanzboden für den Umgang mit der Zeit. Unser Kunstverständnis von Zeit, das über die vom Menschen geschaffenen Zeit- oder besser Uhr-Werke (wie Sand-, Sonne-, Wasser- und andere derartige Uhren) entstanden ist, stellt unsere Zeiterfahrung auf den Kopf. In einer Sand-Uhr *fließt* Zeit als Rinnsal von feinem Sand *weg*. Die Zeit zerrinnt. An der mechanischen Uhr *vergeht* die Zeit durch die Bewegung der Stunden- und Minutenzeiger. In einer digitalen Uhr *bewegt* sich die Zeit durch aufsteigende Ziffernreihen. Wir erhalten den Eindruck, dass sich die Zeit stets von uns wegbewegt und wir ihr hinterherlaufen müssten.

Kein Wunder, dass diese Wahrnehmung des Wegfließens von Zeit uns dazu führt zu sagen: „Ich habe keine Zeit" oder „Mir läuft die Zeit weg" oder „Ich kann mit der Zeit nicht mithalten". Das gefühlte Weglaufen von Zeit erschwert uns das Leben in und den Umgang mit ihr. Ist es nicht besser, sich von diesem künstlich, d. h. technisch konstruierten Zeitbild weitestgehend gedanklich zu lösen, um die natürliche Zeit in der Bewegung der Dinge zu verstehen? Wäre es in unserem Denken und für die praktische Zeit- und Lebensbewältigung nicht hilfreich, davon auszugehen, dass uns die Zeit wie das Wasser in einem Fluss, in dem wir stehen, nicht weg-, sondern zufließt? Wir denken uns Zeit als ein Empfangen von Zeit, so wie wir unser Leben empfangen haben. Zeit erfahren wir wie unser Leben als ein Geschenk. Wir denken uns Zeit, indem wir unsere Hände wie eine Schöpfkelle in das entgegenkommende Wasser halten und uns von ihm nehmen, so viel wir davon brauchen.

Wir nehmen die Zeit in die Hand, wie wir unser Leben in die Hand genommen haben. Damit wird es ein Leben in und mit der Zeit und steht dem Leben weder gegenüber noch im Wege.

Ich bin mir bewusst, dass diese Zeithandhabe ein Gedankenkonstrukt ist. Doch mir scheint es hilfreich, die Zeit besser *so* zu denken, als sich von ihr bestimmen zu lassen. Wir sollten alles dafür tun, mit der Herrschaft über die Zeit die über das eigene Leben zu gewinnen.

Zeit gewinnt unser Verständnis ihres Wertes und Sinnes, wenn wir es an das Leben anbinden. Die Zeit des Lebens ist immer das Leben selbst. Insofern ist die Wertvorstellung vom eigenen Leben das alles Zeitbestimmende und Zeitfüllende. Es ist an der Zeit, die Zeit dem Leben zuzuordnen statt das Leben der Zeit unterzuordnen. Es ist an der Zeit, die technische wie ökonomische Zeit, die durch Effektivität und Effizienz bestimmt ist, zurückzudrängen und der natürlichen Lebenszeit den Vorzug zu geben.

Wenn Zeit über die Bewegung des Lebens verstanden werden soll, dann verfügen wir über alle Zeit des Lebens. Wenn Zeit in der Lebensvor- und -einstellung verankert ist, wenn der Wert der Zeit durch den Wert des Lebens bestimmt ist, hört dann Zeit mit dem Lebensende, dem Tod auf? Da das menschliche Leben einen natürlichen Anfang und ein Ende hat, ist Lebenszeit stets begrenzt. Sie endet mit dem Leben selbst. Die einen mögen meinen, dass dieses Leben sein Ende gefunden hat, andere sehen die Lebenszeit in einem Anderswo sich wiederfinden. Das ist letztlich eine Frage des Glaubens. Das macht nicht nur deutlich, wie eng Leben und Zeit in unserem Verständnis verankert sind, sondern es zeigt uns auch, dass über das Leben hinaus die Zeit vom Leben losgelöst werden kann, was dazu führt, in der anderen, neuen Zeit die Zeit der Ewigkeit zu sehen. Für das Erdenleben ist das wenig hilfreich. Jedes Leben findet sein zeitliches und natürliches Ende. Doch die Zeit lebt in jedem neuen Leben und in allem Bestehenden weiter, in dem, was sich bewegt, verändert, entwickelt.

Die Begrenztheit von Lebenszeit zeigt sich in der Begrenztheit des Lebens. Dieses Bewusstsein führt zu der Einsicht, in die irdisch-natürliche Verfügbarkeit des Lebens zu investieren. Das bedeutet, mit dieser lebensbezogenen Zeitverfügung das Zeitvolumen durch ein Mehr an bzw. durch Intensivierung von Lebensereignissen zu erweitern. Das machen wir, weil wir wissen, dass wir *nur* alle Zeit des Lebens und nicht mehr haben. Wir umgehen die Lebenszeitbegrenzung, indem wir es mit einer Zeitoptimierung versuchen, die einer Effizienz bzw. Effektivität von Zeit gleicht. Doch es ist keine Zeitoptimierung, weil sie aufgrund ihrer Nichtverfügbarkeit sich nicht optimieren lässt, sondern eine Lebensoptimierung, indem wir in das Leben zusätzliche Ereignisse initiieren (Effektivität) oder uns über die bestehenden Ereignisse einen höheren Nutzen bei gleichem Lebensaufwand (Effizienz) verschaffen wollen. Das heutige moderne Leben, das private eingeschlossen, hinterlässt den Eindruck, dass es ökonomisch durchorganisiert ist. Wir lassen uns von der Macht der Zeit gefangen nehmen, die durchgängig präsent und bestimmend ist.

Was machen wir, wenn wir an die Grenzen von Zeit-Effektivität und Zeit-Effizienz des Lebens stoßen? Lässt sich die Zeitbegrenzung an Leben überwinden und der Tag von 24 Stunden aufheben? Wie oft wird gesagt, dass der Tag zur Arbeits- bzw. Aufgabenbewältigung mehr als 24 Stunden haben sollte; und wir bedauern, dass das technisch nicht machbar sei. Überschreiten wir die Grenze, so geschieht das durch mehr Effektivität und Effizienz in der Lebensgestaltung. Es ist das Mehr in der gleichen Zeit oder das Gleiche in weniger Zeit, was letztlich zulasten von   Gesundheit und Lebensqualität geht.

Ein probates Mittel für eine Grenzüberschreitung ist das Enhancement. Es ist das Aufputschen des Körpers und der geistigen Leistungsfähigkeit mit legalen Medikamenten, von denen in Deutschland ca. eine Million Menschen Gebrauch machen, um dem so genannten Zeitdruck in der Arbeitswelt standzuhalten.

Die Idee der Verfügbarkeit an Zeit ist verlockend. Dieser Gedanke weitergedacht bedeutet Zeit verlängern bzw. dehnen zu können. Oder wir kaufen Zeit dazu. Ist Zeit käuflich? Die Frage ist dann, wer verfügt über diese käufliche Zeit? Wo soll diese Zeit herkommen? Selbst wenn wir unterstellen, dass Zeit real existiert, so wissen wir, dass wir über sie nicht frei verfügen können, weil sie an die Bewegung der „Dinge" geknüpft ist. Der einzige uns verfügbare Umgang mit der Zeit zeigt sich in Verbindung mit unserem Leben. Es ist die verfügbare Lebenszeit.

Wenn von der Käuflichkeit an Zeit gesprochen wird, so erschließen sich mir zwei Überlegungen.

Erster Gedanke: Käuflichkeit von Zeit zeigt sich darin, die Zeit wie ein Subjekt zu behandeln und mit ihr dahingehend einen Deal zu machen, die Unverfügbarkeit von Zeit in eine für die Menschen verfügbare umzuwandeln. Doch sie lässt sich nicht auf einen „Kuhhandel" ein. Sie ist unverfügbar. In diesem Sinne ist Zeit weder käuflich noch erpressbar.

Der *zweite* Gedanke: Käuflichkeit bezieht sich auf das Kaufen von Zeit. Wenn Zeit nicht käuflich ist, ist dann Zeit „kaufbar"? – Ja, ist sie. Das ist nicht mit unserem alltäglichen Verständnis vergleichbar, wenn wir in den Supermarkt gehen und uns eine Tüte Zeit wie eine Tüte Bonbons kaufen würden. Es ist ein Gedanke im übertragenen Sinne. Doch wie könnte das Sinnbild verstanden werden? Was wäre, wenn ich mir von einem anderen Menschen Lebenszeit *kaufen* würde: Tausche Zeit gegen Geld. Das verfügbare Geld des einen und die verfügbare Zeit des anderen gehen miteinander ein Tauschgeschäft ein. Das ist im Grunde insofern nichts Neues und Außergewöhnliches, weil wir tagtäglich über die Lebenszeit unsere Arbeitskraft gegen Lohn oder Gehalt verkaufen, um so über diesen Weg den Lebensunterhalt zu sichern.

Mit dem uns geschenkten Leben wird uns Zeit, Lebenszeit mitgeschenkt. Sie ist die Grundlage für deren „Kaufbarkeit" und Lebensverfügbarkeit.

Wir halten die Hand über unser Leben, indem wir über dessen Sein und Werden zwar nicht absolut, so doch maßgeblich mitbestimmen. Wir können es in der Qualität beeinflussen. Wir können sogar dem eigenen Leben ein Ende setzen. Mit der Verfügbarkeit an Zeit sieht es, wie oben erwähnt, anders aus: Sie ist und sie ist auch wieder nicht verfügbar. Einerseits wird uns Zeit über das eigene Leben geschenkt, aber nur solange, wie wir über dieses Leben selbst verfügen. Andererseits ist sie auch wieder verfügbar, weil sich Zeit für uns in Bewegung, Veränderung, Entwicklung manifestiert. Da diese auch ohne den Menschen stattfinden, macht es Sinn, von einer dem Menschen abhängigen, subjektiven, und von einer menschenunabhängigen, *objektiven*, Zeit, zu sprechen. In beiden Zeiten zeigt sich deren Unverfügbarkeit, weil menschliche Lebenszeit der Naturbewegung und -entwicklung folgt, wie wir es auch bei allen anderen Naturereignissen kennen. Ein Stein hat als Stein genauso eine Lebenszeit wie ein Baum oder irgendein anderes Lebewesen.

Dennoch ist der oben eingebrachte Gedanke vom Zukauf von Lebenszeit interessant und verlockend. Stellen wir uns vor, dies wäre möglich. Wie wäre das machbar? Lässt sich

Zeit kaufen wie die eigene Lebensversicherungspolice? Oder kann ein armer Schlucker einen Teil seiner Lebenszeit an jenen verkaufen, der länger leben will, und er macht sich mit dem Geld ein schönes Leben? Dabei bleibt immer noch die Frage, von welcher Qualität diese Lebenszeit ist, die zum Verkauf angeboten wird. Wenn sich Lebenszeit verkaufen ließe, wird der Käufer sicherlich, wie bei jeder zu begutachtenden Ware auf dem Markt, darauf achten, dass das Preis-Leistungs-Verhältnis nicht nur in der Menge, sondern auch in der Qualität stimmt.

Bei einem Straßeninterview eines privaten Fernsehsenders wurden junge Leute im Alter um die 20 befragt, ob sie bereit wären, für eine Million Euro zehn bis fünfzehn persönliche Lebensjahre zu verkaufen. Die Antwort war durchgängig zustimmend. Da diese jungen Menschen die Erwartung haben, über genügend Lebenszeit zu verfügen und ohnehin nicht wissen, wann deren Verfügbarkeit versiegt, wäre ein derartiger Zeitverkauf für ein Mehr an Geld ein erstrebenswerter Gewinn an Lebensqualität und insofern ein bedenkens- wie lohnenswertes Angebot. Im Gegenzug wurden auch Menschen über 70 Jahre und älter befragt, ob sie bereit wären, ihre Lebenszeit für eine ebenso lohnenswerte Geldsumme zu verkaufen. Die einhellige Antwort war: nein.

Diese Antworten lassen erkennen, wie brüchig eine gedachte Verfügbarkeit von Lebenszeit ist und welchen Wert sie für uns hat. Offenkundig ist, dass Lebenszeit auch als Ware gedacht wird – und das nicht nur fiktiv, sondern ganz real im praktischen Leben. Wir (ver)handeln mit unserer Lebenszeit. Wir machen es mit uns und anderen. Wir kaufen und verkaufen sie, wenn auch nicht mit Geld. Wir tauschen und handeln mit ihr – und das tagtäglich, ohne dass wir uns dieses Umstandes immer bewusst sind. Das mag ungewohnt oder gar befremdlich auf uns wirken, und doch ist es so. Keiner geht in einen Kaufladen, um Zeit zu kaufen, und dennoch sind wir in ihm. Es ist die Lebensbühne der alltäglichen zwischenmenschlichen Beziehungen im Privaten, in der Familie, im Bekannten- bzw. Freundeskreis und am Arbeitsplatz. Wir kaufen und verkaufen Zeit in unserem Leben, ohne groß darüber nachzudenken – das im Guten wie im weniger Guten, vielleicht auch in böser, ausnutzender Absicht. Wir versuchen, über die Zeit anderer zu verfügen. Und das beginnt mit der einfachen Frage: Hast du mal Zeit für mich?

Das Zeit-Kaufen (-Verkaufen) zeigt sich in verschiedener Hinsicht. Es ist stets darauf ausgerichtet, einen Gewinn, einen Vorteil bzw. einen Nutzen zu erreichen: Es ist letztlich immer Zeitgewinn. Wir kaufen uns ein Fahrzeug, um schneller von einem Ort zum anderen gelangen. Wir nutzen ein Telefon, weil diese Kommunikationsform uns den Wegeaufwand verkürzt. Die Hausfrau auf dem Lande, fernab von der Stadt, schafft sich einen Brotbackautomaten an, um sich den Weg zum Bäcker zu ersparen.

Technikerfindungen erfüllen vielfach den menschlichen Traum von Arbeitserleichterung *und* Zeitersparnis, mit dem vor allem in den 60ern und 70ern für Haushaltsgroßgeräte geworben wurde. Weniger Zeit im Haushalt – mehr Zeit für Freizeit? Die Digitalisierung unserer Arbeitswelt seit 25 Jahren ist gleichsam ein technischer Fortschritt an Bürotechnik. PC- und Kopiertechnik erbrachten Zeitersparnis im Schreibaufwand. Brachten sie auch einen Zeitgewinn? Aller Zeitgewinn durch technischen Fortschritt, in dem Glauben, dadurch mehr Frei- und Lebenszeit zu gewinnen, hat sich nicht erfüllt. Im Gegenteil. Der technische Fortschritt wurde immer mehr zu einer „Zeitintensivierungsmaschine". Freigesetzte Zeit wurde ausgefüllt mit erweiterter Leistung. Das trifft insbesondere für den Freizeitbereich zu. Statt Zeitfreisetzung mittels Technik wird Zeit mit neuen Tätigkeiten statt mit Entspannung und Müßiggang aufgefüllt.

Kaum besser lässt sich an diesen Beispielen die vom Menschen initiierte Unverfügbarkeit und Ökonomisierung von Zeit demonstrieren. Er schafft sich hinsichtlich der Zeitverfügbarkeit sein eigenes Zeitdilemma: Der Mensch produziert einen so genannten Zeitgewinn an Arbeits- bzw. Lebenszeit durch neue Technik und organisiert sich diese Zeit wieder weg, indem er sie statt mit Leben und Erleben mit Leistung und Erwerb füllt.

Das heutige Smartphone zeigt sich in meinen Augen als Prototyp des Raubes an persönlicher Lebenszeit. Dieses kleine, elegant wegsteckbare technische Wesen ist heute für viele Menschen, insbesondere für die jüngere Generation, nicht mehr wegzudenken. Es ist für sie zum Lebensmittelpunkt geworden. Der Anteil des Verbringens an Lebenszeit hat solche Ausmaße angenommen, dass ich sagen möchte: Der Kauf eines Smartphones ist durch dessen *Ver*nutzung ein *Ver*bringen an Lebenszeit. Der unangemessene Gebrauch dieses faszinierenden Spielzeuges führt nicht nur zum Lebenszeitverlust, sondern u. U. auch – wie Studien nachweisen – zur Verschlechterung an gesundheitlicher und sozialer Lebensqualität: Vereinseitigung der sozialen Kontakte, Verkümmerung der zwischenmenschlichen (analogen!) Kommunikation bis hin zu Gefahren einer Gesundheitsschädigung durch wachsende Kurzsichtigkeit und einseitige Belastung der Muskulatur. Man könnte meinen, dass wir mit dem Kauf eines Smartphones, das für mich stellvertretend für viele andere technische Erfindungen steht, bei unangemessener Handhabung unser originäres Menschsein verkaufen. Es ist zu beobachten, dass ein vermeintlich erzielter Zeitgewinn für ein gutes Leben in sein Gegenteil umschlägt.

Das Zeit-Kaufen (-Verkaufen) zeigt sich, wie oben angedeutet, auch in Gestalt des Helfens und des Geholfen-Werdens. Die Bitte um Hilfe beim Einkauf, Malern, Möbelrücken etc. auszusprechen, ist für jenen, der die Hilfe in Anspruch nimmt, ein Zeitgewinn, weil dann für ihn Zeit für anderes frei wird und er entscheiden kann, wofür dieser Lebenszeitgewinn eingesetzt wird. Für den Helfenden bedeutet dieser Einsatz, eigene Lebenszeit unentgeltlich abzugeben. Diese Lebenszeitgabe kann uneigennützig als geschenkte Lebenszeit sein. Sie fällt auch eigennützig aus, wenn diese Hilfsaktion für den Helfenden einen emotionalen bzw. Selbstwert-

Gewinn trägt oder er sich dadurch einen Zeit-Bonus für einen zukünftigen Hilfebedarf erkaufen kann. Wir schenken Zeit uneigennützig. Wir geben Zeit in der Hoffnung, diese Zeitgabe zurückzuerhalten. Und wir stehlen auch anderen Lebenszeit, wenn wir sie ausschließlich unentgeltlich für unsere persönlichen Zwecke nutzen. Doch dafür stehen immer zwei in der Verantwortung: Einer, der die Zeit stiehlt, und einer, der den Diebstahl zulässt.

Wir können uns auch von uns selbst Zeit kaufen, wenn wir es verstehen, unsere Handlungen, die in der Zeit stattfinden, zu optimieren. Wir entscheiden, was mit dem so genannten Zeitgewinn geschieht, ob wir die eine oder andere Handlung nicht auszuführen, weil sie uns unwesentlich oder unwichtig erscheint, und weil wir wissen, dass sich manches im Leben von allein erledigt.

Wir kennen alle den Slogan: Zeit ist Geld. Es ist eine wirtschaftliche, gewinnorientierte Diktion. Die erwähnte Zeiteffizienz und Zeiteffektivität sind wichtige betriebswirtschaftliche Größen. Dabei geht es gar nicht um Zeit, sondern immer darum, was in dieser gemacht wird: Entweder wird mehr Arbeit in gleicher Zeit geleistet oder ein gleiches Arbeitsvolumen ist in verkürzter Zeit zu realisieren. Der Umgang mit der Zeit ist *immer* durch menschliches Handeln in Qualität und Umfänglichkeit bestimmt. Zeit-Kauf zeigt sich durch Einsatz von erkaufter neuer Technik, und das nicht, um Zeit zu kaufen, weil sie verkäuflich ist, sondern weil es darum geht, mit mehr Arbeitsvolumen in der nicht kaufbaren und dennoch verfügbaren Zeit wirtschaftlichen Gewinn zu kaufen. Zeit ist damit und nur dafür allein der ökonomische Denkrahmen.

Nichts anderes passiert, wenn der große zu bewältigende Haushalt, der mit Einkauf, Reinigung etc. private Lebenszeit in Anspruch nimmt, durch einen Lebensmittelbringedienst oder durch eine Reinigungskraft bzw. Haushälterin kompensiert wird. Unliebsame Tätigkeiten werden aus der persönlichen Lebenszeit ausgelagert und für anspruchsvollere Zeiten mit Lebensqualität freigesetzt. Dagegen ist nichts einzuwenden, solange dieser Deal von gegenseitigem Vorteil und Nutzen ist. Zu wissen ist: Es handelt sich um keinen *Ein*-Kauf an Lebenszeit durch Geld, mit dem mehr Lebenszeit erkaufen ließe. Tatsächlich ist es eine Raumbeschaffung für mehr Lebensqualität, die den persönlichen Bedürfnissen geschuldet ist.

Der Dienstleistungsnehmer sollte wissen, dass ein derartiger Deal seinen Preis hat. Es ist nicht nur die Bezahlung der Leistung, weil jeder, der einen Arbeitsvertrag eingeht, sich in der gleichen Grundsituation befindet, seine Arbeitskraft zu verkaufen. Wichtig ist nur, sich dieses Umstandes bewusst zu sein, dass mit jedem Deal Lebenszeit gekauft und verkauft wird, dass nicht neue Lebenszeit in der Gesamtsumme aller bestehenden Lebenszeiten entsteht, sondern umverteilt wird. Das ist der Pakt mit dem Teufel, der mir zwar meine Lebenszeit nicht nehmen kann, weil sie auch für ihn unverfügbar ist und er dennoch durch Ummodellierung einen Zugriff zu dieser Zeit bekommt.

Aus dieser Situation können wir uns nur herausdenken: *Erstens*, wenn wir verstehen, dass Arbeitszeit nicht nur Zeit für andere, sondern auch vor allem eigene Lebenszeit ist. Stellen wir die Arbeitszeit neben diese und verinnerlichen sie nicht als Lebenszeit, werden wir es schwer haben, uns mit der ersteren anzufreunden und sie als nicht eine Fremdzeit zu betrachten. Arbeitszeit wird als ge- und verstörte Lebenszeit gesehen. *Zweitens* können wir uns trösten, mit der Arbeitszeit Geld zu erkaufen, mit dem wir außerhalb der so genannten Fremdzeit unserer Eigen- und damit Lebenszeit etwas Gutes tun.

Nicht von allen wird diese Arbeitszeit als Verrat an der eigenen Lebenszeit wahrgenommen, weil aus dem Dilemma herausgedacht wird. Eine Arbeitszeit, die bestimmt ist durch ein von Kapital getragenes privates Eigentums- und Verteilungsverhältnis, erliegt einer Verfremdung: Die Arbeitszeit wird a) von der Lebenszeit abgekoppelt und b) als eine an einen anderen (Arbeitgeber) verkaufte Zeit angesehen.

Es fühlt sich an wie ein Verrat am eigenen Leben, das dem Menschen auf Erden nur ein einziges Mal gegeben ist. Wie viele Menschen müssen heute von einem Zweit-Job leben oder in der wohlverdienten Rentenzeit arbeiten, nicht weil es ihnen Spaß macht, sondern weil die finanzielle Not sie dazu treibt, die Renten-Daseins-Zeit in Arbeitszeit einzutauschen und sich damit zu verkaufen?

Dies zu wissen mag sensibilisieren. Sich darüber im Klaren zu sein, wann, wo, wem und wie viel Lebenszeit zum Verkauf ansteht und wie das Äquivalent für diesen Deal aussieht, kann hilfreich bei der Entscheidungsfindung sein.

Der so genannte Zeit-Kauf und -Verkauf wird zu einer durchdringenden lebenspersönlichen, zwischenmenschlichen und sozial-gesellschaftlichen Größe. Den Wert von Zeit messen wir anhand des in ihr gefüllten und erfüllten Lebens. Insofern geht es gar nicht um den Wert von Zeit, sondern immer um den Wert des Lebens. Der Kampf um Zeit, besser um mehr Zeit, ist eine selbstinszenierte Lebenslüge. Sie wird tagtäglich gezeugt und verklärt das Leben in der Annahme, man könne alles Leben über die Zeit regulieren. Dass es gar nicht um die Zeit geht, sondern um die Frage nach qualitativer, sinnbestimmter Lebensfülle, sollten wir verinnerlicht haben, um nicht am Ende des Lebens ein sinnverzerrtes Leben zu betrauern und das „Hätte-ich-mal..." die letzten gebrechlichen Lebensjahre bestimmt. Der Preis, den wir unter diesen Umständen zahlen, ist dann einfach zu hoch.

Sich seiner Lebenszeit bewusst zu werden, heißt, sich seinen Werten des Lebens zu stellen, sie zu finden, sie immer wieder neu zu hinterfragen und ggf. neu zu justieren, so dass jeder für sich sagen kann: Dieses Leben ist mein Leben und macht Sinn. Dann spielt Zeit nur noch eine untergeordnete oder keine Rolle, weil 50 Jahre gutes, sinnerfülltes Leben in mancher Hinsicht wertvoller erscheinen mag als ein 80jähriges Leben, das in seiner mageren Fülle an Lebenswertem bedauert wird.

Der Umgang mit der Zeit, der vielfach in Lebensberatungsbüchern oder in Zeitmanagement-Seminaren angesprochen wird, ist der Schlüssel zur eigenen Lebenszeit. Er wird nur passen, wenn die Zeit sich im Leben auflöst, die Unverfügbarkeit an Zeit in die Verfügbarkeit an Leben transformiert wird. Es liegt in unserer Hand, das uns geschenkte Leben mit Demut und Respekt anzunehmen und in Verantwortung für uns selbst mit persönlichen Werten aufzufüllen.

Das vielerorts angesprochene Leben im Hier und Jetzt sowie in voller Achtsamkeit zeigt sich als ein vollkommen auf sich selbst gestelltes Leben. Es ist ein gangbarer Weg, dieses Leben nicht als zeitunabhängig, so doch als zeitlos anzuerkennen. Es ist ein Loslösen von der Zeit, ohne mit dem Leben in eine Zeitlosigkeit zu gehen, weil sich das Leben in einem Zeitrahmen bewegt, in dem uns die Freiheit geschenkt ist, in ihm das Leben nicht zeitunabhängig, so doch zeitlos zu gestalten. Ein Leben in dieser Zeitgestaltung löst das Leben in seiner exorbitanten Zeitbestimmtheit auf und macht es frei von einer derartigen Zeitbesessenheit.

Mit der gedanklichen Herauslösung der Zeit aus dem Leben, ohne zu vernachlässigen, dass das Leben real in einem zeitlichen, d. h. in einem sich bewegenden, verändernden und entwickelnden Kontext steht, wird das menschliche Leben erkennbar für das, was es in seinem Wesen ist. Es lässt sich als ein Gutes erfahren.

Kapital III

Epilog

Der Mensch
und seine *ver*rückten Begegnungen mit der
künstlichen Intelligenz (KI)

Die Evolution hat aus dem Affen
einen Menschen gemacht, die
Revolution aus dem Menschen
einen Affen.

Lucius Annaeus Senecio (*1973)

Epilog

Der Mensch und seine *ver*rückten Begegnungen mit der künstlichen Intelligenz

Hallo Mensch! Ich frage dich: Bist du von dort gekommen, um dahin zugehen? Ist der von dir eingeschlagene Weg der originäre Sinn deines Seins und weiteren Werdens? Weißt du, dass du deine Zukunft aufs Spiel setzt? Es macht mir Angst, weil ich zusehen muss, wie du dich immer mehr abschaffst. Du bist dabei, dich als Mensch aus deiner Verantwortung zu stehlen und gibst sie immer an die Roboter-Intelligenz ab. Dann ist der historische Schritt nicht mehr weit, vor einer von dir erzeugten künstlichen Parallelwelt aus Cyborgs zu stehen, die dir dein Menschsein streitig machen.

Du hast dich im Laufe deiner Geschichte nicht nur mit Ruhm überschüttet. Du bist dein eigener Widerspruch. Das Gute und das Böse in dir sind deine steten Begleiter. Du hast das Gute gewollt und auch viel Böses gebracht. Jetzt stehst du an der Grenze zwischen Zweifel und Hoffnung, Richtig und Falsch, zwischen Fortschritt und Abgrund. Bedenke: Es droht dir eine Versklavung, die du selbst in Gang setztest.

*Mensch, du musst **ver**rückt zu sein! Mache dir bewusst: Du bist in deinem Sein und Werden weder grenzen- noch zeitlos. Es gibt für dich keine Nachspielzeit.*

Das Verrückte und das *Verrückte*. Verrückt, verrücken, verrückt sein, Verrücktheit – es lädt zum Wortspiel ein. Heben wir die Vorsilbe in der Schreibweise ab, wird das Gedankenspiel offensichtlich. Es zeigt uns seine Bedeutungen, in die wir uns mit ihm hineinbewegen. Bezeichnen wir einen Menschen als verrückt, so verbindet unser Sprachalltag damit den Gedanken, dass ein Mensch seinen Verstand nicht beisammen habe, dass er irre, psychisch krank sei. Das Bild vom verrückten Menschen bringt zum Ausdruck, dass dieser sich außerhalb des Normalen, Gesunden bewege.

Demenziell erkrankte Menschen werden als verrückt angesehen, weil deren kognitive Einschränkungen von jenen abweichen, die diese Einschränkung nicht haben. Sie bewegen sich in einer anderen Lebenswelt. De-menz, lateinisch: dementia, heißt „weg vom Geist" oder „ohne Verstand" sein.

Es gibt Stimmen, die sich gegen eine derartige (pathologische) Verrücktheit des Menschen stellen. Sie gehen davon aus, dass diese Menschen nicht im derartigen Sinne verrückt, sondern *ver*rückt seien, was so viel bedeutet, von der bisherigen Lebenswelt ab bzw. weg gerückt zu sein. Es habe sich hier ein kognitiver Lebensweltwechsel vollzogen. Die Pathologie der Demenz tritt in den Hintergrund.

Dieser Gedanke ist insofern interessant, wenn wir uns auf folgendes Gedankenexperiment einlassen: Stellen Sie sich vor, Sie schätzen sich als geistig normal ein. Sie sind in der Denkweise und im Verhalten so wie die meisten Menschen auch. Stellen Sie sich weiterhin vor, sie leben in einer Welt, die eine

Begrenzung in Form eines großmaschigen Zaungeflechts aufweist, wie wir es bei Tiergehegen in Zoos kennen, jedoch unüberschaubar in der Länge und Höhe. Auf der einen Seite dieses Zaunes stehen wie Sie die so genannten „Normalen". Auf der anderen Seite leben jene Menschen, die wir als dement betrachten. Die Frage, die sich hier stellt, ist: Wer befindet sich innerhalb und wer steht außerhalb dieser Gitterbegrenzung? Kann nicht jede Menschengruppe für sich in Anspruch nehmen, sich außerhalb des Gitters zu befinden und nicht in ihm „gefangen" zu sein? Wer oder was gibt uns das Recht, Menschen mit Alzheimer-Demenz als nicht „normal" anzusehen – nur weil jene Gruppe in der Minderheit ist? Könnten jene Menschen, die auf der anderen Seite stehen, nicht das Gleiche behaupten?

Sicherlich sind jene Werte wie Würde und Selbstbestimmtheit, das Führen eines selbstständigen Lebens, wichtige Kriterien für ein gelingendes Leben. Alles, was sich außerhalb dieser Werte bewegt, kann für ein Leben nicht gut sein. Es gibt nicht wenige unter uns, die mit dieser *Ver*rücktheit nicht klar kommen und sich von diesen Menschen fernhalten, weil sie deren Lebenswelt nicht ertragen können. Sie vergessen, dass auch diese Menschen es wert sind, mit ihrer Demenz ein würdevolles und soweit wie möglich ein selbstbestimmtes Leben zu leben.

Im *Ver*rückten offenbart sich das Absurde. Absurd deshalb, weil das *Ver*rückte sowohl seine Begrenztheit als auch Unbegrenztheit im menschlich Kognitiven aufzeigt. Albert Camus

(1913 – 1960) beschreibt dieses Absurde in seiner Vortrefflichkeit: „Das Absurde ist im Wesentlichen eine Entzweiung. Es ist weder in dem einen noch in dem anderen der verglichenen Elemente enthalten. Es entsteht durch deren Gegenüberstellung. (vgl.: Der Mythos des Sisyphos, Rowohlt Taschenbuch Verlag, Reinbeck bei Hamburg, 2014, S. 43)

Es ist der Vergleich, der das *Ver*rückte absurd macht und ihm das gibt, was es ist, und mich zum Gedanken führt, dass sich das Verrücktsein in seiner Vielfalt erkennbar gibt. Unsere menschlichen Verrücktheiten zeigen sich in einer stetig durchdringenden Absurdität, weil in ihr der Widerspruch zwischen der realen Lebenswelt, den sich daraus entwickelten Lebensgrundsätzen des Menschen einerseits und den ihm unterstellten Handlungen andererseits wirkt. (vgl. a.a.O., S. 42 f.)

*Ver*rückt ist alles, was sich bewegt bzw. uns im Fühlen, Denken, Handeln weiterbringt. *Ver*rückt ist auch das, was sich im Vergleich zum Bisherigen neben uns stellt. Insofern betrachte ich unsere *Ver*rücktheiten als eine Eigenschaft menschlicher Begegnungen mit uns selbst und mit anderen. *Ver*rückt werden heißt, bewegt werden und bewegt sein, seinen Platz oder Standpunkt (Haltung, Auffassung) zu wechseln. Nur *Ver*rücktheiten schaffen wirkliche Begegnungen. Sie schärfen unsere Sinne, unsere Wahrnehmung, unseren Verstand, die durch sie bewegt werden.

Das *Ver*rücktsein ist immer auch ein Ent- bzw. Gerücktsein. Es ist das kognitiv Irre und zugleich Deplatzierte, dass das Verrückte vom bisherigen Unverrückten anzeigt. Es ist der

Weg vom Bisherigen – egal ob körperlich, geistig, emotional – hin zum Deplatzierten. Es ist ein Platz-, Perspektiv-, Bewertungs-, Gefühls-, oder Handlungswechsel, der bis zu einem möglichen Paradigmenwechsel reicht – zum Guten wie zum Bösen.

Das *Ver*rückte gibt Raum für das Entstehen von Neuem, verbunden mit Hoffnung, Zuversicht und nachhaltiger Zukunft. Es ist aber auch das Entstehen von Neuem, das uns bei allem Vordenken Angst machen kann und uns die Hoffnung auf Zukunft nimmt. In jedem Verrückten steckt eine Portion des *Ver*rückten, das uns *ent*rückt.

Es bleibt immer die Frage zurück, wohin uns dieses Entrücken führt, welchen Sinn und Wert es für uns besitzt. Das zu wissen, lässt erstens die Ambivalenz von Entrückungen erkennen und zweitens ihren ethisch-moralischen Kontext erahnen. Je gewichtiger, zukunftsweisender ein sich anbahnendes Entrücken offenbart, desto grundlegender und nachhaltiger wirkt es auf die folgende Entwicklung von Mensch, Gesellschaft und Technik. Damit ist die philosophische, insbesondere ethisch-moralischen Tür des Verrücktseins für weiterführende Überlegungen aufgestoßen.

Das obige Begriffsspiel war insofern lohnenswert, weil das bisher Gedachte neue Denkperspektiven offenlegt. Ich möchte mit der Idee des Verrücktseins dem Verrückten seine begriffliche Enge und pathologische Schärfe nehmen. Das löst nicht, wie angedeutet, sein mögliches Schreckensbild auf, das wir bereits in den Anfängen einer Demenz wahrnehmen können.

Ich möchte in den folgenden Diskurs das Verrücktsein in seiner ganzen inhaltlichen Breite und Widersprüchlichkeit hineintragen.

Während das so genannte pathologische Verrücktsein außerhalb jeder weiteren Betrachtung bleibt, gebe ich jenem Verrücktsein Raum, der das Wegbewegen vom Bisherigen und Bestehenden zum Inhalt hat. Hier spielt seine *Dialektik* hinein. Das Verrücktsein ist einerseits positiv, konstruktiv, nachhaltig zu erschließen. Zum anderen erachte ich es für ebenso wichtig und sinnvoll, in ihm das Zerstörerische zu erkennen.

Verrücktsein heißt, sich von dem Bisherigen, Gewohnten ab- und sich dem Neuen, Unbekannten, Unsicheren zuzuwenden. Verrücktsein bedeutet auch, das Tradierte, Eingefahrene, Kontinuierliche hinter sich zu lassen und sich auf das Unbestimmte, Uneindeutige, Risikovolle einzulassen. Das bedarf der menschlichen Neugierde, Kreativität und des Mutes, sich von „alten Ufern" wegzubewegen. Es braucht Anpassungs- und Gestaltungsfähigkeit und eine innere Haltung, die erlaubt, auch scheitern zu dürfen.

Das *Verrücken* als räumliche, gedankliche und emotionale Platzveränderung setzt zugleich eine Portion menschlich irrtümlicher und pathologischer Verrücktheiten voraus. Sie sind der natürliche Urgrund für menschliches Verrücktwerden und -sein, die uns unser Entrücken offenbaren. Sie sind vergleichbar mit Kuriositäten, die uns die Natur in der Tier – und Pflanzenwelt bietet. Es ist der Prunk im Federkleid der Vögel, das Geweih bei den Hirschen oder die überschwängliche

Ausstattung in der Blütenpracht. Es sind die Mutationen als die Grundlage evolutiver Gestaltungskraft, von denen die meisten keine Chance auf ein Weiterkommen haben, weil sie in Bezug auf das Bestehende natürliche Irritationen sind. Gäbe es sie nicht, gäbe es auch keine Chance auf bioevolutive Verrücktheiten, das heißt, keine Chance auf eine Neubildung von Rassen und Arten.

Insofern ist eine Portion pathologischer oder scheinbar irriger Verrücktheit menschlich sinnvoll, diesem *Verrückten* den Platz zu geben, der notwendig ist, um Begegnungen neuerliche Entwicklungsmöglichkeiten einzuräumen. Jede uns nicht gewährte *Verrücktheit* bedeutet Stillstand, Veränderungslosigkeit, das Ende von Leben. Nur eine Welt menschlicher *Verrücktheiten* schafft kreative und lebensbejahende Begegnungen.

Der Mensch - verletzlich und abhängig. Dass die Evolution in einem Zeitraum von über 3,5 Millionen Jahren den Menschen hervorbrachte, ist ein Geschenk der Natur an den Menschen. Es scheint uns nicht immer bewusst zu sein, was das bedeutet. Der Mensch ist evolutiv ein singuläres Kunstwerk, aus der terrestrischen Lebenswelt hervorgegangen. Er ist einzigartig auf unserer Erde. Ob auch exoterristisch intelligentes Leben existiert, wissen wir nicht. Dieses Unwissen sollte unser Bewusstsein dafür schärfen, sich im alltäglichen Leben diesen Natur- und Glücksumstand zu vergegenwärtigen und als Mensch zu schätzen.

Von Anfang seines Werdens und Seins an entwickelt und

zeigt sich der Mensch in seiner *Abhängigkeit und Verletzlichkeit*. Abhängig von der Natur, weil er in seinem Wesen und Ursprung ein Produkt der Natur ist. Seine Existenz ist einzig und allein davon abhängig, was die Natur ihm an Ressourcen zur Verfügung stellt. Dieser Ressourcenbestand entscheidet über sein Leben und seinen Tod.

Zu dieser natürlichen Abhängigkeit kommt eine *zweite*: die soziale Abhängigkeit. Der Mensch ist ein soziales Wesen. Er lebt und überlebt nur in einer sozialen Gemeinschaft. Das Einander-Brauchen, das Sich-Unterstützen und Helfen, hat er aus seinem Tiersein in die Menschwerdung des Affen mitgenommen. Die heutigen Gesellschaften und sozialen Lebensformen sind Ausdruck dieser Entwicklung. Jeder Ausstoß aus der Gemeinschaft bedeutet nicht nur den sozialen, sondern auch den emotionalen Tod des Menschen, dem nicht selten der natürlich-physiologische folgt.

Es gibt noch eine *dritte* Abhängigkeit des Menschen, die er aus seinem Werden frühzeitig künstlich geschaffen hat. Es ist seine stetig wachsende Abhängigkeit von der von ihm kreierten Technik. Sie ist die von ihm geschaffene zweite Natur und der menschlich verlängerte Arm seiner Naturnutzung. Über Zehntausende von Jahren erreichte diese Abhängigkeit ein Ausmaß und eine Qualität, ohne die der Mensch nicht mehr leben will und auch nicht mehr kann. Auf diesen Teil der gewachsenen Abhängigkeit wird unten näher eingegangen.

Aus dem historischen Spiel einer dreifachen menschlichen Abhängigkeit und dem festen Willen, das Leben in Unabhängigkeit zu gestalten, zeigt sich die innere (dialektische) Gegensätzlichkeit seines Menschseins. Es wird mit ihr auch seine *Verletzlichkeit* offenkundig.

Der Mensch ist verletzlich in seiner Natürlichkeit, mit seinen unabhängig vom Alter bestehenden körperlichen, kognitiven und seelischen Verletzungen (Einschränkungen), mit dem zu erwartenden Tod, mit dessen Unausweichlichkeit er im Leben stets konfrontiert wird.   . Verletzlich ist er auch in sozialer Hinsicht, weil soziale Brüche wie die Schmälerung menschlicher Kontakte, die insbesondere im Alter zunehmen und an Bedeutung gewinnen, die emotionale Verletzlichkeit befördert. Hierzu zählt die wachsende Einsamkeit, die nicht mit der Fähigkeit des Alleinseins zu verwechseln ist, die ein hohes Maß von Verletzlichkeit in sich trägt und Auswirkungen auf die körperliche und seelische Befindlichkeit des Menschen hat. Entstandene Verletzlichkeit erzeugt neue, oft viel tiefere, die wiederum eine Abhängigkeit (Pflege aus gewachsener Bedürftigkeit eines Menschen) hervorbringt.

Diese auf das menschliche Individuum bezogene Verletzlichkeit ist übertragbar auf die menschliche Gesellschaft. Auch sie trägt Verletzlichkeiten im Werden und Sein. Sie sind   von viel größerer Brisanz, weil sie die Gattung Mensch gefährden. Es sind beispielsweise Pandemien oder Kriege, Naturkatastrophen oder gesellschaftliche Umbrüche, die alles Dagewesene vernichten können.

Menschliches Leben und der Traum von der Unsterblichkeit. Jeder Einzelne von uns wird mit der Geburt in das Leben hineingeworfen. Ungefragt. Unentschieden. Unverfügbar. Wir sind einfach da und werden uns erst in späteren Lebensjahren dieser Tatsache bewusst. Haben wir die Macht über unser Leben, so entscheiden wir uns in den meisten Fällen für das Leben und sind bereit, für dieses Leben Entscheidungen zu treffen und verantwortungsvoll zu handeln. Wir wissen, dass dieses Leben von begrenzter Dauer ist. Selbst eine gestiegene Lebenserwartung ändert nichts daran. Beginnt das menschliche Klagelied nicht schon damit, sich der in Begrenztheit zeigenden Verletzlichkeit zu stellen, sie als Lebensherausforderung an- und die Lebenszeitbegrenzung hinzunehmen?

Der Wunsch vieler Menschen ist, älter zu werden, aber nicht alt zu sein. Wir wollen es Methusalem nachmachen und wissen oder überschauen nicht, auf was wir uns einlassen. Der Mensch wird nicht müde, die Wissenschaft zu bemühen, das Altwerden-Rätsel aufzulösen. Die Humangenetik und die damit einhergehende Alternsforschung wollen den Geheimnissen des Alterns auf die Spur kommen, um die Unverfügbarkeit des Todes menschlich verfügbar zu machen. Wir wissen heute viel über die Zellalterung. Medizinischer Fortschritt, Aufklärung, Bewegung? etc. haben wesentlich dazu beigetragen, die Lebenserwartungen bei Mann und Frau zu erhöhen. Doch damit nicht genug. Die moderne Molekularbiologie liefert Hinweise für eine genetische Determiniertheit von Langlebigkeit. Die Telomerentheorie geht davon aus, dass mit jeder Zellteilung in unserem Körper die Telomere am Ende des Chromosoms sich verkürzen. Die Telomerase ist ein Enzym, mit dessen Hilfe dem Vorgang der Verkürzung entgegengewirkt wird.

Wie sind diese Forschungen und zu erwartenden Therapien zu bewerten, die auf Lebensverlängerung abzielen? Wir wollen dem Leben mehr Tage geben. Macht das Mehr an Lebenszeit das Leben zufriedener und glücklicher? Führt Lebenszeitverlängerung zwangsläufig zu mehr Lebensqualität? Ich habe insofern meine Bedenken, weil wir Gefahr laufen, durch diese Art von Lebensverlängerung in das menschliche Genmaterial einzugreifen.

Das Vorbild, dem Geheimnis eines verzögerten Alters auf die Spur zu kommen, ist der Nacktmull. Er ist kleines Nagetier, mit dem die Alternswissenschaft versucht, der Natur das Geheimnis der so genannten ewigen Jugend abzuringen. Er scheint der Prototyp für das lange Leben zu sein. Der Nacktmull wird über dreißig Jahre alt, ohne zu altern, krank und gebrechlich zu werden. Er behält seine Jugend und Gesundheit bis zum Lebensende. Da ist es menschlich verständlich, dem Nacktmull das Geheimnis des Methusalem-Gens zu entlocken. Die damit einhergehende Chancen- und Risikobewertung für die praktische Anwendung ist vollkommen offen.

Wenn wir bedenken, dass jeder gentechnische Eingriff stets ein Für und Wider trägt, und wir dazu neigen, eher die antizipierten Vorteile statt die möglichen Nachteile in Erwägung zu ziehen, bleiben bei derartigen Forschung nicht selten beiläufige Konsequenzen unbedacht. Die Verlockung ist einfach zu groß, sich über die mögliche Folgen hinwegzusetzen. Gemeint ist, dass mit zunehmender Lebenswartung und Alterung das Risiko der erwähnten Demenz vom Alzheimer-Typ steigt. Wir sollten die Tragik eines Menschen bedenken, die ihm widerfahren kann, wenn ein älter werdender Mensch sich zuvor erfolgreich einer lebensverlängernden Chromosomentherapie unterzog und bei ihm zur späteren Zeit eine Alzheimer-Demenz festgestellt wird. Nützt das Älterwerden mit einer derartigen Diagnose? Die Alzheimer-Demenz führt nicht zwangsläufig zum Tod. Es sind eher deren Folgeerscheinungen. Die Frage ist: Welche Lebensqualität bietet ein verlängertes Leben unter den Bedingungen der Demenz? Wir sollten uns der Grenzen eines derartigen *Ver*rücktseins mit ihren Folgen und Konsequenzen bewusst sein. Wir *ver*rücken das Alter und schaffen kognitive *Ver*rücktheiten.

Wir sollten wissen und lernen, dass die Natur sich nur bedingt überlisten lässt. Wir kaufen eine wissenschaftliche Höchstleistung zum naheliegenden Vorteil des Menschen ein und zahlen mit ihm einen oft nicht überschaubaren Preis für seine negativen Langzeitfolgen. Weder der einzelne Mensch noch die Gattung ist mit Lebenszeitverlängerung ausgestattet. Lebensverlängerung wirft ethisch-moralische Fragen auf, vor allem dann, solange die Alzheimer-Demenz nicht therapiefähig ist. Wenn die Endstückbehandlung des Chromosoms zu einer lukrativen Leistung der Humangenetik wird, haben wir ein zusätzliches ethisch-moralisches Problem: Soll exklusives Leben käuflich sein? Das Altern und Alter könnte zu einer Ware werden. Der Geldbeutel könnte zukünftig darüber bestimmen, wer im Alter jung bleiben kann und wer nicht.

Das Altwerden ist nicht nur durch Bildung, sozialen Status, Ernährung, Bewegung und allgemeine Lebensgestaltung bestimmt. Es wird zusätzlich durch ein persönliches Vermögen beeinflusst. Die Chromosomen-Manipulation wird die Palette der Einflussfaktoren auf das Altern um einen weiteren ergänzen. Doch auch hier bleibt die Frage zurück: Ist das vom Menschen biogenetisch Mach- und Nutzbare zugleich das sinnvoll und ethisch Vertretbare? Der Grenzgang ist fließend. Bei allem sind wir gut beraten, davon auszugehen, dass bei allem medizinischen Fortschritt die Natur des Menschen keine Nachspielzeit kennt. Die Natur des Lebens wird sich das zurückholen, was ihr zusteht. Überschreitet der Mensch seine Grenzen, so wird er an sie erinnert und auf den Boden der Realität zurückgeworfen.

Die *Ver*rücktheit künstlicher Intelligenz (KI). Der Digital-Gipfel der Bundesregierung Anfang Dezember 2018 in Nürnberg bescheinigt Deutschland im Vergleich zu anderen Ländern ein Mittelmaß an bisheriger KI-Entwicklung. Es heißt, es drohe die Gefahr, den Anschluss zu verlieren, was der Volkswirtschaft empfindlich schaden würde. Dieser von der Bundeskanzlerin Angela Merkel auf dem Gipfel geäußerte Gedanke macht im internationalen Vergleich den Stand der KI-Forschung- und -Anwendungen deutlich. Zugleich ist erkennbar, dass die Digitalisierung der Gesellschaft eher in einen wirtschaftlichen Kontext gestellt wird, als dass der Blick auf den Menschen selbst fällt.

KI-*Innovation* ist selbstredend erst dann vollzogen, wenn sich die KI-Entwicklungen als Produkte vermarkten lassen. Doch darf die Produktvermarktung, angetrieben durch den internationalen Wettbewerb, so weit vorangetrieben werden, dass die Entwicklungs- und Produktethik, das heißt, der auf den Menschen ausgerichtete Sinn des Produktes und seine nachhaltige Nutzung zum Wohle des Menschen ins Hintertreffen gerät?

Der Mensch ist Kreator und Rezipient; er ist Entwickler, Produzent, Vermarkter und Anwender der künstlichen Intelligenz. Seine *Ver*rücktheiten bestehen darin, sich zunehmend von der analogen Welt weg in die digitale hineinzubewegen. Diese Anwandlung? Verwandlung? hat in den 60er Jahren des vergangenen Jahrhunderts ihren Anfang genommen und seit den 90er Jahren einen neuerlichen Schub erhalten. Heute stehen wir vor einer neuen Roboter-Generation. Die Verschmelzung von digitaler Technik und Mensch erreicht eine neue Qualität.

Es scheint kein Zufall zu sein, dass mit der Digitalisierung unserer Lebenswelt das menschliche Gehirn ins Zentrum der Forschung gerückt ist. Die Neurowissenschaften haben im Vergleich zu anderen Wissenschaften in der Erkenntnisgewinnung an Raum gewonnen. Die Entwicklung der künstlichen Intelligenz voranzubringen, das menschliche Gehirn digital nachzubauen, den Robotern ein menschliches Angesicht zu geben, sind wissenschaftlich-technische Träume, denen der Mensch mit Milliarden an Investitionen nachgeht. Er wird nichts unversucht lassen, dem Transhumanismus seine Wirklichkeit zu geben. Mensch und Maschine sollen immer mehr eins werden. Sie verschmelzen zu einem Ganzen. Dieses Ganzwerden ließe sich so weit vorantreiben, dass die Unterscheidung Mensch und Cyborg zusehends verblasst. Die Verschmelzung von Mensch und technischer, künstlicher Intelligenz wird immer offensichtlicher.

Die Entwicklungen stehen erst am Anfang. Mit jedem gewollten wissenschaftlich-technischen Schritt wird der Roboter in seinem Inneren und Äußeren menschlicher. Diese Vermenschlichung des Roboters ist angesichts des Fachkräftemangels im Dienstleistungsbereich nachvollziehbar. Cyborgs in der Pflege und Betreuung, in der Physio- und Ergotherapie, beim Friseur einzusetzen ist deshalb nachvollziehbar. Aber ist es nicht auch natürlich, dass der Mensch Menschen begegnet? Er kennt sie und sich. Alles ist vertraut. Doch der zunehmende Mangel an Personal drängt zur   Suche nach einer möglichst menschlichen Alternative: Cyborgs. Hier laufen Zwänge und menschliche Neugierde zusammen. Doch wie spielen beide Seiten auf der Tastatur von Ethik und Moral? Sie ergänzen sich in der Begründung, der KI-Entwicklung den Lauf zu geben, der ohnehin international nicht aufhaltbar ist. Technik ist mit dem Menschen von evolutiver Natur.

Das Menschwerden des Affen ist von ebenso evolutivem Charakter wie die vom Menschen auf den Weg gebrachte Entwicklung künstlicher Intelligenz. Die biologische Evolution bringt eine technische hervor. Der Roboter am Fließband, wie wir ihn insbesondere in der automatisierten Autoindustrie kennen, mit seinen immer wiederkehrenden mechanischen, für uns Menschen nicht nur faszinierenden, sondern zugleich langweiligen Bewegungen, gehört in der KI-Entwicklung zur Roboter-Senioren-Generation. Sie wird mit dem weiteren KI-Fortschritt nicht verschwinden, sondern sich in ihrem Rahmen weiterentwickelt, so wie das vor 200 Jahren erfundene Fahrrad („Draisine") bis heute seine Entwicklung durchmachte und weiter bestehen wird.

Dieser Senior-Roboter steht neben dem und außerhalb des Menschen. Er erledigt sein Tagewerk mit ihm oder ohne ihn. Die heutige Roboter-Generation ist mit der Fähigkeit des Lernens ausgestattet. Sie kann auf neue Gegebenheiten, veränderte Umweltbedingungen reagieren und sich anpassen. Diese Roboter sind in der Lage, mit dem Menschen zu interagieren. Mensch und Technik arbeiten, wirken, *leben zusammen*. Das ist ein qualitativ neuer Schritt in der Mensch-Maschine-Beziehung. Sie agieren in wechselseitiger Abhängigkeit. Die Verschmelzung von realer, analoger und digitaler, virtueller Lebenswelt tritt immer offensichtlicher zutage. Abhängigkeit und Verletzlichkeit des Menschen erreichen hier eine neue Qualitätsstufe, die Kritiker und Ethiker auf den Plan ruft.

Der weitere Weg in der Roboterevolution zeichnet sich schon heute ab. Der Mensch strebt danach, sich digital, ebenbildlich zu kreieren. Alles zielt daraufhin, dem „Technikus digitalis" körperliche, kognitive und emotionale Züge zu geben. In keiner Hinsicht soll er dem Naturmenschen? natürlichen Menschen in dessen Denk-, Gefühls- und Verhaltenswelt nachstehen. Ist der Roboter als Cyborg so weit entwickelt, dann ist der Schritt zu seiner Selbstorganisation, sprich: selbstverwirklichenden Reproduktion, nicht mehr weit. Biologisch nennen wir das Fortpflanzung. Es ist dann der Schritt von der einfachen Reproduktion hin zu einer sich evolutiv gestaltenden Fortschrittsentwicklung. Die Roboter konstruieren sich selbst und lernen immer mehr. Sie wissen, wie Anpassungsfähigkeit und Selbstentwicklung *digitalisiert* funktionieren. Diese Evolution braucht keine Jahrtausende. Die auf Digitalisierung beruhende Evolution vollzieht sich in einer wesentlich kürzeren Zeit. Der Kommentar des Astrophysikers Stephen Hawking zu dieser Evolution ist: „Wenn Menschen Computerviren schaffen, wird irgendwann auch jemand Künstliche Intelligenz schaffen, die sich selbst vermehren kann." (sh. www.heise.de/tp/features/Hawking-warnt-Roboter-koennten-die-Menschen-ersetzen)

Der Historiker Yuvai Harari gehört zu jenen Sozialkritikern, die unmissverständlich auf bedenkliche, d.h. zu bedenkende Folgen der KI-Entwicklung aufmerksam machen. Seine Bücher sind ein beredtes Zeugnis eindringlicher Mahnungen. Im Zeit-Wissen-Gespräch, gefragt nach den Gefahren, die die künstliche Intelligenz mit sich bringt, sagt er: „Eine Gefahr ist, dass künstliche Intelligenz die Menschen überflüssig macht. Schon zu unseren Lebzeiten könnte es passieren, dass Hunderte Millionen Menschen aus dem Arbeitsmarkt verdrängt werden, weil künstliche Intelligenz und Roboter alles besser können als Menschen. Ich glaube nicht, dass es den Homo sapiens in 200 Jahren noch geben wird." (sh. www.zeit.de/zeit-wissen/2017/04/homo-sapiens-schwierigkeiten-technik-wirtschaft-gesellschaft/seite-4) Er steht mit seinen Befürchtungen nicht alleine. Stephen Hawking macht nicht ohne Grund ebenso auf diese Entwicklung aufmerksam und resümiert: „Künstliche Intelligenz könnte das größte Ereignis in der Geschichte unserer Zivilisation sein – oder das schlimmste." (sh. futurezone.at/science/stephen-hawking-ki-koennte-schlimmstes-ereignis-der-menschheit-werden/296.805.846)

Von viel größerer Brisanz ist die Bildung von Avatars. Das sind mittels KI-Technik künstlich geschaffene Kopien menschlicher Wesen, die das natürliche Abbild des Menschen darstellen, in Körper, Geist und Seele gleich sind, ohne in der natürlichen Genese eines Menschen zu sein. Die KI-Evolution hat ihre Perfektion erreicht. Die Suche nach außerirdischen Aliens erübrigt sich. Der Mensch hat sich selbst geschaffen: Es sind die sich selbst reproduzierenden Cyborgs und Avatars. Evolutiv ist es unwichtig, auf wen die Wahl letztlich fällt. Auf der Erde gibt es eine natürliche und eine künstliche, vom Menschen erzeugte, vom ihm losgelöste und sich selbst organisierende KI-Sozialisation. Wir haben es dann mit einer Parallelwelt auf unserer Erde zu tun. Oder anders gesagt: Auf der Erde sind dann zwei gleichwertige Lebenswelten präsent. Keiner der beiden Lebensweltrepräsentanten wird später sagen können, wer von ihnen der Richtige oder der Falsche ist.

Die ethisch-moralische Brisanz wird offenkundig, weil der Mensch sich immer weniger als objektives evolutives Naturprodukt zeigt, sondern er erschafft sich in der KI-Wesenheit zunehmend selbst und damit zugleich sich selbst ab. In diesem Schaffensprozess kreiert er eine neue, außerhalb von ihm stehende Individuation als ein neuerliches Gattungswesen. Warum eigentlich? Will der Mensch auf diese Weise seine Unsterblichkeit und Unverletzbarkeit zum Ausdruck bringen, um so seine natürlichen Grenzen zu überwinden? Will der Mensch auf diesem Wege das Universum erobern, um sich eine neue exoterrestische Welt zu erschließen? Ist es die im Menschen angelegte pure Neugierde und der auszulebende Forscherdrang, die ihn zu diesem Handeln bewegt. Oder zeigt sich darin der sich über alles hinwegsetzende Größenwahn, der auch Teil menschlicher Geschichte ist?

Eines ist jedenfalls unumstritten: Der Mensch ist mit der künstlichen Intelligenz auf dem Wege, sich zu *verrücken*. Dieses menschliche *Verrücktsein* besteht darin, dass der Mensch sich auf einem Grenzgang befindet, zuerst seine Seele und Vernunft an sich selbst zu verkaufen. Das heißt, er platziert sie in die künstliche Intelligenz, die er für sich in jeder Hinsicht nutzbar macht. Er macht sich mit der Kreation ein Selbstgeschenk. Doch was ist dieses wert?

Die Begegnung mit der künstlichen Intelligenz ist *verrückt im* Menschen, solange er sie unter Kontrolle hat. Doch dabei wird es nicht bleiben. Die Selbstschenkung verwandelt sich in Fremdschenkung an die künstliche Intelligenz, sobald sie sich außerhalb menschlicher Gestaltungskraft bewegt. Diese Begegnung mit der künstlichen Intelligenz ist *verrückt vom* Menschen. Sie entspricht in der Beziehung zueinander der Struktur der Roboter-Senioren-Generation. Aber sie ist im Niveau, das heißt, im Verhalten zueinander, qualitativ bei weitem ein anderes: Das Verhältnis von Agierenden und Reagierenden, jenen, die über die Kontrolle verfügen, und jenen, über die verfügt wird, hat sich umgekehrt. Das Verhalten zwischen Mensch und Technik ist umgeschlagen.

Der Mensch läuft Gefahr, den Punkt zu verpassen, an dem er sein menschliches Sein nicht mehr selbst souverän in der Hand hält. Er setzt sich der Gefahr aus, sich selbst zum Sklaven zu machen und sein eigener Totengräber zu sein.

Inwieweit dieses *Verrückt*sein mit oder ohne eine Nachspielzeit ist, bleibt vorerst offen. Nach Y. Harari ist die menschliche Geschichte vorgezeichnet. Im o. g. Interview setzt er im Gespräch mit Tobias Hürter und Max Rauner ebenda fort: „Angesichts des technischen Fortschritts sehe ich zwei Möglichkeiten: wir werden uns selbst vernichten, durch einen Atomkrieg, einen Cyborgkrieg, den Klimawandel oder eine Kombination aus alledem. Aber das ist unwahrscheinlich. Eher werden wir mit den neuen Technologien die Fähigkeit erlangen, das Leben neu zu gestalten und Körper und Bewusstsein zu schaffen. Dann wird der Homo sapiens nicht in einer Hollywood-Apokalypse verschwinden, sondern sich selbst auf eine viel höhere Stufe bringen. Vielleicht nur eine Elite, und der Rest der Menschheit wird irrelevant. Vielleicht die gesamte Menschheit. Auf jeden Fall werden in 200 Jahren keine Menschen wie wir mehr existieren." (ebenda)

Sollte Y. Harari mit seiner Zukunftsaussicht Recht behalten, dann folgt er den Gedanken Karel Čapeks (1890 – 1938), der in seinem Roman „Der Krieg mit den Molchen" vor 80 Jahren, am Vorabend des Zweiten Weltkrieges, antizipatorisch eine ähnliche Situation beschrieben hat. Der Unterschied: Es waren die Molche, die die Erde eroberten und die Macht an sich zogen.

Doch wen kümmert es, wenn am Ende der Geschichte gleichermaßen der Kontrollverlust zu beklagen ist. Es ist *nur* eine Science-Fiction, die nicht mehr lange auf sich warten lässt, Realität zu werden. Georg Christoph Lichtenberg (1742 – 1799) vermochte es offensichtlich schon zu seinen Lebzeiten vor über zweihundert Jahren auf den Punkt zu bringen, wenn er schreibt: „Ich kann freilich nicht sagen, ob es besser wird, wenn es anders wird; aber so viel kann ich sagen; es muss anders werden, wenn es gut werden soll." (vgl. Sudelbuch, 1793-1996, K 293, Schriften und Briefe)

Positiv Gestimmte mögen im Aristotelischen Sinne nicht in Extremen denken, sondern das gesunde und positive Maß der KI-Entwicklung für sich   deklarieren. KI-Entwicklung und deren Applikationen sollen einen *menschlichen* Sinn geben und sind dort zu platzieren, wo sie weder die Würde noch die Selbstbestimmtheit des Menschen untergraben.

Der demografische Wandel, der u. a. auch die Anzahl der Hilfebedürftigen vergrößert, setzt Zwänge in einem nicht wegzuleugnenden Dilemma: entweder kein Einsatz von Robotern in der Pflege und Betreuung mit der Folge einer Unterversorgung oder Robotereinsatz mit minderer Qualität der Versorgung der Bedürftigen. Der Sinn und Wert von so genannten Pflegerobotern ist offensichtlich. Die ethische Frage im Rahmen des kategorischen Imperativs steht im Raum: Roboter- bzw. Cyborgeinsatz so viel wie nötig oder so viel wie möglich?

Selbst außerhalb der Pflege und Betreuung, wo die Menschen individualisiert sind und die Gefahr der Vereinsamung besteht, kann das Single-Dasein – sei es als junger oder alter Mensch – für immer der Vergangenheit angehören. Der Roboter, der im menschlichen Aussehen und Verhalten kaum oder gar nicht mehr vom Menschen unterscheidbar ist, wird zum treuen Lebensgefährten für das Bett? (mehrdeutig!), im Haushalt oder in der Freizeitgestaltung. Der Beziehungsalltag befindet sich somit in guten Händen und soll vor Vereinsamung und Depression schützen. Sicherlich lassen sich viele weitere Möglichkeiten nennen, über KI-Technik wertvolle und unterstützende Hilfen für den Alltag mit und ohne Hilfebedarf anbieten zu können.

Gutgläubige mögen daran festhalten, dass, wenn jene KI-Hominiden sich ihr Leben und ihre Sozialisation selbst organisieren, sie ebenso wie der Mensch mit einer Moral ausgestattet sind. Dass wir dem Menschen moralisches Verhalten zugestehen, ist ohne Zweifel. Selbst Tieren wie Affen, Hunden oder Elefanten, wie Experimente bewiesen, können wir eine

Moral im Blickfeld unseres Moralverständnisses unterstellen. Gegenseitiges Helfen, solidarisches Verhalten, miteinander Kooperieren und auch gelegentliches Bestrafen für „unmoralisches" Benehmen sind uns aus Tierbeobachtungen bekannt.

Wir haben es hier mit einem Lebensbereich von Mensch und Tier zu tun, der uns miteinander verbindet. Interessant ist, zu fragen, ob jene KI-Hominiden ebenso über eine Moral verfügen können bzw. werden, wie sie sich beim Menschen herausgebildet hat. Das setzt voraus, dass sich zwischen ihnen eine Sozialisation entwickelte, die durch Verhalten und Kommunikation begründet ist. Wenn es eine derartige gibt, wo hat sie ihren Ursprung? Ist sie vom Menschen gemacht? Kann bei einer künstlichen, KI-angelegten Selbstreproduktionsfähigkeit eine eigene Moral aus sich selbst heraus entstehen? Wie viel Mensch wird in dieser Moral zu finden sein? Oder wird sich eine eigenständige Moral dieser Cyborg-Hominiden herausbilden, ausgestattet mit einer eigenen KI-Wertewelt? Inwieweit sie mit der des Menschen konform sein wird, bleibt vorerst ein Geheimnis der zukünftigen Evolution zwischen Mensch und Maschine.

Die intelligenten Maschinen werden sich moralisch korrekt im Sinne des Menschen verhalten, solange sie durch Menschengeist und -hand bestimmt sind und der Mensch die Kontrolle über sie hat. Das gilt auch für die Generation der Interaktion und Kooperation zwischen Mensch und Maschine. Sollte diese hominide Technik die Qualität der Selbstreproduktionsfähigkeit und des interaktiven Kommunizierens und

Verhaltens erreichen, dann ist nicht mehr ausgeschlossen, dass diese Wesen eine eigene Moral zu sich und zum Menschen hin herausbilden, die sich in ihrer Ethik widerspiegelt. Die Basis dafür ist ihre Lernfähigkeit. So wie kleine Kinder von anderen durch Beobachtung und Erziehung lernen, ihren Vorbildern folgen, haben wir es dann mit dem zu tun, was wir Anpassung nennen.

So interessant die Antwortsuche auf die oben gestellten Fragen ist, möchte ich den Diskurs nicht weiter vorantreiben, weil er derzeitig keine befriedigenden Antworten liefern kann. Alles weitere Denken führt uns auf den Pfad der Spekulation.

So viel sei gesagt: Wenn beide Ethiken konform gehen, wird eine Co-Existenz möglich sein. Zwei Lebenswelten haben ihren Raum wie vor 40.000 Jahren, als drei Menschenarten auf der Erde lebten. Der Vergleich ist allerdings insofern unfair, als wir es mit grundsätzlich unterschiedlichen evolutiven Ausgangsbedingungen zu tun haben. Das evolutive Ergebnis der Menschheitsentwicklung ist uns bekannt: Der Cro-Magnon-Mensch hat den Neandertaler und Denisova-Menschen überlebt. Wenn jedoch die KI-Hominiden nach dem Leben der Menschen trachten sollten, oder auch nicht, sondern die natürlichen Umweltbedingungen den KI-Hominiden eine bessere Überlebenschance geben würden, dann wären alle bereits ausgesprochenen Befürchtungen begründet.

In allem hat der Mensch sich selbst *ver*rückt gemacht. Mit

*dieser Ver*rücktheit wird er seine Außen- und Selbstbeherr-
schung verlieren. Ob es vom Menschen sozialhistorisch oder
bioevolutiv verantwortungslos war oder nicht, spielt in diesem Szenarium ohnehin keine Rolle mehr.

Der Mensch und sein *ver*rücktes Dilemma. Die Technikentwicklung hat seit Menschengedenken den gesellschaftlichen Fortschritt in Bewegung gebracht und immer wieder neu
initiiert. Wo der Mensch ist, ist Technikentwicklung nicht aufzuhalten. Sie ist konstitutiver Teil menschlichen Werdens und
Seins.

Die letzten dreitausend Jahre haben uns etwa alle fünfhundert Jahre gewaltige gesellschaftliche Umbrüche beschert, die
durch wissenschaftlich-technische Innovationen in Gang gesetzt und gestützt wurden (vgl. Kondratjew-Zyklen). Oder
anders formuliert: Technische Basisinnovationen ziehen Paradigmenwechsel nach sich, die die Gesellschaftsentwicklung
bestimmen. Derartige Umbrüche sind in der gesamten Breite
das Resultat einer fortwährenden Geschichte ökonomischer,
sozialer und kultureller Veränderung. Kein Bereich der Gesellschaft bleibt unberührt.

In so einem komplexen Wandlungsprozess befinden wir
uns erneut: Seit dem letzten weltumspannenden Umbruch
sind fünfhundert Jahre vergangen. Es war die Zeit des unter-
gehenden Feudalismus und aufstrebenden Bürgertums, die
die Gesellschaft vom frühen Kapitalismus in die heutige
(Post)Moderne führte. Diese Zeit schließt mehrere technische
Basisinnovationen ein, in der wissenschaftliche Entdeckungen

und noch mehr technische Erfindungen wie der mechanische Webstuhl, die Dampfmaschine, die Elektrizität, das Auto und die Straßenbahn, das Radio bis hin zur Raumfahrt und zum Computer fielen. Der Fortschritt in der Technikentwicklung – ich denke an die Schifffahrt – machte zu jener Zeit die erste Globalisierung der Wirtschaft möglich, die heute mit der Digitalisierung eine neue Qualität an Tiefe und Breite erreicht.

Es scheint die Zeit dafür reif zu sein, dass sowohl der 500-Jahres-Zyklus bei gesellschaftlichen Umwälzungen als auch der so genannte 50-Jahres-Zyklus bei technischen Basisinnovationen ihr kreatives, umwälzendes Werk neuerlich fortsetzen.

Die Digitalisierung schafft eine neue Globalisierung, die die Welt und das Zusammenleben der Menschen neu ordnet. Die Globalisierung 2.0 stellt im Vergleich zur Renaissance alles, was die Gesellschaftsentwicklung bisher hervorbrachte, auf den Kopf. Das Zusammengehen von *Digitalisierung und Globalisierung* versetzt die Welt, mit der wir heute leben, in bisher ungeahnte Möglichkeiten wissenschaftlich-technischer und sozioökonomischer Entwicklungen, die wir nur in den ersten Ansätzen überschauen und bei denen wir gar nicht so recht wissen, was auf uns zukommt. Der Klimawandel wird sich zur Digitalisierung und Globalisierung hinzugesellen. Er mischt bereits schon mit. Wie dieser Cocktail aussehen und uns Menschen schmecken wird, können wir vielleicht schon heute erahnen, wenn die menschliche Vernunft sich nicht dieses Welten-Mix' verantwortend annimmt.

Wir nehmen in unserem Alltag wahr, wie sich auf leisen Sohlen dieses Neue auf uns zu bewegt. Es hält uns in Trapp; und die Folgen der Schnelllebigkeit und des Wandels sind in allen unseren Lebensbereichen   spürbar. Sie machen den Menschen Angst und wirken wie eine Welt-Bedrohung, wenn es um Ausblicke in die Zukunft geht.

Die Warnungen sind unüberhörbar. Dennoch scheint der Prozess wie ein von der Natur ausgelöster Tsunami unaufhaltsam seinen Weg zu gehen. Wir erahnen die riesengroße Welle am Horizont, stehen gebannt und ohnmächtig zugleich vor ihr und denken: Das ist die Apokalypse.

Die Tatsache, dass technische Innovationen Gesellschaften und deren Felder wie Wirtschaft und Finanzen, Kunst und Kultur, das zwischenmenschliche Zusammenleben und derzeitig insbesondere Bildung und Gesundheit beeinflussen, zeigt, welche Kraft durch menschlichen Erfindergeist und Technikentwicklung ausgelöst wird.

Das führt uns zu den Fragen: Auf welcher Grundlage vollzieht sich Technikentwicklung? Wodurch wird sie in Gang gesetzt? Wohin führt ihr Weg und mit ihm die gesellschaftliche Entwicklung?

Technikentwicklung braucht menschlichen Antrieb. Der Faustkeil, geschlagen mit einem anderen Stein, macht ihn zu einem vom Menschen geschaffenen Werkzeug. Doch das ist nichts Außergewöhnliches. Viele Tiere haben die Fähigkeit, Naturstoffe zu verändern und entsprechend zu nutzen. Was den Menschen von den Tieren bei der Werkzeugherstellung qualitativ unterscheidet und ihn sich aus dem Tierreich heraus entwickeln lässt, ist seine antizipatorische Fähigkeit, mit Hilfe eines Werkzeuges ein neues Werkzeug herzustellen. Ein zurecht geschlagener Feuerstein schafft eine Speerspitze zum Erjagen eines Tieres; die Anfertigung einer Nadel aus einem Knochen wird zum Zusammennähen von Fellen eingesetzt. Heute fällt diese Qualität menschlichen Handelns unter die Produktion von Produktionsmitteln. Es ist der Maschinenbau, der den Menschen technisch zum Menschen macht.

Der Vollständigkeit halber nenne ich ergänzend das zweite Grundmerkmal menschlichen Seins: Es ist die sprachliche Antizipation (gedankliche Vorwegnahme) einer Handlung gegenüber den Lebensgenossen? Mitmenschen zwecks Ausübung einer gemeinsamen Tätigkeit und Zielverwirklichung. (vgl. Hans-Jürgen Stöhr, Scheitern im Grenzgang", Romeon Verlag, Kaarst 2017, S. 238)

Um Natur in Technik als die zweite, vom Menschen geschaffene Natur zu verwandeln, benötigt er die Fähigkeit zur Kreativität, die ihre Grundlage im menschlichen Bewusstsein hat. Mit ihm produzieren wir unsere Gedanken. Wir schaffen gedankliche *Ent*würfe, die von unserer Außenwelt angeregt werden.

Die relative Eigenständigkeit des Bewusstseins ist unbestritten, was heißt, dass der Mensch in der Lage ist, „Dinge" zu denken, die ihre Quelle nicht oder nur vermittelt in der Außenwelt haben. Das Denken ist weitgehend frei von ihr. Märchen, Sagen, Lügen, auf dem Reißbrett geplante Häuser oder Werkzeuge, Prognosen, alternative Entscheidungsbildungen oder Hypothesen sind nur einige Beispiele dafür, dass das Bewusstsein sich einerseits der Lebenswelt bedient und andererseits sich von ihr losgelöst bewegen und über sie hinausgehen kann. Das Bewusstsein erfindet und schafft Neues auf der Grundlage seiner inneren und äußeren Wirklichkeit. Dazu gehören seine technischen *Entw*ürfe, die das Produkt von Vorerfahrung, Vorgedachtem und der Verfügbarkeit von bestehender Technik und Naturstoffen sind.

Die Kreationsfähigkeit des Menschen ist eine notwendige, jedoch nicht hinreichende Bedingung für ein schöpferisches Umwandeln der Naturstoffe. Die Verwandlung erfolgt nicht zufällig wie bei einer Mutation in der biotischen Evolution, sondern antizipatorisch im Sinne eines wohlgemeinten? (angestrebten) Zieles für eine praktische Handhabung. Die Grundlage dafür bildet ein im Menschen herausgebildetes Bedürfnis, etwas Bestehendes verändern *zu wollen*, weil es z. B. den Ansprüchen der Lebens- und Wirklichkeitsbewältigung nicht genügt. Die gemachte Erfahrung zwischen einer Ist- und Soll-Situation lässt ein Problem erkennen. Es ist Anstoß, eine Zustandsveränderung herbeizuführen.

Pflanzen und Tieren kennen kein Problembewusstsein, und dennoch ist ihr Verhalten naturbedingt von Effizienz bestimmt, Aufwand und Nutzen in ein angemessenes Kraft-, Zeit- und Energieverhältnis zu bringen. Der Mensch wird nicht nur durch *Neugier und Kreativität* zu neuartigem Verhalten angeregt, sondern er ist auch darauf bedacht, sein Leben kräftemäßig zu optimieren bzw. zu erleichtern, seine *Lebens-qualität* zu verbessern und sein Leben existenziell zu schützen.

Es sind drei entscheidende Beweggründe, die dem Menschen dazu verhelfen, die in der Natur verfügbaren Ressourcen so zu nutzen, dass er über sie seine Bedürfnisse befriedigen kann. Es sind die im Menschen verankerten Triebkräfte, sein Leben mittels Technik voranzubringen und Technik zu verändern.

Als der Mensch für sich erkannte, dass die Naturaneignung, selbst unter den Bedingungen von Versuch und Irrtum, erfolgreich funktioniert, wie wir es in der biotischen Evolution, im Verhalten der Tiere und Pflanzen kennen, war die Technikentwicklung nicht mehr aufzuhalten.

Technikentwicklung ist die Abfolge kreativer Basis- und Design-Innovationen. Sie ist der Weg der kleinen und großen aufeinander aufbauenden Kreationen, gezielt, gewollt oder auch zufällig als Nebenprodukt einer anders gewollten Entwicklung, angetrieben durch Neugierde, Versuch und Irrtum und den unbändigen Willen zur Lebensverbesserung.

Bevor je ein Auto entwickelt und mit Dampf, Gas oder Benzin fahren konnte, brauchte es die 2000 Jahre alte Erfindung des Rades, die einer Dampfmaschine Ende des 17. Jahrhunderts und das Herstellungsverfahren von Benzin. Bevor je eine Rakete in den Kosmos geschickt werden konnte, mussten die Menschen wissen, unter welchen technischen Voraussetzungen ein Flugzeug fliegt.

Technikentwicklung ist in ihrem Wesen eine Geschichte aufeinander aufbauender Ideen menschlicher Naturaneignung, begleitet durch menschliche Neugier, kreative Lust, angetrieben von Absichten praktischer Lebenserleichterung und menschlicher Wohlstandsförderung.

Diese Bedingungen und Triebkräfte der Technikentwicklung wären einseitig und verzerrt dargestellt, wenn nicht bedacht würde, dass Technikkreation Gesellschaftsentwicklung voranbringt und gleichzeitig gesellschaftliches, vor allem wirtschaftliches Denken und Handeln, auf die Technikentwicklung zurückwirkt.

Technischer Fortschritt ist nicht nur das Ergebnis menschlicher Antriebe und des Bestrebens, mit ihm das Leben so angenehm wie möglich zu gestalten. Technischer Fortschritt wird auch begleitet vom Streben nach Macht, Geld und Profit, das sich nicht selten in menschliche Gier wandelt. Daran hat sich bis heute nichts geändert.

Technischer Fortschritt ist nicht nur mit Wissenschaft, Forschung und Applikation verbunden, sondernunterliegt einer Innovation. *Innovation* versteht sich hier als Markteinführung und Vermarktung technischer Produkte und Verfahren. Das geschieht mit dem Ziel, alle ideellen und materiellen Investitionen zu refinanzieren. Mit der Innovation ist ein Gewinn zu erzeugen, um ihn privat oder gesellschaftlich abzuschöpfen, einen anderen Teil für neuerliche Forschung und Entwicklung zu investieren, um so eine neue Basis- oder Teil- bzw. Design-Innovation vorzubereiten. Das ist die Beschreibung des Nutzens von Technikentwicklung, die menschlich gesehen auf der „Sonnenseite" steht. Technikinnovation ist die treibende Kraft sozioökonomischer und wissenschaftlich-kultureller Entwicklung in der Gesellschaft. Ohne sie gibt es kein gesellschaftliches Fortschreiten in der Menschheitsgeschichte.

Obwohl Technikinnovationen Gesellschaftsentwicklung voranbringen, greift rückwirkend die Gesellschaft in Form von Staat und Privatwirtschaft, von Politik, Kapital und Machteinflüssen in Forschung, Technikentwicklung und Applikationen ein. Das geschieht nicht, um vorrangig Neugier und Forscher- und Entwicklungslust oder menschliche Wohlstandsbedürfnisse zu befriedigen, sondern über Technikentwicklung und -innovationen Politik und Wirtschaft zu beeinflussen, Macht in der Gesellschaft geltend zu machen und letztlich Wirtschaftswachstum und Profit zu generieren. Technikentwicklung ist naturbedingt mit dem Menschen verknüpft; sie hat mit der Marktkapitalisierung ihren Selbstzweck verloren. Sie dient heute mehr denn je einzig und allein einer von der Gesellschaft bestimmten Kapitalsicherung.

Das Resümee der bisherigen Überlegungen ist: Antriebe der Technikentwicklung seit frühester Zeit wurden von Neugierde, Erfinderlust und dem Bedürfnis nach Überleben und Lebenserleichterung bestimmt. Ich stelle diese antreibenden Kräfte technischer Entwicklung auf die Seite des *menschlich-natürlichen* Seins.

Mit der Herausbildung der Klassengesellschaft, der Trennung von geistiger und körperlicher Arbeit, dem Entstehen von privatem Eigentum an Produktionsmitteln, traten neue

Antriebsfaktoren der Technikentwicklung hervor. Sie platzierten sich zusätzlich und neben den menschlichen Antrieben technischer Entwicklung. Es sind Antriebe sozioökonomischer Natur, die die antreibenden natürlichen und ideellen Kräfte des Menschen in den Hintergrund drängten, ohne dass sie gänzlich verschwanden, weil sie für den technischen Fortschritt weiterhin gebraucht wurden.

Es sind die neuen Eigentums- und Verteilungsverhältnisse, die Macht- und Gewinninteressen hervorbringen. Mit ihnen sind Antriebe verknüpft, die in den sozioökonomischen und privatwirtschaftlichen Bedingungen zu finden sind.

Technikentwicklung wird seitdem von einer menschlichen und gesellschaftlichen Säule getragen. Eine moderne Gesellschaft, die nicht beide Seiten einschließt, wird dieser Gesellschaft nicht gerecht. Und dennoch soll mit Blick auf die Zukunft von Technik und Gesellschaft das Zusammenwirken der beiden Antriebspakete kritisch hinterfragt werden.

Es gibt angesichts des von Y. Harari u. a. beschriebenen Technik- und Gesellschaftsentwicklungsszenariums gute Gründe, vor allem die die Gesellschaft tragenden Triebkräfte der Technikinnovation unter den heutigen kapitalistischen Bedingungen auf den Prüfstand zu stellen. Gemeint sind Macht, wirtschaftliches Privateigentum, Profitabsichten, die oft auch von Gier begleitet werden. Es sind Antriebskräfte, die maßgeblich auf die Technikforschung und -entwicklung Einfluss nehmen. Dabei geht es darum, das Zusammenspiel der o. g. bestehenden und wirkenden Faktoren in gegenseitiger

Beeinflussung von Technik- und Gesellschaftsentwicklung zu hinterfragen:

Erstens. Was passiert, wenn die Technikentwicklung unter den o. g. Antriebsbedingungen fortschreitet? Auf welche Zukunft wird sich der Mensch einstellen müssen?

Zweitens. Wie stark und von welcher Gestalt wäre die Wirkungskraft technischer Entwicklung und Innovation, wenn sie nicht von sozioökonomischen Kräften getragen würde, sondern von menschlichen, natürlich-ideellen Kräften bestimmt wäre? Wäre technischer Fortschritt weniger dynamisch und damit langwieriger?

Drittens. Sind technische Innovationen in einer Gesellschaft von Privateigentum an Produktionsmitteln, in der Machtmanipulation, Profit und Gier mitspielen, in Forschung und Entwicklung frei von derartigen Einflüssen? Wenn nicht, gäbe es die Möglichkeit, diese Einflussfaktoren von der Technikentwicklung fernzuhalten?

Viertens. Wie würde ein Szenario technischer Entwicklung aussehen, wenn menschliche Neugier und Erfindergeist als alleinige Triebkräfte zur Wirkung kämen?

Aus diesen Fragestellungen lassen sich Grundszenarien ableiten. Sie sind Charakterbilder möglicher technischer Entwicklungen mit Blick auf die Zukunft des Menschen. Alles spricht dafür, dass die menschliche Gesellschaft, deren gegenwärtige Entwicklung auf Globalisierung, Digitalisierung und begleitendem Klimawandel beruht, an einem Divergenzpunkt ihrer Geschichte steht. Die Weichstellung ist unabdingbar. Quo vadis, homo sapiens? Die Zeit ist reif, um klar zu sagen, wohin die zukünftige Reise des Menschen mit seinen Technikkreationen gehen soll.

Der Hintergrund der nachfolgenden Überlegungen ist, zu fragen, ob sich die von Y. Harari postulierten „dunklen" Aussichten menschlicher Gesellschaftsentwicklung abwenden lassen oder der Mensch in sein geschichtlich-apokalyptisches Verderben läuft.

Allen nachfolgenden Szenarien wird unterstellt, dass Technikentwicklung, unabhängig davon, in welcher Gesellschaftsordnung der Mensch sich bewegt(e), ihren originären Antrieben wie *Neugier, Erfinderlust und Verbesserung der Lebensqualität und Existenzsicherung* folgt(e). Sie sind die Basics technischer Entwicklungen, die die Geschichte der Gesellschaft wesentlich mittragen.

Technikentwicklung wird heute wie in allen anderen Gesellschaftsordnungen zuvor nicht allein von diesen Triebkräften bestimmt. Sie ist mit einer sozioökonomischen Entwicklung und ihren charakteristischen Antreibern verknüpft. Zu ihnen gehören die *Innovation*, die Technikvermarktung und das Interesse an einer gewinnbringenden Applikation, angestoßen durch den natürlichen Antrieb des Wissen-Wollens. Sie benötigt den wirtschaftlichen *Gewinn*, weil über ihn alle Investitionen refinanziert werden. Dabei ist es nicht ausgeschlossen, dass der Mensch über sein Ziel hinausschießt und die Tür der Profitmaximierung und der menschlichen Gier nach Mehr öffnet. Technische Machbarkeit und Vermarktung erhalten die Dominanz gegenüber menschlich-ethischer Sinngebung und moralischer Vertretbarkeit.

Szenario 1: Technikentwicklung unter den heutigen Bedingungen. Y. Harari und viele andere Wissenschaftler schlagen Alarm. Der Mix an Triebkräften, zu denen der ungebremste Drang einer von Moral entledigten technischen Neugierbefriedigung, Profitmaximierung, Sicherung von Absatzmärkten gehören, treibt den Menschen in eine gesellschaftliche Katastrophe. Er ist ihr eigener Produzent und Gestalter.

Diese Situation lässt sich gut vergleichen mit einem Suchtkranken, der selbst nicht in der Lage ist, den Drogenkonsum zu unterbinden. Ein Therapeut, soweit der Drogenabhängige sich seiner Sucht bewusst ist und den Willen hat, das zu verändern, bietet die Chance auf Heilung. Wer holt die von Globalisierung und Digitalisierung angetriebene Menschengesellschaft aus ihrer bedrohlichen KI-Sucht heraus? Wer soll in diesem Fall ihr Therapeut sein, wenn nicht er selbst?

Es geht nicht darum, die KI-Entwicklung zu verteufeln und ihr abzuschwören. Es liegt in der Verantwortung des Menschen, vorausschauend zu erkennen, wann Technikanwendungen für ihn nicht mehr beherrschbar sind und seinen Fortbestand bedrohen. Mit der Entdeckung der Kernspaltung und deren Nutzung samt allen darauf gemachten Erfahrungen und Zerstörungen sollte der Mensch gelernt haben, wohin derartige Technikentwicklungen führen können. Ob dieser Warnschuss für die zukünftige KI-Entwicklung ausreicht, ist gegenwärtig nicht zu erkennen.

Szenario 2: Technikentwicklung aus menschlicher Neugierde und Lust an Applikationen. Selbst wenn die sozioökonomischen Erfolgsfaktoren der Technikentwicklung, insbesondere privatkapitalistisches Profitstreben, durch eine grundlegende Veränderung bzw. durch eine Neuordnung der Gesellschaft neutralisiert werden, ist das Harari-Negativszenario keineswegs gebannt. Es scheint in der Natur des Menschen zu liegen, trotz gesellschaftlich gesetzter ethisch-moralischer Grenzen diese zu überschreiten und Schlupflöcher auszumachen. Es ist nicht die Macht oder die Gier nach Profit, die wie eine Droge wirken, sondern die ungebändigte Natur des Menschen, sich seine Lebenswelt untertan zu machen und das Wissen-und-Machen-Wollen, dem er aus Lust und Neugier nicht widerstehen kann.

Ist der Mensch in der Lage, sich selbst derartige Grenzen aufzuerlegen? Ich habe meine Bedenken. Die einzige Möglichkeit, die ich sehe, ist, institutionelle, finanzielle und rechtliche No-Go-Linien zu setzen. Sie sind vor allem dann erforderlich, wenn Forschung und Entwicklung im privatwirtschaftlichen Kontext stattfinden. Sie sind zwingend, jenen Menschen Einhalt zu gebieten, die im Streben nach Anerkennung, einem ausgeprägten Geltungsbedürfnis oder persönlichem Machtstreben ethisch-moralische Grenzen überschreiten. Wenn der Technikforschung und -entwicklung der Nährboden negativer Einflussfaktoren entzogen wird, sind die Chancen für eine nachhaltige, humanistisch bestimmte Technikentwicklung günstiger als im Szenarium 1 beschrieben.

Der mögliche von Y. Harari herauf beschworene Ernstfall in der Menschheitsgeschichte ist damit nicht gebannt.

Szenario 3: Technikentwicklung im gesellschaftlichen Transfer, frei von jeglichem Macht- und privatkapitalistischem Profitstreben. Forschung und Entwicklung in der öffentlichen Hand können das Profitstreben weitgehend ausschließen. Sie unterliegen der gesellschaftlichen Kontrolle. Die Einhaltung der ethisch-moralischen Rahmenbedingungen ist unter dieser Voraussetzung wesentlich leichter. Wird der Staat zum öffentlichen Wirtschaftsträger, ist er selbst am Transfer der Technikentwicklung und deren praktischer Nutzung interessiert. Forschung und Entwicklung erfolgen vordergründig im gesellschaftlichen und politischen Kontext.

Der Staat wird das Vorantreiben des wissenschaftlichen Fortschritts nicht beschränken, solange er für sich darin einen Nutzen (Steuereinnahmen usw.) sieht. Private Profitinteressen sind hier zwar weitgehend ausgeschlossen, doch das unbändige Streben nach Neuem, die mögliche internationale Reputation oder andere Anreize schließen die Gefahr einer ethischen Grenzüberschreitung nicht vollständig aus. Die Suche nach Schlupflöchern, wie in Szenario 2 beschrieben, ist nicht auszuschließen, vor allem dann nicht, wenn es um die Sicherung eines guten Platzes auf dem internationalen Markt geht. Deutschland kann sich selbst nicht den Spielregeln des Weltmarktes entziehen. Die Privatwirtschaft wird den Staat bedrängen, wie es am Beispiel des Abgasskandals in der Autoindustrie zu erkennen war. Nicht die auf Digitalisierung beruhende Weltwirtschaft wird der nationalen Wirtschaft Zwänge auferlegen, sondern der Drang deutscher Wirtschaft und Politik, nicht außerhalb des Spielfeldes zu stehen. Es ist ihr Wille, nach Möglichkeit ein wichtiger Weltplayer auf diesem Feld zu sein. Damit werden wiederum sozioökonomische Interessen bedient.

Szenario 4: Technikentwicklung im Maß auferlegter menschlicher und technikwissenschaftlicher Selbstbegrenzung. Es gibt genügend Beispiele in Forschung und Entwicklung, insbesondere in der Humangenetik, die Eingriffe in das menschliche Genom verbieten. Was diese betrifft, reagieren wir ethisch und moralisch sehr sensibel. Kein Technikentwickler kommt derzeit auf den Gedanken, in der Roboterentwicklung eine nicht zu überschreitende Grenze zu ziehen. Das kann daran liegen, sich zu sagen, dass die Technik- und insbesondere IK-Entwicklung nicht unmittelbar den Menschen berührt, und derzeitig keine Gefahren aus der Roboterwelt wahrgenommen werden. Es ist heute schwer nachvollziehbar und zu vermitteln, aus welchen Gründen Mensch und künstliche Intelligenz nicht zusammengeführt werden sollten.

Allein der antizipatorische Gedanke, dass Cyborgs das Niveau der Selbstorganisation und autonomen Reproduktion entwickeln könnten, sollte für eine ethisch-moralische Sensibilisierung und Grenzziehung in der KI-Entwicklung ausreichend sein. Doch wer will Grenzlinien ziehen, wenn die KI-Entwicklung globalen Charakter trägt, und im internationalen Wettbewerb um die besten Applikationen und Absatzmärkte gerungen wird? Globales Denken *und* Handeln sind gleichermaßen gefordert. Doch lässt eine von Kapital und Profitstreben gesteuerte Gesellschaft eine weltumspannende Wertebildung und Grenzsetzung zu, die derartige Cyborgs verhindert? Sind Forschergeist und Fortschrittsgläubigkeit entfesselt, gibt es keinen Grund, die Technikentwicklung aufzuhalten.

Von allen Szenarien scheint das vierte trotz Einschränkungen das größte Entwicklungspotential zu haben, an das Gewissen und die Verantwortung des Menschen zu appellieren. In der selbstauferlegten Kontrolle sehe ich am ehesten die Möglichkeit, einer ungebremsten KI- und angewandten Cyborg-Entwicklung Einhalt zu gebieten.

Auf die Psychologie und das Gute im Menschen zu setzen, sind nicht gerade die besten Voraussetzungen für ein Gelingen humanbestimmter und -nachhaltiger KI-Entwicklung. Das scheinen nicht die besten Zukunftsaussichten zu sein. Was letztlich für alle, insbesondere für das vierte Szenarium spricht, ist der Worst Case. Hier unterstelle ich die Entwicklung von jenen oben genannten Cyborgs, die sich sozialisieren und nach ihren Interessen handeln. Sie könnten das Ziel verfolgen, den Menschen auf der Erde zu verdrängen oder zu unterwerfen oder gar vernichten zu wollen. Vielleicht muss erst eine derartige Gefahrensituation unmittelbar bestehen, die den Menschen die Menschheit als globale Gesellschaft begreifen lässt und ihn zum gemeinsamen Handeln zwingt.

Wenn nur dieses Szenario bleibt, spielt der Mensch mit

dem Homo sapiens und geht das Risiko einer von ihm erzeugten KI-Entwicklung ein, die eine Eigenvernichtung zur Folge haben könnte. Das Besondere in der Evolution des Menschen könnte im Vergleich zu vielen anderen Tierarten darin bestehen, sich selbst abgeschafft zu haben. Was weltumspannend ein Atomkrieg an menschlicher Vernichtung nicht realisiert, könnte der Mensch durch die Begegnung mit seiner gesellschaftlichen Parallelschöpfung verwirklichen, den hominiden Cyborgs, die die Menschen als Gattung in den selbstorganisierten Abgrund ziehen könnten.

Wird der Mensch jemals einen Grund haben, auf diese gesellschaftlich-technische Zukunftsvision stolz zu sein?

Alles ist offen, unbestimmt und ohne Nachspielzeit. Der Versuch, vier Szenarien zu skizzieren, macht für sich schon deutlich, in welcher Diversifikation Zukunft verlaufen kann. Sie zeigt sich nach vorne offen und unbestimmt, weil ihre Voraussagbarkeit an eine höchst komplexe und dynamische Lebenswirklichkeit geknüpft ist. Angesichts gesellschaftlicher Indeterminiertheit und bestehender Selbstorganisation liegt es in der Verantwortung des Menschen, Gesellschafts- und Technikentwicklung mit Bedacht zu gestalten und ihre Sinngebung auf Schritt und Tritt zu hinterfragen und kritisch zu begleiten.

Die Tatsache, dass die menschliche Gesellschaft sich wie ein offenes, dynamisches System verhält, lässt die Verantwortung des Menschen in dieser Gesellschaft schwer wiegen, weil in der Dynamik von Gesellschafts- und Technikentwicklung die *Verrücktheit* von besonderem Gewicht ist.

Es ist mehr als wichtig, dass der Mensch in dieser Lebenswelt sein bestehendes und mit der Entwicklung fortschreitendes *Wegrücken* begreift. Der Altbestand an Werten, Denk- und Verhaltensweisen bedarf der Erneuerung. Globalisierung und Digitalisierung werden das menschliche *Verrücken* weiter vorantreiben. Der Klimawandel wird dem *Verrücken* noch seine besondere Note geben. Dafür braucht es den adäquaten menschlichen Denk- und Handlungsschluss. Kommt er unangemessen, schwerfällig, ungewollt mit Widerstandskraft, stellt sich kein fortschreitendes *Verrücken*, sondern ein *Zerrücken* ein, was einer Zerstörung des Zukünftigen gleichkommt.

Vielleicht ist die Zuhilfenahme der Philosophie ein möglicher Denkansatz, sich dem vom Menschen selbst erzeugten Zerstörungspotenzial künstlicher Intelligenz entgegenzustellen und sich jenen *Verrückheiten* zuzuwenden, die dem Menschen *und* der künstlichen Intelligenz gleichermaßen eine nachhaltige Entwicklung geben. Diese Aussicht ist nach meinem Verständnis entwickelbar, wenn wir alles Leben auf die Grundlage folgender Werte stellen: *Freiheit und Verantwortung, Dialog und Vertrauen.* Sie in einer dialektischen, vernetzten Struktur zu begreifen und ihnen im praktischen Leben den gebührenden Raum zu geben, eröffnet uns die Möglichkeit für ein neuerliches Lernen, das wiederum Entwicklung in Gang setzen kann.

Verantwortung kann nur in Freiheit gelebt werden und umgekehrt. Wer bereit ist, Verantwortung zu übernehmen, dem sind gestalterische Freiräume zu gewähren. Wer *Freiheit*en für sich beansprucht, ist auch in die Pflicht, Verantwortung zu tragen. Nicht selten begegnen wir Menschen, die nach Freiheit rufen und dabei die Verantwortung vergessen oder sie gerne an andere abgeben. Wenn der Mensch sich die Freiheit herausnimmt, dem Forscher- und Entwicklungsdruck nach neuer künstlicher Intelligenz zu folgen, dann ist es seine Verantwortung, KI-Entwicklung so zu gestalten, dass die Würde des Menschen und seine Selbstbestimmtheit nicht verlorengeht und er sich nicht der Gefahr aussetzt, seine Macht abzugeben. Alle KI-Entwicklungen und daraus erwachsene Applikationen werden in Bezug auf Freiheit und Verantwortung auf den ethisch-moralischen Prüfstand zu stellen sein. Beide Werte sind gleichermaßen von Bedeutung, weil sie Grundwerte menschlichen Lebens sind, die sich einander bedingen. Sie sind so aufeinander abzustimmen, dass sich diese Werte wechselseitig entfalten können und auf das Lernen lebens- und zukunftsgestaltend wirken.

Dialog und Vertrauen als die zwei weiteren Werte im Wertequadranten tragen gleichsam zur obigen Sinnstiftung bei. Dialog als Kommunikation im Austausch unterschiedlicher Meinungen braucht Vertrauen. Dieses Vertrauen befördert Offenheit im Dialog. Der Dialog ist Ausdruck bestehenden Vertrauens. Vertrauen erzeugt Dialog, und jeder Dialog befördert das Vertrauen.

Forschung und Entwicklung in dem für mein Verständnis sehr sensiblen Bereich der künstlichen Intelligenz braucht mit jedem weiteren Fortschreiten ein wachsendes Vertrauen und einen Dialog, der sich offen zur Meinungsbildung ohne Geheimnisse bekennt.

Die beschriebene Paarbildung der vier Werte in diesem Quadranten lässt sich im Weiteren ergänzen: Der Wert Freiheit wirkt auf Dialog und Vertrauen. Das gilt auch für Verantwortung in Beziehung zu Dialog und Vertrauen – bzw. umgekehrt. Der Dialog lebt nur mittels einer dialogischen Freiheit. Ein Dialog ist es nur, wenn er sich in einer freien Meinungsbildung bewegt und von den Partnern verantwortungsvoll wahrgenommen wird. Sie zuzulassen braucht beidseitiges Vertrauen der Gesprächspartner. Geschenktes Vertrauen in einem Dialog schafft Freiheit in der Meinungsäußerung. In allem hat die Verantwortung ihren Platz. Es ist die Verantwortung der Kommunikationspartner, den Dialog zu suchen und in der gegebenen Freiheit vertrauensvoll, wertschätzend miteinander umzugehen.

Nur eine wechselseitige Wertegestaltung öffnet die Tür für das *Lernen* – sei es in Gestalt des Veränderungs-, Anpassungs- oder Lernen-Lernens. Über dieses Gelernte wird letztlich das Gestalten, Verändern, Entwickeln freigesetzt. Sind diese Werte in Forschung und Entwicklung fest verankert, ist ein Platz für die künstliche Intelligenz in der Gesellschaft vorgesehen. Er lässt ihr einen Gestaltungsraum, jedoch in bewegten Grenzen. Die Grenzziehung findet dort statt, wo der Mensch unkontrolliert seine Verantwortung abgeben muss, Handlungsfreiheit als eingeschränkt wahrgenommen wird und die Werte

Dialog und Vertrauen in der Mensch-Technik-Beziehung gestört sind.

Die lauernde Gefahr einer gestörten Beziehung zwischen Mensch und einer mit künstlicher Intelligenz ausgestatteten Maschine führt mich zum begrifflichen Ausgangspunkt des Buches zurück: zu *Begegnung und Resonanz*.

Die vom Menschen in den unterschiedlichen Gestaltungsformen, Ausstattungen und Entwicklungsqualitäten geschaffene künstliche Intelligenz wird in zu erwartender Zukunft die weltumspannendste, dynamischste Begegnung des Menschen mit sich selbst sein. Der Ausgang dieser sich zum Teil auch rekursiv, rückbezüglich gestaltenden Begegnungen zwischen Mensch und künstlicher Intelligenz ist ungewiss. Alle denkbaren Szenarien enden heute in mehr oder weniger fassbaren Spekulationen.

Was wir heute mit Sicherheit sagen können, ist, dass die Begegnungen zwischen Mensch und KI nicht ohne Wirkung bleiben. Die Beziehung zwischen Mensch und künstlicher Intelligenz ist eine prozesshafte Begegnung. Sie kann fehlerhaft sein und auf den Menschen bedrohlich wirken, wenn sie nicht den Charakter annimmt, in dem eine Resonanzbildung möglich wird. Die Ver- und letztlich Entfremdung ist vorhersehbar, wenn diese ausbleibt. Die Qualität der Beziehung zwischen Mensch und KI darf nicht gemessen werden am Fortschritt der KI-Entwicklung, nicht am Wissensstand und Reichtum verfügbarer KI-Ressourcen, *„sondern am Grad der Verbundenheit mit und der Offenheit gegenüber"* (Hartmut Rosa, Resonanz. Eine Soziologie der Weltbeziehungen, Suhrkamp, 2016, S. 53) der Mensch-Mensch- und Mensch-KI-Beziehung. Die Resonanzbildung unter den Menschen im Verhältnis zu der von ihm entwickelten KI und der sich gestaltenden Beziehung zwischen Mensch und den Cyborgs wird der Schlüssel zu den Begegnungen hinsichtlich der Frage sein, ob sie gelingen oder misslingen werden.

Sind die Begegnungen auf Potenziale ausgerichtet, aus denen Verfügungsmächte und Entfremdungen entstehen, wird eine Resonanzbildung zwischen ihnen ausbleiben. Sind die Begegnungen auf ein unbändiges, von Ethik und Moral freies Begehren des Menschen fokussiert, ist die Gefahr der Verfremdung zwischen ihnen ebenso gegeben. (vgl. a.a.O., S. 200) Entscheidend ist, wie der Mensch im Zuge der KI-Potenzialentwicklung eine Resonanzbildung zu sich ermöglicht und ein Resonanzverhältnis zu seiner von ihm geschaffenen künstlichen Intelligenz aufbauen kann und will. Dabei müssen entstehende Resonanzen nicht immer positiv tragend und bestimmt sein. Gemeint sind Gefühle der Verunsicherung, Befürchtungen oder gar Ängste. Sie sind zwar von resonanter Wirkung, doch keine emotionale Hoffnungsträger auf das, was nicht an KI-Entwicklung am Menschen vorbeigehen wird. Was wir brauchen, ist ein menschliches, geschichtstragendes, ein der Nachhaltigkeit zugewandtes KI-Verhältnis, das Hoffnung, Vertrauen und Zukunft ausstrahlt.

Es ist der Blick auf die Resonanzbildung unter den Menschen auf Grund von KI-Entwicklung und -Applikation, die mit den o. g. Werten von Verantwortung und Freiheit, Dialog und Vertrauen, frei von Macht-, Gier- und Profitstreben, zur Wirkung kommen muss.

Es ist zugleich die Sicht des Menschen auf die Cyborgs; in welchem Verhältnis diese zueinander stehen und wie sie miteinander umgehen werden. Die Verfügbarkeit und die Qualität der Resonanzfähigkeit der Cyborgs, Stimmungen bzw. Gefühle auszudrücken, ihre Beziehung zum Menschen zu beschreiben und zu reflektieren, wird für das gemeinsame Schicksal von Mensch und Cyborgs bestimmend sein.

Ist zwischen Mensch und KI-Wesen eine Resonanzbildung möglich, gibt es Hoffnung für beide. Die einzelnen Wertigkeiten entstandener Resonanzen sind bedeutungslos, wenn sie von positiven Selbstwirksamkeitserwartungen bestimmt sind und Menschen sich untereinander genauso erreichen und berühren wie der Mensch seine KI und umgekehrt. Das ist die Grundlage für gegenseitiges Anerkennen und Wertschätzen. Entscheidend ist die Resonanz*fähigkeit mit Nachhaltigkeit.*

Lassen Sie mich den Epilog schließen mit einem Zitat, das ich aus dem Buch von Fritjof Capra, betitelt „Wendezeit, Bausteine für ein neues Weltbild", entnommen habe. (Scherz Verlag, Bern und München 1987, S. V) F. Capra beginnt in der Einleitung seines Buches mit einem Text aus I Ging, dem Buch der Wandlungen. Es beinhaltet einen der ältesten chinesischen Texte, dessen Entstehungsgeschichte bis in das 3. Jahrtausend v. Chr. zurückreicht.

Nach einer Zeit des Zerfalls kommt die Wendezeit.

Das starke Licht, das zuvor vertrieben war, tritt wieder ein.

Es gibt Bewegung. Diese Bewegung ist nicht erzwungen ...

Es ist eine natürliche Bewegung, die sich von selbst ergibt.

Darum ist die Umgestaltung des Alten auch ganz leicht.

Altes wird abgeschafft, Neues wird eingeführt,

beides entspricht der Zeit und bringt daher keinen Schaden.

Literaturempfehlungen

Branden, Nathaniel: Die 6 Säulen des Selbstwertgefühls. Erfolgreich und zufrieden durch ein starkes Selbst, Piper Verlag, München 2003

Buber, Martin: Das dialogische Prinzip, Gütersloher Verlagshaus, Gütersloh 1999

Buber, Martin: Alles wirkliche Leben ist Begegnung, hrsg. v. Stefan Liesenfeld, Verlag Neue Stadt, München 1989

Fromm, Erich: Die Kunst des Liebens, dtv, München 2017

Harari, Yuval Noah: Eine kurze Geschichte der Menschheit, Verlagsgruppe Random House, München 2015

Illouz, Eva: Warum Liebe weh tut, Suhrkamp Verlag, Berlin 2012

Jellouschek, Hans: Der Froschkönig. Ich liebe dich, weil ich dich brauche, Kreuz Verlag, Stuttgart 2001

Jonas, Hans: Prinzip Verantwortung, Suhrkamp Verlag, Berlin, Taschenbuch 2003

Lotter, Maria-Sibylla: Scham Schuld, Verantwortung. Über kulturelle Grundlagen der Moral, Suhrkamp Verlag, Berlin, Taschenbuch 2012

Maaz, Hans-Joachim: Die Liebesfalle. Spielregeln für eine neue Beziehungskultur, dtv, München 2012

Nichols, Michael: Die Macht des Zuhörens. Wie man richtiges Zuhören lernt und Beziehungen stärkt, Unimedica im Narayana Verlag, München 2018

Platon: Das Gastmahl oder von der Liebe, Reclam

Precht, Richard David: Wer bin ich - und wenn ja, wie viele", Goldmann, München 2012

Precht, Richard David: Erkenne die Welt. Eine Geschichte der Philosophie, Bd. 1, Goldmann Verlag, München 2015

Rosa, Hartmut: Resonanz. Eine Soziologie der Weltbeziehung, Suhrkamp Verlag, Berlin 2016

Rosenberg, Marschall: Gewaltfreie Kommunikation, Junfermann Verlag, Paderborn 2010

Safranski, Rüdiger: Zeit. Was sie mit uns macht und was wir aus ihr machen, Carl Hanser Verlag, Hamburg 2015

Stöhr, Hans-Jürgen: Scheitern im Grenzgang. Wie das Scheitern hilft, das Leben besser zu verstehen, Romeon Verlag, Kaarst 2017

Wohlleben, Peter: Das geheime Leben der Bäume. Was sie fühlen, wie sie kommunizieren - die Entdeckung einer verborgenen Welt, Ludwig Verlag, München, 2015

Zurhorst, Eva-Maria: Liebe dich selbst und es ist egal, wen du heiratest, Goldmann ARKANA, München 2004

Rostocker
Philosophische Praxis

Hans-Jürgen Stöhr

Parkstr. 10 · 18057 Rostock

Tel.: 0381 – 44 44 103 · Fax: 0381 – 44 44 260

www.gescheit-es.de · info@gescheit-es.de